Scénariste renommé, David Safier s'est imposé sur la scène littéraire allemande avec son premier ouvrage, *Maudit Karma* (2008), qui a été un best-seller dans de nombreux pays, tout comme *Jésus m'aime* (2009). Trois autres romans ont suivi : *Sors de ce corps, William !* (2010), *Sacrée Famille* (2012) et *Le fabuleux destin d'une vache qui ne voulait pas finir en steak haché* (2014). Tous ses ouvrages sont publiés aux Presses de la Cité et repris chez Pocket.

LE FABULEUX DESTIN
D'UNE VACHE
QUI NE VOULAIT PAS FINIR
EN STEAK HACHÉ

DU MÊME AUTEUR
CHEZ POCKET

MAUDIT KARMA
JÉSUS M'AIME
SORS DE CE CORPS, WILLIAM !
SACRÉE FAMILLE !
LE FABULEUX DESTIN D'UNE VACHE
QUI NE VOULAIT PAS FINIR EN STEAK HACHÉ

DAVID SAFIER

LE FABULEUX DESTIN D'UNE VACHE QUI NE VOULAIT PAS FINIR EN STEAK HACHÉ

ROMAN

*Traduit de l'allemand
par Catherine Barret*

PRESSES DE LA CITÉ

Titre original :
MUH !

MIXTE
Papier issu de
sources responsables
FSC® C003309

Pocket, une marque d'Univers Poche,
est un éditeur qui s'engage pour la préservation
de son environnement et qui utilise du papier fabriqué
à partir de bois provenant de forêts gérées
de manière responsable.

Le Code de la propriété intellectuelle n'autorisant, aux termes de l'article
L. 122-5, 2e et 3e a), d'une part, que les « copies ou reproductions stricte-
ment réservées à l'usage privé du copiste et non destinées à une utilisation
collective » et, d'autre part, que les analyses et les courtes citations dans un
but d'exemple et d'illustration, « toute représentation ou reproduction inté-
grale ou partielle faite sans le consentement de l'auteur ou de ses ayants
droit ou ayants cause est illicite » (art. L. 122-4).
Cette représentation ou reproduction, par quelque procédé que ce soit,
constituerait donc une contrefaçon, sanctionnée par les articles L. 335-2 et
suivants du Code de la propriété intellectuelle.

© 2012 by Rowohlt Verlag GmbH, Reinbek bei Hamburg
Illustration : Oliver Kurth

place
des
éditeurs

© Presses de la Cité, un département   2014
pour la traduction française
ISBN 978-2-266-25521-9

Pour Marion, Ben et Daniel – Meuh !
Pour Max – Ouah !

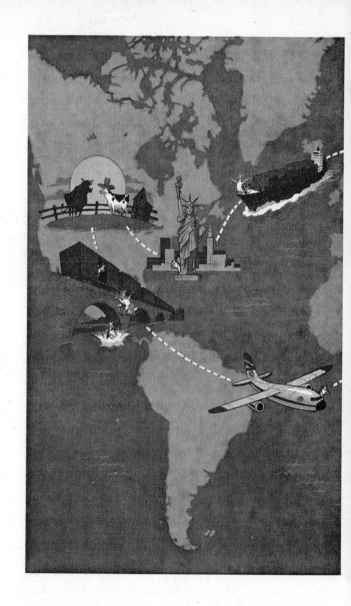

1

« Meuh » peut signifier tant de choses ! Par exemple, lorsqu'une vache aussi désespérément normale que moi mugit, cela peut vouloir dire : « Le fermier a encore les mains froides. » Ou : « Au secours, le fermier conduit la moissonneuse-batteuse en état d'ivresse. » Voire : « Oh, non, ils veulent castrer notre taureau ! »

Nous autres vaches, nous pouvons meugler avec colère : « Saleté de clôture électrique ! » Ou réprobation : « Les enfants, arrêtez de vous moquer des bœufs ! » Ou simplement pour nous réjouir de bon cœur : « De l'herbe, du soleil et pas de ténia – que demander de plus ? »

Il va de soi que nous sommes également capables de meugler d'une voix triste : « Ma maman est morte », interrogative : « Que peuvent bien faire les humains du corps de maman ? », et tout à fait sceptique : « Je ne sais pas pourquoi, mais ce Big Mac dont le fermier vient de parler ne me dit rien qui vaille. »

Quand nous sommes occupées à ruminer sur le pré, nous pouvons même meugler avec philosophie : « À quoi pensait notre créatrice, la Vache divine Naïa, lorsqu'elle a inventé les humains ? Ou ces idiotes de

11

mouches ? Ce serait tellement plus sympa si des papillons multicolores nous tournaient autour à la place ! Ou si, au moins, les mouches avaient un goût agréable. L'idéal, bien sûr, ce serait des papillons qui auraient bon goût. »

Et parfois, oui, parfois aussi, nous meuglons parce que nous sommes profondément choquées.

C'est ainsi que, par un après-midi de printemps, j'ai poussé le plus terrible mugissement de toute ma vie jusque-là. J'étais sur le pré et, en voyant approcher les gros nuages noirs de pluie, je n'ai pas voulu attendre que le fermier nous ramène à l'étable. Car l'idiot nous oubliait souvent ces derniers temps. Oui, il avait beaucoup changé. Il buvait de plus en plus de ce liquide que la fermière – nous ne l'avions pas revue depuis un bon moment – appelait « saloperie de gnôle » et, ce faisant, il jurait en employant des mots bizarres tels que « quotas laitiers », « subventions agricoles », « prostate »...

En tout cas, comme je n'avais pas très envie d'être mouillée une nouvelle fois, j'ai trotté jusqu'à l'étable. Où j'ai découvert à ma grande surprise que l'amour de ma vie, l'imposant taureau noir Champion, était déjà dans son box. À sa vue, j'ai meuglé la phrase qu'aucune vache ne meugle de bon cœur à son bien-aimé :

— Dis-moi, ne serais-tu pas en train de grimper sur Susi ?

Champion a aussitôt tourné la tête vers moi. Un instant, il a paru effrayé, puis il a bafouillé :

— Ce... ce n'est pas ce que tu crois, Lolle !

Oui, nous autres vaches, nous savons aussi meugler des excuses idiotes.

— Tu es debout contre son arrière-train, les pattes de devant posées sur son dos. Si ce n'est pas ça, quoi d'autre ? ai-je rétorqué d'une voix frémissante.

Devant ce spectacle abominable, je sentais mon cœur se briser en mille morceaux. Et mes trois estomacs se nouer. Sans parler de ma panse.

— Je peux tout expliquer, Lolle, a affirmé Champion de sa merveilleuse voix de basse.

En disant cela, il me regardait de ses yeux encore plus merveilleux, d'un noir profond. Son œillade m'aurait sans doute mise sens dessus dessous, comme d'habitude, si je ne l'avais trouvé dans cette position avec Susi. Cette sale vache avait bien des défauts : retorse, prétentieuse, et – le pire – remarquablement belle. Tellement plus que moi ! C'était une vache bien en chair, au pelage luisant, et plus d'un taureau fasciné par son pis s'était déjà cogné contre la clôture électrique. À côté de cela, ma toison noir et blanc était terne, rien dans mon corps ne m'incitait à contempler mon reflet dans une mare pendant des heures. Et jamais mon pis n'avait fait dévier un taureau du droit chemin.

Susi avait depuis longtemps des vues sur Champion, mais j'avais espéré qu'il m'aimerait assez pour résister à son pouvoir de séduction. Bien sûr, tout au fond de moi, je savais que c'était de la naïveté de ma part, et encore, naïveté est un aimable euphémisme. Ce serait trop peu de dire que j'étais con comme un cochon. (Et les cochons sont très cons, puisqu'ils croient réellement que le monde se limite à notre ferme, alors que nous les vaches, de notre pré, nous voyons très bien les arbres du bout du monde. Ces arbres sous lesquels il ne faut s'aventurer sous aucun prétexte, parce que, derrière eux, il y a un abîme où l'on tombe pendant des jours et des jours avant de plonger dans le Lait sans fin de la Damnation.)

Même si le pis de Susi était infiniment plus séduisant que le mien, et même s'il n'y avait pas à se méprendre sur le sens de la scène que j'avais sous les yeux, j'espérais très fort que Champion me dirait la vérité. Et que ce ne serait réellement pas ce que je croyais, qu'il pouvait fournir une explication plausible à tout cela. Car s'il ne le pouvait pas, le rêve de ma vie s'écroulait. Celui que je caressais depuis l'été dernier, alors que je n'étais encore qu'une génisse d'à peine deux étés et qu'un grand trouble agitait mon cœur. J'étais avide de connaître le sens de la vie. Pourtant, quand j'interrogeais les vieilles vaches du pré, elles ne savaient que dire : « C'est tout de même sympa de brouter. »

Une telle réponse était loin de me satisfaire. Je pensais que la vie devait être bien plus que cela – brouter, ruminer, raconter aux autres vaches quelle énorme flatulence on avait produite.

C'est grâce à deux éphémères, un jour de grande chaleur, que j'ai compris ce que pouvait être ce « bien plus ». Tôt le matin, je les ai vues éclore sur une petite flaque d'eau laissée par l'orage. Pendant leurs premières minutes en ce monde, les deux petites créatures m'ont paru si fragiles ! Dès cet âge tendre, les deux mouches se sont senties attirées l'une vers l'autre. J'ai décidé de les observer et de les appeler « Zoum » et « Vroum ». Les deux mignonnes ont passé toute leur enfance, soit environ une demi-heure, à voleter ensemble en s'amusant comme des petites folles.

Vers midi, elles sont devenues mari et femme. Zoum a fécondé sa Vroum tandis que je détournais pudiquement les yeux, comme de juste. Puis ils ont eu des petits, environ un millier, et j'ai préféré renoncer à donner des noms aux bébés.

Les éphémères ont élevé leurs enfants avec amour, et pourtant, c'était fatigant, surtout quand, au début de l'après-midi, tous les mille sont entrés en même temps dans l'adolescence – une période de la vie où il semble qu'on ne soit que partiellement responsable de ses actes.

La croissance des enfants terminée, Zoum et Vroum ont recommencé à profiter de la vie à deux, partant souvent en excursion vers les flaques voisines. À l'approche du coucher du soleil, leur vie est redevenue assez fatigante tout en leur procurant de belles satisfactions, car ils aidaient leurs enfants à s'occuper de leur million de petits-enfants. Plus tard, quand la lune s'est levée, les deux amoureux, épuisés par l'âge, mais heureux, ont longtemps voleté aile contre aile avant de se laisser retomber sur le sol. Ils se sont endormis doucement à la lueur des étoiles, leurs ailes tendrement mêlées.

Après avoir assisté à ce spectacle, j'ai su que je voulais une vie comme celle-là.

Seulement un peu plus longue, cela va sans dire.

Et avec moins d'enfants.

Aussi, je me passerais volontiers qu'une bouse de vache atterrisse sur mon cadavre, comme cela leur est arrivé. Mais sinon, je voulais que ma vie ressemble exactement à la leur. Et j'avais toujours pensé que Champion serait mon Zoum.

Or, ce rêve était en train de se briser, à moins que Champion n'ait réellement une explication plausible à la position dans laquelle il se tenait derrière Susi.

— Voilà ce qui s'est passé, Lolle, a-t-il commencé. Susi avait le dos qui la démangeait, et elle m'a demandé si je pouvais la gratter.

Ce n'était pas précisément l'explication plausible que j'espérais. Les premières larmes montant à mes yeux, je me suis écriée :

— Tu me prends pour une idiote ?

Tandis que Champion ne savait que répondre, Susi a ricané :

— En tout cas, il me paraît évident qu'il ne te trouve pas follement spirituelle.

De toute évidence, elle prenait plaisir à me provoquer. Mais je n'allais pas lui donner la satisfaction de piquer une crise devant elle, encore moins de pleurer. Avec une volonté véritablement surbovine, j'ai donc inspiré à fond, ravalé mes larmes et déclaré posément :

— Alors que toi, Champion t'apprécie à coup sûr pour ton esprit.

— Exactement.

— Et pour ta forte personnalité.

— Tout à fait.

— C'est bien pourquoi il préfère se pencher sur ton arrière-train.

Elle en a eu le souffle coupé d'indignation.

— Lolle, ce qui vient de se passer ne compte pas pour moi... a affirmé Champion en me regardant d'un air contrit.

— Merci bien ! a bougonné Susi d'un air vexé.

Dans un moment pareil, ce n'était malheureusement qu'une maigre consolation pour moi de savoir que l'infidélité ne signifiait rien à ses yeux. Poursuivant sa tentative de minimiser, il a ajouté :

— Tu sais bien que pour nous, les mâles, faire l'amour n'est pas une affaire aussi sérieuse...

Cette fois, c'est moi qui me suis sentie offensée.

— Je te remercie !

— Oups...

S'apercevant de son erreur, il a cherché à la rattraper :

— Avec toi, Lolle, c'est bien différent. Tu sais ce que j'éprouve pour toi !

Il disait cela d'une voix si vibrante que j'étais tentée de le croire. Il se pouvait réellement qu'il ressente encore quelque chose pour moi. C'était même certain. Quel dommage que ce ne soit pas assez pour qu'il résiste à l'arrière-train de Susi !

— Que puis-je faire pour réparer, Lolle ? a-t-il demandé, penaud.

— Deux choses.

— Lesquelles ? s'est-il enquis avec empressement.

— D'abord une toute petite.

— Oui, quoi ?

— DESCENDRE DE SUSI QUAND TU ME PARLES !

— Je suis de ton avis, a renchéri Susi, visiblement agacée que Champion se donne tout ce mal pour moi.

Champion s'est reculé en hâte, et Susi est partie en trottinant vers sa stalle, non sans lui lancer une dernière pique :

— Faire ça avec toi, c'est à peu près aussi agréable qu'une aigreur de la panse !

Il l'a suivie des yeux un court instant, mais elle n'était apparemment pas assez importante pour qu'il prenne la peine de relever l'offense. Se tournant vers moi, il a demandé :

— Et la deuxième chose que je dois faire ?

— Ne plus jamais t'approcher de moi ! me suis-je écriée en tremblant de tous mes membres.

Après ces dures paroles, j'ai fait demi-tour et suis sortie en courant, juste au moment où la pluie commençait à tomber à verse. Le reste du troupeau revenait vers l'étable, mais je ne lui ai prêté aucune attention.

Mon rêve était détruit. Champion n'était pas mon éphémère. J'avais enfin compris que jamais nous ne mènerions ensemble la vie heureuse de Vroum et de Zoum.

Aussitôt, je me suis mise à chialer. Espérant que personne ne me verrait, j'ai galopé vers le pré aussi vite que j'ai pu. Les larmes se mêlaient à la pluie sur mon mufle, et j'ai su que je mourrais de chagrin si je ne trouvais pas rapidement un nouveau rêve de bonheur.

2

Nous autres vaches, nous avons des glandes lacrymales d'une taille extraordinaire. Je ne sais pas combien de temps j'ai pleuré, couchée au bord du petit ruisseau qui longe notre pâturage. Les gros nuages de pluie s'étaient presque dissipés, il ne tombait plus qu'une petite bruine, et je sanglotais encore. C'est alors que Hilde, l'une de mes deux meilleures amies, s'est approchée de moi et m'a demandé :

— As-tu une raison particulière d'essayer de prendre froid ici, Lolle ?

— Chchchchchampiooooonnnn, ai-je beuglé.

— Peux-tu beugler un peu plus clairement ?

— Chchchampio... mmmonté... Sssusi...

Hilde avait compris.

— Avec les mâles, il n'y a que deux solutions, a-t-elle soupiré. Tu les hais, ou bien tu les hais.

Sous sa rude écorce, mon amie dissimulait... euh... un noyau coriace. Pourtant, tout au fond de ce dur noyau se cachait un besoin de tendresse et d'amour. Mais Hilde aurait préféré mettre sa langue dans un hache-paille plutôt que d'avouer ce désir à d'autres – et surtout à elle-même.

Elle était la seule sur notre pré à avoir des taches

brunes, raison pour laquelle les autres vaches l'évitaient depuis qu'elle était toute petite. Mon autre meilleure amie, P'tit Radis, et moi étions les seules à ne pas nous soucier de la couleur de ses taches. Moi, ça m'était égal parce que j'étais fascinée par tout ce qui était différent. Et P'tit Radis, parce que c'était la plus gentille de toutes les vaches, et parce que le monde n'était jamais trop varié pour elle.

Tandis que mes glandes lacrymales et la fine pluie s'épuisaient peu à peu, P'tit Radis est arrivée en courant.

— Vous connaissez la dernière ? nous a-t-elle annoncé d'une voix animée. Tout à l'heure, le fermier n'est pas venu parce qu'il s'était encore endormi chez lui. Devant cette boîte clignotante qu'il appelle « la télé », où habitent ces petits humains qui lui parlent sans arrêt sans qu'il leur réponde, ce qui n'est pas très poli de sa part, soit dit en passant, et… Mais, Lolle, tu pleures ?

— Chchchampion… Ssusii… ai-je expliqué.

— Oh, non ! Ils n'ont tout de même pas fait ça ensemble ? s'est étonnée P'tit Radis.

— Non, a persiflé Hilde. Ils ont seulement joué à « attrape-bouse ».

— C'est vrai ? Mais alors, pourquoi Lolle est-elle si triste ?

P'tit Radis avait beau être presque blanche, avec très peu de taches, elle ne comptait pas parmi les vaches les plus brillantes de la prairie. Hilde a levé les yeux au ciel.

— Évidemment qu'ils ont fait ça ensemble !

— Mais alors, pourquoi dis-tu qu'ils ont joué à « attrape-bouse » ?

P'tit Radis était sincèrement perplexe. Pour toute réponse, Hilde s'est contentée d'un soupir légèrement agacé, et P'tit Radis s'est tournée vers moi.

— Je suis vraiment désolée pour toi, m'a-t-elle dit gentiment en me léchant le museau d'une langue consolatrice.

Cela m'a un peu apaisée. De son côté, Hilde s'efforçait de me consoler à sa manière :

— Nous avons toujours su que Champion était un idiot !

— Oui, mais c'était mon idiot, ai-je reniflé.

— Ah, Lolle, a murmuré P'tit Radis avec douceur. Il te reste encore bien d'autres idiots…

P'tit Radis trouvait un côté positif à chaque situation. Elle voyait toujours la mangeoire à moitié pleine, alors que Hilde la voyait à moitié vide. Et que Champion la vidait en quelques coups de langue.

Mais je n'étais pas comme P'tit Radis. D'ailleurs, personne n'était comme P'tit Radis. Hilde soutenait que sa vision positive du monde était étroitement liée au fait qu'elle était tombée la tête la première sur le sol de l'étable à sa naissance.

Pourtant, si P'tit Radis avait raison malgré tout ? Peut-être n'étais-je pas obligée de mourir de chagrin ? Mon nouveau rêve de vie heureuse devait-il être de trouver un autre taureau ? De retomber amoureuse, tout simplement ? Oui, mais comment ? Alors que mon cœur saignait encore ? Et qu'en réalité je n'en voulais pas d'autre que Champion ? Mais que je ne pourrais plus jamais le toucher sans arrière-pensée, encore moins le laisser poser ses pattes sur moi après ce que je l'avais vu faire avec Susi.

Hilde n'était pas de cet avis.

— Aucun taureau ne peut te rendre heureuse ! Les taureaux sont une preuve de la non-existence de notre déesse vache Naïa. Et si jamais Naïa existe et qu'elle ait réellement créé les taureaux, alors, elle est plutôt bizarre. Et quand je dis « bizarre », je veux dire : complètement maboule.

Sur ce point, Hilde avait absolument raison. Les autres taureaux de notre ferme ressemblaient encore moins que Champion à une création divine. Ceux de notre âge considéraient que les sentiments n'étaient pas indispensables pour faire l'amour, ce qui les rendait peu attirants à mes yeux. En dehors d'eux, il y avait aussi le vieux Kuno, que le fermier n'appelait jamais autrement que « le futur potage de queue de bœuf » – je ne savais pas exactement ce qu'il voulait dire par là, mais l'expression me paraissait aussi peu réjouissante que « Big Mac », « steak américain » ou « sandale de cuir ». Sur notre pré, nous avions enfin le vieux taureau Oncle, dont la digestion laissait à désirer. Chaque fois qu'Oncle Prout pétait, il faisait mourir un essaim de mouches. Ou bien un écureuil.

— Tu pourrais attendre qu'il naisse un nouveau taureau vraiment gentil, m'a suggéré P'tit Radis d'un ton encourageant.

— C'est ça, a rétorqué Hilde. Et quand il arrivera à l'âge adulte, il choisira précisément de tomber amoureux d'une vache d'âge mûr.

— Et pourquoi pas ? a demandé P'tit Radis.

— Parce que les jeunes taureaux ne sont paaaas très chauds lorsqu'une vache commence à se rider et à sentir le moisi, et que son pis traîne par terre quand elle marche.

Cette description de la vieillesse m'a aussitôt donné envie de me remettre à pleurer.

En tout cas, je n'avais sûrement pas envie de vieillir.

S'apercevant que j'étais sur le point de fondre en larmes, P'tit Radis s'est remise à me lécher le museau.

— Ça va aller, Lolle, je te le promets. Bientôt, tu te sentiras mieux.

— Oui, a approuvé Hilde. Quand elle aura enfin compris qu'elle n'a pas besoin d'un taureau pour être heureuse.

Était-ce là ma voie ? Mener seule une vie heureuse ? Sans l'amour d'un mâle ?

— Tu es donc heureuse toute seule ? lui a demandé P'tit Radis.

— Bien sûr, a répondu Hilde d'un ton un peu trop convaincu qui donnait à penser qu'elle n'en était pas si sûre que ça.

Si même Hilde, si forte, ne parvenait pas à être heureuse seule, comment trouverais-je, moi, le bonheur sans taureau ? Déjà, avant de rencontrer Champion, passer ma vie à brouter et à digérer me paraissait beaucoup trop limité.

En moi-même, j'ai prié Naïa de m'envoyer un signe. À peine avais-je commencé ma prière que quelqu'un a crié :

— Attenti !

Un chat fauve courait vers nous, ou plutôt se précipitait vers nous en boitant. L'une de ses pattes saignait, la panique se lisait dans ses yeux. Une bête traquée, qui fuyait quelque chose. Ou quelqu'un. Qui ou quoi que ce soit, ce devait être particulièrement effrayant.

Si c'était là le signe envoyé par la Vache divine, elle était non seulement bizarre, et même tout à fait cinglée, mais vraiment pas douillette.

3

Sous nos yeux, le chat s'est jeté dans le ruisseau. Il a réémergé en gargouillant et s'est efforcé de maintenir sa tête hors de l'eau, mais sa patte déchiquetée l'empêchait d'y parvenir.

Hilde a été la première à retrouver la parole :

— D'où vient-il, celui-là ? Je ne l'ai encore jamais vu dans le coin.

— Peut-être des arbres du bout du monde ? a suggéré P'tit Radis. Là où demeure la Vache de la Folie ?

— La Vache de la Folie n'existe pas, a rétorqué Hilde. Ce sont seulement des fables que les mères racontent aux petits veaux.

— C'est pas vrai !

— P'tit Radis, tu es encore plus naïve que les poules, qui ne comprennent pas que les œufs qu'on leur enlève sont leurs enfants.

— Ou bien elles le comprennent et c'est juste qu'elles n'aiment pas beaucoup les enfants, a répliqué P'tit Radis.

— Ce n'est pas le moment de parler des poules ! ai-je coupé. Il faut sortir ce chat de là !

Avec détermination, je me suis avancée dans l'eau froide du ruisseau, qui me montait jusqu'aux genoux.

Avant que j'aie pu le saisir, le chat a de nouveau coulé en gargouillant, les yeux remplis de terreur. En plongeant aussitôt la tête dans l'eau, j'ai vu ses trois pattes valides s'agiter tandis qu'un chapelet de bulles d'air s'échappait de sa gueule. Mais il avait beau se débattre, il continuait à descendre.

J'ai enfoncé encore un peu plus ma tête et je l'ai vu étendu sur les cailloux du fond. Ses yeux se fermaient déjà, les dernières petites bulles sortaient de sa gueule. Je l'ai attrapé en hâte par sa fourrure trempée et l'ai extirpé de l'eau, puis je suis remontée sur la berge, le chat accroché au bout de mon museau, crachant de l'eau et luttant pour reprendre son souffle. Quand il a enfin pu respirer, il a bredouillé :

— Signorina, yé té rémercie dé tout mon cœur.

— Je trouve qu'il parle bizarrement, a murmuré P'tit Radis.

— C'est peut-être son cerveau qui a manqué d'air, a suggéré Hilde.

— Yé viens dé la bella Italia, a repris le chat.

— Qu'est-ce que c'est que ça ? a demandé Hilde.

— Ma grand-tante s'appelait Bella, a dit P'tit Radis. Mais il ne vient sûrement pas d'elle.

Les ignorant toutes deux, le chat s'est de nouveau adressé à moi :

— Normalmente yé n'aime pas trop les grosses femmes, ma vous… yé pourrais vous embrasser, signorina !

J'allais lui répondre, d'abord que je ne savais pas ce que voulait dire « signorina », ensuite que je pouvais me passer d'un baiser – je ne suis pas pour les cajoleries entre espèces –, quand P'tit Radis m'a fait remarquer que je le tenais encore dans ma gueule :

— Si tu lui réponds, il va s'écraser par terre.

Elle avait absolument raison. J'ai délicatement déposé le blessé sur l'herbe. Il a aussitôt regardé de tous côtés avant de constater avec soulagement :

— Yé l'ai sémé.

— Qui ça ? ai-je demandé.

— Croyez-moi, vous né ténez pas vraiment à lé savoir.

J'ai jeté un coup d'œil à sa patte déchiquetée, et ça m'a fait tout drôle.

— Je veux bien te croire, ai-je répondu.

— Il est dans un sale état, a observé P'tit Radis d'une voix étranglée après avoir examiné la blessure.

Le chat a eu un sourire crispé.

— Vous faites bien dé mé lé dire, signorina, qué sans céla yé n'aurais pas rémarqué.

Il a tenté de se relever et, n'y parvenant pas, a poussé un gémissement de douleur :

— Fuck !

— Fuck ? Qu'est-ce que ça peut bien vouloir dire ? a demandé P'tit Radis.

— Signorina, « fuck », c'est quand oune matou rencontre ouné bella minette qu'elle loui plaît tanto qué sa floûte enchantée elle sé dresse…

— Flûte enchantée ? a répété P'tit Radis.

— Ma, lé bassone de amore.

— Bassone de amore ?

— La clarinetta dello piacere.

— Je ne comprends rien à ce que tu dis.

— La queue ! a-t-il enfin lâché en levant les yeux au ciel.

— La queue ? s'est étonnée P'tit Radis.

— Là ! s'est impatienté le chat en désignant son morceau de choix.

P'tit Radis était très gênée. Si les vaches avaient pu se mettre les pattes sur les yeux, elle l'aurait sûrement fait. Le chat a poussé un profond soupir.

— Yé n'ai pas lé temps dé donner la léçon pour instrouire les vaches. Yé dois partire, sans quoi il est pour moi finito !

— Tu n'iras pas loin avec ta patte, lui a fait observer Hilde.

— Yé n'ai pas lé choix.

Le chat s'est levé et a commencé à s'éloigner en boitillant, ravagé de douleur. Au bout de quelques pas, pris de vertige, il a titubé et s'est affaissé en jurant :

— Fuck, fuck, fu…

Il s'est écroulé dans la boue, face contre terre.

— Je lui avais bien dit qu'il n'irait pas loin, a commenté sobrement Hilde.

— Fuckedifuckedifucke, a balbutié le chat une dernière fois avant de s'évanouir.

— Ce chat profère encore plus de saletés que les cochons, s'est émerveillée P'tit Radis.

(Ce n'était pas peu dire, car les cochons ont une façon de parler entre eux qui nous embarrasse tellement, nous les vaches, que nous regrettons souvent de ne pas pouvoir nous fourrer des carottes dans les oreilles.)

— Je me demande ce qui a pu le mettre dans cet état, ou qui, ai-je dit.

— Ça pourrait bien être moi, a grondé derrière nous une voix sinistre, si glaciale qu'elle nous a congelé les quatre pattes jusqu'à la moelle.

Je suis trop bête ! ai-je pensé avant même de me retourner. Pourquoi faut-il toujours que je pose des questions aussi stupides ?

4

Lentement, j'ai fait demi-tour sur moi-même. De l'autre côté du ruisseau, un énorme chien de berger nous regardait. Il paraissait âgé, mais pas affaibli pour autant. Au contraire, il donnait une impression de force extraordinaire. Sa gueule était immense, ses crocs acérés. Une peau cicatricielle recouvrait l'endroit où aurait dû se trouver son œil gauche. Quant à l'œil droit, il était injecté de sang et luisant de cruauté. Sans en avoir jamais vu, j'ai aussitôt su que c'était un tueur.

C'est le moment ou jamais de ficher le camp ! m'a crié mon instinct.

Mes deux amies s'étaient retournées en même temps que moi. À la vue de l'inquiétante créature, P'tit Radis a déclaré d'une voix blanche :

— Je crois que je viens de me pisser sur la patte.

Hilde semblait avoir reconnu le chien. Elle a balbutié :

— J'espère que ce n'est pas…

Elle n'a pas pu poursuivre, car il ricanait déjà :

— C'est si bon de rentrer à la maison après toutes ces années !

— Oh, non… c'est lui ! a repris Hilde d'une voix étranglée. C'est vraiment Old Dog !

Le sourire du chien s'est élargi.

— Ça fait plaisir qu'on se souvienne encore de mon nom.

Cette fois, j'étais carrément folle de terreur. Old Dog était une légende dans notre ferme. Une légende sinistre. Aucune de nous trois ne l'avait jamais vu, mais tous les veaux du troupeau en avaient entendu parler. Autrefois, il y avait bien des étés, Old Dog gardait la ferme. C'était alors un jeune chien répondant au nom de Rex. Il était gentil avec le troupeau, le protégeant des renards, fouines et autres rôdeurs. Rex aimait Tinka, une charmante dame caniche. Ils formaient le couple le plus heureux qu'on ait jamais vu à la ferme. Mais, un terrible jour, Tinka mangea de la viande empoisonnée déposée par le fermier pour les rats, et mourut dans d'atroces souffrances. Rex en eut tant de chagrin que, durant des semaines, il cessa de s'alimenter et de s'acquitter de ses tâches habituelles. Finalement, ne supportant plus sa douleur, il décida qu'il ne voulait plus vivre et mangea lui aussi de la viande empoisonnée. Il l'avala, s'écroula et commença à écumer. Après une agonie de quelques minutes, son cœur cessa de battre, comme l'avait fait celui de sa Tinka bien-aimée. Cependant, le fermier, qui avait bu, ne voulut pas l'enterrer aussitôt et préféra aller dormir d'abord, laissant le cadavre au milieu de la cour. Soudain, vers minuit, Rex ouvrit les yeux. Il était revenu d'entre les morts. Mais il avait changé. Ses yeux étaient rouges, son pelage aussi gris que celui des vieux chiens. Sauf qu'au lieu d'être faible comme eux il possédait désormais une force extraordinaire, surnaturelle. Et surtout, il n'était plus du tout gentil. Il était devenu méchant. Pas juste un petit peu, comme Oncle Prout, qui s'amuse à se mettre au milieu du troupeau avant de péter… Non, Rex, qu'on n'appela plus désormais autrement qu'« Old Dog », était devenu d'une cruauté inimaginable. Non seulement il ne surveillait plus la ferme et ne protégeait plus les bêtes, mais il les tourmentait à la moindre occasion. Nul ne savait ce qui lui était arrivé ni où son esprit s'en était allé quand son cœur avait cessé de battre, mais cela l'avait transformé. Les animaux de la ferme supposaient qu'il avait cherché sa Tinka au royaume des morts et ne l'avait pas retrouvée. D'autres pensaient que ceux qui se tuaient eux-mêmes ne pouvaient pas entrer au royaume des morts, et que c'était pour cela qu'il était devenu immortel. Quoi qu'il en soit, un jour particulièrement terrible, Old Dog tua une truie d'une manière bestiale. Pas pour la manger, ni parce qu'elle l'avait offensé. Quand le pauvre cochon veuf demanda au chien de berger, d'une voix étouffée par les larmes : « Pourquoi as-tu tué ma femme ? », celui-ci répondit froidement : « Parce qu'elle était heureuse. »

Cependant, voyant le corps martyrisé, le fermier frappa le chien avec une pelle, lui crevant un œil, et Old Dog fut chassé de la ferme. Depuis, on ne l'avait plus revu… jusqu'à ce jour.

— Tu… tu es vraiment Old Dog ? a balbutié P'tit Radis.

— En chair et en os, a-t-il répondu en nous souriant depuis l'autre côté du ruisseau, une lueur anormale brillant dans son œil rouge.

— Cette fois, j'ai fait pipi sur mon autre patte, a murmuré P'tit Radis.

— Quant à moi, je crois que je ne contrôle plus tout à fait ma vessie, a renchéri Hilde.

— Vous, les vaches, si vous me donnez le chat, je ne vous ferai rien, a déclaré Old Dog en souriant froidement.

Excellente nouvelle ! a estimé mon instinct.

J'ai regardé le chat évanoui, sa patte en sang. Non, je ne pouvais pas abandonner à son sort cette pauvre créature sans défense. Rangeant mon instinct au placard, j'ai donc pris mon air le plus courageux pour dire à Old Dog :

— Il n'en est pas question.

Sous le choc, Hilde a demandé à P'tit Radis :

— Qu'est-ce qu'elle a dit ?

— Je crois qu'elle a dit : « Il n'en est pas question », a répondu P'tit Radis, non moins choquée.

— Aïe, j'espérais avoir mal entendu, a soupiré Hilde.

— Eh bien, qu'est-ce que c'est que ça ? a ricané Old Dog. Une vache courageuse ! Sais-tu ce qu'on fait des vaches courageuses ?

À sa façon de poser la question, je me doutais que ça ne pouvait être rien de bon.

— Des cadavres. Des cadavres déchiquetés et sanglants, a repris Old Dog avec un grand rire sonore.

— Je ne me retrouve pas vraiment dans sa forme d'humour, ai-je entendu P'tit Radis murmurer.

Ne pourrions-nous pas faire ce que je proposais tout à l'heure, ficher le camp ? m'a demandé mon instinct.

Moi aussi, j'en avais envie. Très, très envie. Oui, mais comment pourrais-je vivre en sachant que j'avais abandonné à la mort une créature sans défense comme l'était ce chat ? Si je le faisais, cela pèserait tellement sur ma conscience que je ne pourrais plus jamais être heureuse. J'ai donc déclaré bravement :

— Si tu veux le chat, tu auras affaire à nous trois.

— Une fois de plus, j'aurais préféré avoir mal entendu, a fait Hilde en avalant sa salive.

De frayeur, P'tit Radis s'est mise à débiter à toute vitesse :

— Et moi, je voudrais être un petit oiseau. Ou une chauve-souris. Ou un ver de terre, mais de préférence invisible, bien que les vers de terre invisibles n'existent pas, ou alors ils existent peut-être, mais on ne les voit pas, bien sûr, puisqu'ils sont invisibles, et...

Pourtant, malgré leur peur, elles sont restées à mes côtés au lieu de s'enfuir. Parce qu'elles étaient mes amies. Ou alors parce que leurs pattes étaient paralysées de terreur. Très probablement un mélange des deux.

Old Dog riait de plus belle.

— Tu as vraiment du courage, ma fille !

Pendant qu'il riait d'un rire si glaçant que je commençais à trembler de froid, mon stupide instinct s'est de nouveau manifesté. Eh bien, a-t-il repris, si je dois choisir entre la vie d'un chat et ma propre vie, il me semble que j'aurais une préférence marquée pour...

Mais j'ai courageusement continué à l'ignorer et n'ai pas bougé. Les deux autres non plus.

Cessant soudain de rire, Old Dog a franchi d'un bond le large ruisseau qui le séparait de nous, bien plus aisément qu'aucun jeune chien n'aurait pu le faire.

— J'ai été heureuse de vous connaître, nous a murmuré P'tit Radis.

— Moi aussi, a répondu Hilde. Et pourtant, je ne peux pas en dire autant du reste du monde.

Je n'aime pas jouer les redresseurs de torts, mais qu'est-ce que je t'avais dit ? m'a gueulé mon instinct.

Old Dog m'a fait face. Il était certes plus petit que moi, mais terriblement impressionnant. Son pelage dégageait une odeur de moisi, son haleine puait la mort. Pas de doute, il allait attaquer. Et me mettre en

pièces. Comment me défendre contre un tel monstre ?
Je n'étais qu'une vache, je ne m'étais jamais battue de
ma vie, à part avec ma queue contre les mouches, et
encore, je ne les atteignais que rarement.

Le molosse m'a regardée pendant quelques secondes
interminables. Mon cœur battait violemment, mais je
ne pouvais pas fuir, mes pattes flageolaient bien trop.
Ma vie allait se terminer sans que j'aie connu le bonheur. Pouvait-on mourir de plus triste façon ?

Soudain, Old Dog a déclaré :

— Vous ne valez pas la peine que je prive mon
ancien maître de trois vaches.

Je n'en croyais pas mes oreilles, c'était tout juste si
j'osais respirer.

Le chien m'a lancé un long regard pénétrant de son
œil rouge et a grondé entre ses dents :

— C'est ton jour de chance, ma fille…

Si c'était ça mon jour de chance, je préférais ne
jamais savoir à quoi ressemblait mon jour de poisse !

— … mais, la prochaine fois que nous nous rencon-
trerons, tu mourras. Très, très lentement. Et très, très
douloureusement.

Il a fait demi-tour et, franchissant le ruisseau d'un
bond de géant, a filé à une vitesse surnaturelle. Ni moi
ni mon instinct n'avons eu le moindre doute : il met-
trait sa menace à exécution. À cette pensée, c'est moi
qui, cette fois, ai pissé sur ma patte arrière.

5

Comme paralysées, nous regardions dans la direction où Old Dog avait disparu à l'horizon. Pendant un long moment, on n'a entendu que le bruit de nos pattes tremblantes qui s'entrechoquaient. P'tit Radis a été la première à recouvrer la parole :

— J'ai les pattes qui puent, maintenant !

J'étais en train de me demander combien de temps cette stupide peur de la mort mettait pour s'en aller, quand une voix s'est élevée derrière nous :

— Mamma mia, qué sombre il fait !

Le chat était toujours étendu par terre, le nez dans la boue.

— Est-ce la nouit éternelle ? a-t-il gémi.

— Non, c'est juste que tu regardes dans la mauvaise direction, lui ai-je répondu.

M'approchant de lui, je l'ai aidé à se retourner en le poussant avec mon museau. Le pauvre n'était pas très brillant, et pas seulement à cause de la boue sur sa figure. En lui touchant le front avec précaution, j'ai remarqué qu'il était plus chaud qu'un oiseau coincé dans une clôture électrique.

— Il fait plous clair maintenant, s'est-il écrié. Yé vois déjà la loumière ! Arrivederci, Francesca !

— Sûrement sa femme, a supposé Hilde.

— Arrivederci, Alessandra !

— Une autre femme, ai-je constaté.

Malgré moi, j'ai pensé à Champion, et cela m'a fait mal comme si on me plantait une pointe brûlante dans le cœur. Au moins, la rencontre avec Old Dog m'avait fait oublier Champion et Susi pour quelques instants.

— Arrivederci, Karla… Véronique… Kathy… Groucha… geignait toujours le chat.

— Un monsieur très entreprenant, a observé Hilde.

— … Luigi…

— Et aux goûts éclectiques.

— Ne restons pas là à le regarder, ai-je dit. Il faut l'aider.

— Comment ? Tu as peut-être une idée ? m'a demandé Hilde.

— Euh… pas vraiment.

En fait, j'ignorais tout de la façon de soigner une blessure grave, ou ne serait-ce que d'en atténuer la douleur.

— Mais moi, j'en ai une ! a déclaré P'tit Radis.

— TOI ? nous sommes-nous exclamées en chœur.

— Pourquoi tout le monde croit toujours que je ne peux pas avoir de bonnes idées ? s'est offusquée P'tit Radis.

Hilde s'apprêtait à répondre, mais, avant qu'elle ait pu dire : « Parce que c'est toi, ma chérie », le chat a recommencé à gémir :

— Arrivederci, Bello, mon beau teckel…

— Il est encore plus éclectique que je ne le pensais, s'est émerveillée Hilde.

— Il est surtout à l'article de la mort ! Nous devons faire quelque chose ! ai-je insisté. Quelle était ton idée, P'tit Radis ?

— Savez-vous ce que ma mémé Toc-Toc disait toujours ?

Mémé Toc-Toc était le surnom de la grand-mère un peu bizarre auprès de qui P'tit Radis avait grandi, sa mère ne s'intéressant pas beaucoup à elle.

— Non. Que disait mémé Toc-Toc ? ai-je questionné.

— Pour soigner une plaie ouverte, il faut pisser dessus.

Épouvanté, le matou a rouvert les yeux et s'est écrié :

— Tou né dis pas ça sérieusemente !

La suggestion de P'tit Radis paraissait effectivement un peu dingue. Mais au moins, c'était une idée. Donc mieux que rien.

— Tu vois autre chose ? Je veux dire : à part crever là, dans la boue ? ai-je demandé au chat.

Reconnaissant qu'il n'avait pas d'alternative, il a marmonné :

— Des fois, dans la vie, ça né souffit pas d'être emmerdé, il faut encore sé faire pisser déssus.

Pendant que P'tit Radis accomplissait son œuvre, le matou lançait d'étranges jurons :

— Stronzo, cretino, Berlusconi…

Ensuite, P'tit Radis nous a expliqué que sa grand-mère conseillait aussi de couvrir les blessures graves de fleurs de souci réduites en purée. Nous sommes donc parties chercher des soucis et les avons mâchés avant de les recracher sur la patte du chat, où je les ai doucement étalés avec mon mufle tandis qu'il commentait en soupirant :

— Cette bouillie serait la chose la plous dégoûtante qué y'aurais vue dé touté la vie, si on né m'avait pas pissé déssus avant.

P'tit Radis a examiné la patte enduite de jaune et a déclaré :

— Soit ça va le guérir…

— Soit ? ai-je voulu savoir.

— … soit ce sera un nouvel exemple de l'humour stupide de ma grand-mère.

Le chat n'a pas entendu, car il miaulait maintenant d'une voix déchirante :

— Pardon, yé n'aurais pas doû té laisser tomber…

Puis il s'est évanoui.

— Qui a-t-il bien pu laisser tomber ? a fait P'tit Radis, intéressée.

— Aucune idée, ai-je dit. Et peu importe pour le moment. On ne peut pas le laisser dehors cette nuit.

Tandis que le soleil couchant reparaissait sous les nuages, j'ai ramassé le chat par la peau du cou et suis partie en direction de l'étable. Ce qui m'a rappelé Champion et Susi. Mon cœur se serrait davantage à chaque pas. J'aurais voulu faire demi-tour, ne plus jamais rentrer à l'étable, mais c'était une question de vie ou de mort. Dans son état, le matou ne pouvait pas rester une nuit entière dans l'herbe mouillée. Quand j'ai atteint la porte, mon chagrin était si grand que j'aurais presque préféré qu'Old Dog soit là pour me le faire oublier.

Nous avons croisé le fermier – il sortait de l'étable sans se soucier de nous, ayant visiblement encore bu de sa « saloperie de gnôle ».

— Tout ça sera bientôt fini, tout ça sera bientôt fini, marmonnait-il.

Je ne savais bien sûr pas de quoi il parlait, et ça m'était d'ailleurs parfaitement égal à ce moment-là, car, à peine la porte franchie, j'ai aperçu Champion. Je me suis sentie si mal que, pour un peu, j'aurais lâché le chat. Mais Champion ne m'a posé aucune question sur cet animal que je transportais. Respectant mon vœu de ne plus le voir m'approcher, il s'est écarté de mon chemin. Naturellement, Hilde a remarqué ce qui se passait en moi.

— Veux-tu que j'en fasse un bœuf d'un bon coup de sabot ?

Non, ce n'était pas ce que je souhaitais. D'ailleurs, je ne désirais plus rien. Seulement me retirer dans mon coin de l'étable pour y pleurer tranquille. Une fois dans ma stalle, j'ai déposé le chat devant moi sur la paille. Je l'enviais. J'aurais bien voulu être inconsciente moi aussi.

À la nuit noire, les autres vaches se sont endormies paisiblement. Seules les flatulences d'Oncle Prout interrompaient parfois leurs ronflements. Quant à moi, je ne pouvais pas fermer l'œil. D'abord parce que la rencontre avec Old Dog m'avait profondément marquée, ensuite parce que l'image de Champion montant Susi me trottait dans la tête. Par la fenêtre, je voyais la lune resplendir très haut dans le ciel, toute ronde, telle que la Vache divine Naïa la créa jadis en faisant de son lait un fromage :

Comment Naïa créa la lune

Naïa regarda ce qu'elle avait fait, et elle vit que cela aurait pu être beaucoup mieux. Elle avait certes créé quantité de belles choses : les papillons, les fleurs, l'herbe. Mais d'autres n'étaient pas aussi réussies : les mauvaises herbes, les cochons, les tiques. Cependant, comme la Vache divine n'était pas outre mesure encline à la tristesse, elle se réjouit de tout ce qu'elle avait créé. Pouvait-on s'attendre à de plus grandes choses en seulement six jours de travail ?

Soudain, la nuit tomba. La Vache divine regarda le ciel noir et vit qu'elle ne voyait rien. Elle n'avait pas encore créé la lune ni les astres. Les créatures qui peuplaient la nouvelle terre de Naïa se plaignaient amèrement de l'obscurité. Les papillons comme les cochons, les oiseaux chanteurs comme les vipères. Seules les chauves-souris se réjouissaient, car, dans le noir, elles pouvaient s'amuser à faire des farces aux autres bêtes.

Pour chasser l'obscurité, Naïa tira son propre lait, avec lequel elle forma un immense fromage qu'elle lança de toutes ses forces dans le ciel. C'est depuis ce temps-là que la lune resplendit au firmament, illuminant la terre. Toutes les créatures jubilèrent d'y voir si bien la nuit, toutes, sauf les chauves-souris.

Pour donner plus de joie encore à ses créatures, la Vache divine projeta des gouttes de son pipi dans le ciel ; et, depuis ce jour, les belles étoiles brillent au firmament à côté de la lune.

Naïa regarda ses créatures avec espoir. Elles seraient sûrement aussi satisfaites des étoiles que de la lune. Mais les créatures se contentèrent de fixer la Vache divine, jusqu'à ce qu'un ver de terre, après avoir toussoté, prenne la parole et dise : « Cette histoire de pipi était tout de même un peu dégoûtante. » Tous les animaux s'empressèrent d'approuver. C'est alors que Naïa sentit pour la première fois qu'elle n'aurait pas la vie si facile avec ses créatures.

Eh oui, ai-je songé. À moins d'être seul au monde, on peut être blessé par les autres. Comme je l'avais été par Champion. Si on m'avait donné le choix, j'aurais préféré nager seule dans le Lait sans fin plutôt que de m'exposer à ces souffrances.

Je contemplais toujours la lune, me demandant pourquoi, si elle était en fromage, elle ne moisissait pas. Soudain, le chat s'est mis à rire doucement. J'ai laissé tomber la lune-fromage pour l'observer. Il avait encore de la fièvre et commençait à parler dans son sommeil, prononçant des mots bizarres que je n'avais jamais entendus :

— Calamari… Sushi… Ménage à trois[1]…

Que racontait-il là ?

— Ménage à quatre… Ménage à neuf… a-t-il poursuivi avec un sourire béat.

C'était bien étrange. D'où pouvait venir ce matou ? Tout à l'heure, il avait marmonné à propos d'une « bella Italia ». À voir son sourire, ce devait être un très, très bel endroit. Où je pourrais peut-être trouver le bonheur, sans Champion, sans Susi, sans rien pour me briser le cœur.

Longtemps après, aux premières lueurs de l'aube, le chat a cessé de délirer pour s'endormir d'un sommeil paisible. J'ai effleuré son front de mon mufle. La fièvre semblait être tombée. Naïa soit louée !

Quand le jour s'est levé et que notre coq s'est mis à chanter, le chat a brusquement ouvert les yeux.

— Y'ai fait oune rêve horrible ! Y'ai rêvé qué ouné vache mé pissait déssus.

J'ai préféré ne pas lui révéler qu'il n'avait pas rêvé et me suis présentée :

— Je m'appelle Lolle.

— Quelle nom charmante !

Ça peut aller, ai-je pensé – comme chaque fois qu'il était question de mon nom.

---

1. En français dans le texte original. *(Toutes les notes sont de la traductrice.)*

— Yé m'appelle Giacomo ! a-t-il poursuivi d'un air ravi.

Même son nom semblait venir d'ailleurs, d'un endroit fascinant où on devait pouvoir être plus heureux que dans cette ferme. Je n'ai pas pu me retenir davantage. Au lieu de lui demander comment il se sentait, s'il avait encore mal à la patte ou s'il désirait boire, j'ai posé la question qui me brûlait les lèvres :

— Tu veux bien me parler de la bella Italia, Giacomo ?

6

Le cœur battant, j'ai attendu la réponse du chat, mais c'est alors que le fermier est entré dans l'étable en braillant :

— À la traite, stupides bestiaux !

Ce moment n'était pas la principale attraction de la journée.

Les vaches se sont mises à trottiner en direction de la salle de traite. Les taureaux sont sortis également, parce qu'ils avaient le droit d'aller sur le pré sans nous attendre. Eh oui, les mâles étaient toujours favorisés.

Champion s'est approché de ma stalle et m'a jeté un regard qui voulait dire : « Peut-être pourrions-nous tout de même nous parler ? » En réponse, je lui ai lancé un coup d'œil qui signifiait : « Pas sans que je me mette aussitôt à pleurer et donc je préfère pas. » Cette fois encore, Champion a respecté mon désir – il avait donc quand même une sensibilité – et, l'air affligé, s'est dirigé d'un pas lent vers la sortie.

— C'est ton mari, céloui-là ? a demandé Giacomo, interrompant ma songerie.

— Céloui-là, c'est mon idiote, ai-je répondu en imitant sa voix.

— Nous les mâles sommés souvent idiotes, a souri Giacomo.

Hilde, qui s'était approchée de ma stalle, s'est mise à rire.

— Regardez-moi ça, un mâle conscient de ses limites ! Je croyais que c'était aussi rare que les cochons volants.

Voyant que la blessure de Giacomo avait déjà bien meilleure allure, elle s'est étonnée :

— C'est dingue, P'tit Radis avait donc raison !

L'intéressée arrivait justement.

— Bien sûr que j'avais raison ! Tu t'attendais à quoi ?

— Très franchement, à un cadavre.

— Tu es trop méchante ! a meuglé P'tit Radis avant de s'éloigner à grands pas, vexée.

— Hé, ma jolie, ne prends pas la mouche ! a repris Hilde en lui emboîtant le pas. Je n'ai pas dit à quoi je pensais vraiment.

— À quoi ?

— À un cadavre couvert de pisse !

— Tu es pire que méchante ! a grommelé P'tit Radis en quittant l'étable, suivie d'une Hilde hilare.

Pour finir, en passant devant moi, Susi m'a lancé d'une voix triomphale :

— Ah, au fait, j'ai rendez-vous avec Champion juste après la traite[1] !

Si quelqu'un s'y entendait à retourner le couteau dans la plaie, c'était bien Susi.

---

1. Dans la réalité, les vaches ne donnent pas de lait avant d'avoir eu leur premier veau… ce qui n'est pas le cas de nos héroïnes. Sinon, le lecteur l'aura déjà compris : tout est vrai dans ce roman !

— Cetté vache est ouné grossé salope, no ? m'a dit Giacomo après son départ.

— Ouné très grossé salope, ai-je acquiescé.

— Les salopes sont oune inventione idiote.

Là aussi, je ne pouvais qu'approuver.

— L'Italia est lé plous bel endroit dou monde, a repris Giacomo, répondant enfin à ma question. Nous avons lé soleil, l'amore et la canzone.

— Canzone ?

— La chanson, a traduit Giacomo.

À mon grand regret, car il chantait particulièrement faux, il est aussitôt passé à la démonstration :

— *Azzuro, il pomeriggio è troppo azzuro e lungo per me...*

Pour un peu, ses miaulements auraient fait tourner mon lait en fromage. Je l'ai vite interrompu :

— Est-ce un bel endroit pour les vaches aussi ?

Peut-être pourrais-je être heureuse là-bas ? D'abord, Champion n'y serait pas. Et surtout, Susi.

— L'Italia est très bella pour toutés les créatoures... a répondu le chat d'un air radieux.

J'avais déjà les yeux brillants d'espoir.

— ... saufe pour les vaches.

— Ah bon ? Pourquoi ?

— Parcé qué on en fait dé la bolognaise.

— De la quoi ?

— Dé la bistèque hachée.

— Qu'est-ce que c'est, la bistèque hachée ?

— Ouné chose qué les houmains ils font avec les vaches.

— Je ne comprends pas un traître mot de ce que tu racontes.

Giacomo m'a regardée avec étonnement, puis s'est écrié d'une voix angoissée :

— Dio mio, tou n'en as vraiment aucoune idée ?

— Aucune idée de quoi ?

Non seulement son comportement me laissait perplexe, mais il m'inquiétait.

— C'est mieux qué tou né comprennes pas cé que tou né comprends pas, m'a répondu le chat. Et si nous changions dé soujet ? a-t-il proposé avec un enthousiasme un peu forcé. Veux-tou qué yé té chante autré chose ?

— Non, je ne veux pas !

— Ma yé connais des chansons très amousantes !

Il a aussitôt entonné :

— *Les trous s'envolent dé lé fromage*[1]...

— Giacomo !

— Y'en connais oune autre : *Toutés les bonnes choses ont oune fin, seule la saucisse en a deux...*

Cette fois, il s'est interrompu de lui-même et a murmuré :

— Oh, yé crois qué celle-là né convient pas si bien qué ça...

— Mais vas-tu m'expliquer enfin ? ai-je insisté en le poussant légèrement du bout du museau.

Il ne disait plus rien à présent, se demandant s'il devait vraiment m'expliquer cette chose dont je n'avais aucune idée, mais dont je sentais bien qu'elle était importante. Qu'elle concernait ma propre vie. Je devais donc absolument savoir, quitte à recourir à la menace :

— Dis-le-moi, ou je fais tomber une bouse sur ta tête !

---

1. Paroles de la *Polonäse Blankenese*, chanson parodique en dialecte frison de Werner Böhm (alias « Gottlieb Wendehals »), classée au hit-parade allemand en 1981.

— Tou né férais pas ça ! a-t-il sursauté.

— La question n'est pas là, ai-je bluffé. Mais plutôt de savoir si tu souhaites en arriver là.

Après réflexion, il a fini par se décider.

— Tou l'auras voulu. Eh bien, cetté chose dont tou n'as apparemment aucune idée, c'est qué… les houmains, ils mangent les vaches.

— Les humains font quoi ? ai-je demandé, totalement ahurie.

— Ils mangent les vaches.

— Ils font quoi ???

— Ils mangent les vaches.

— ILS FONT QUOI ???

— Y'ai l'impression qué tou té répètes un peu…

Ma tête tournait, mes pattes étaient sur le point de flancher. Je ne pouvais tout simplement pas croire ce que disait Giacomo, c'était bien trop monstrueux. Et pourtant, cela expliquait une quantité de faits qui acquéraient tout à coup une signification particulièrement cruelle. Par exemple, pourquoi il y avait si peu de vaches âgées à la ferme. Ou pourquoi je n'avais encore jamais vu le corps d'une vache morte. Oh, non ! Nous étions aussi naïves que les poules à qui on prenait leurs œufs !

J'ai réagi à cette révélation comme l'aurait fait n'importe quelle vache normalement constituée.

— No ! s'est écrié Giacomo avec horreur. Né vomis pas sour moi !

Il a tout juste eu le temps de s'écarter d'un bond.

Quand j'ai enfin cessé de cracher, j'étais une autre vache. Jusque-là, je rêvais d'un coin de terre où je vivrais heureuse, loin de Champion et de Susi. Désormais, je savais que mon chagrin d'amour, si cruel qu'il m'apparaisse, n'était pas le risque le plus terrible que je courais. Dans cette ferme, on pouvait me tuer, après quoi je serais mangée par ces humains abominables. De toute évidence, il ne me restait qu'une solution : partir. Mais où aller ? Où ?

— Existe-t-il un endroit où on ne mange pas les vaches ? ai-je demandé au chat en désespoir de cause.

— En voyageant dans lé monde, y'ai vu beaucoup des endroits où on né mangeait pas les cochons. Mais oune seul où on laissait vivre les vaches. Cet endroit, il s'appelle… l'Inde !

7

— Naïa soit louée !

Aussitôt après ce mugissement de joie, j'ai exigé d'en savoir davantage sur ce lointain pays :

— Dis-moi tout ce que tu sais !

— En Inde, les houmains ils donnent aux vaches la meilleure nourritoure…

Ça commençait bien.

— Ils adorent les vaches…

Cela paraissait incroyable.

— Et même, ils les vénèrent !

Vraiment trop incroyable.

— Ça, tu viens juste de l'inventer !

— No, signorina. Et il y a ouné chose qu'elle est encore mieux !

— Encore mieux ?

— Là-bas, ils vénèrent les vaches, ma les taureaux ils valent beaucoup moins…

— Cette fois, je suis sûre que tu as tout inventé !

— Yé lé joure sour la tête dé ma mamma ! Sour la tête dé mon papa ! Yé lé joure sour ma queue, si tou veux !

Si Giacomo jurait sur cette chose-là, tel que j'avais appris à le connaître, il parlait donc sérieusement.

Contre toute attente, non seulement les vaches pouvaient échapper aux humains, mais il existait même un paradis pour elles. J'ai poussé un nouveau mugissement de joie, encore plus fort que le premier ! Puis j'ai demandé au chat :

— Comment fait-on pour aller en Inde ?

— Ma… c'est oune longue voyage…

— Et alors ?

Peu m'importait que ce soit long, j'étais prête à toutes les fatigues pour atteindre ce paradis. Je marcherais une journée entière, même deux. S'il le fallait vraiment, je marcherais jusqu'à trois jours !

— Signorina, les vaches né sont pas faites pour oune si longue voyage.

— Nous ne sommes pas faites non plus pour être mangées par les humains !

— Eh bien, pour parler franchément… si.

Ce n'était pas là une idée à laquelle je pourrais m'habituer. Ni un destin auquel je me soumettrais de bonne grâce.

Le chat essayait encore de me dissuader :

— Non seulément lé voyage il est trop longue pour des vaches, mais il est dangéreuse ! Pleine dé dangers bien pires qué Old Dog… et qué peut-être tou né sourvivrais pas !

Il existait des dangers pires qu'Old Dog ? J'avais peine à l'imaginer. Je n'y arrivais même pas du tout. Mais si c'était vrai, ce n'était peut-être pas une si bonne idée de partir.

Je n'ai pas tardé à être encore plus retournée, parce que Champion est soudain entré dans ma stalle. S'avançant vers moi d'un pas décidé, il a déclaré d'une voix émue :

— Je sais que je ne suis pas censé m'approcher de

49

toi, mais c'est plus fort que moi, je dois te parler. Je regrette terriblement ce qui s'est passé, mais…

Il avait l'air si désespéré qu'on aurait presque pu le croire.

— … Lolle, je te promets qu'avec Susi ça n'arrivera plus jamais. Je viens juste de le lui expliquer… Je n'aime que toi, je voudrais vieillir avec toi. Je te donne mon cœur, mon âme, ma puissance virile !

— Des conneries pareilles, maintenant ça mé donne à moi envie dé vomir, a commenté Giacomo entre nos pattes.

Quant à moi, je suis d'abord restée sans voix. D'un côté, c'était ce que j'avais rêvé d'entendre de la bouche de Champion – à part cette histoire de puissance virile –, mais, d'un autre côté, je n'étais pas sûre de pouvoir jamais m'ôter de la tête l'image de son accouplement avec Susi. Et il ne fallait pas oublier un léger détail : dans cette ferme, nous n'avions aucune chance de vieillir ensemble comme les deux éphémères Zoum et Vroum.

Pourtant, une vie avec Champion, même courte, ne valait-elle pas mieux qu'une mort presque certaine loin de lui ? D'ailleurs, comment savoir quand le fermier nous tuerait pour nous manger ? Avec un peu de chance, nous allions peut-être vivre encore longtemps ici, et je serais heureuse avec Champion, nous aurions des petits veaux ensemble…

— Ça… me paraît bien, ai-je balbutié.

Mais Champion n'a pas eu le temps de répondre, car le fermier est entré dans l'étable en braillant :

— Dehors, les bestiaux ! Allez sur le pré !

Puis il a ajouté :

— Bon Dieu, vivement demain, que la ferme soit vendue et qu'on vous transforme toutes en escalopes !

8

Champion a trottiné vers la sortie avec soumission – les taureaux de notre ferme obéissaient toujours au fermier. Mon bien-aimé n'avait pas prêté attention à ses paroles, car l'homme titubait et nous avions trop l'habitude de l'entendre radoter. Mais moi, j'avais bien entendu. Saisie d'un grand froid, j'ai demandé au chat à voix basse :

— « Escalope », ça a un rapport avec « bistèque hachée » ?

Il s'est contenté de me jeter un regard attristé.

Mais c'était une réponse.

J'ai recommencé à vomir tandis que Giacomo miaulait :

— Mamma mia, cetté fois, tou m'as touché !

Malgré sa patte blessée, il s'est dirigé en boitant vers notre abreuvoir afin de s'y laver. Je me suis redressée et l'ai suivi pour lui reposer ma question :

— Peux-tu m'emmener en Inde ?

Le chat hésitait toujours.

— C'est dangéreux !

— Plus dangereux que de rester ici ? Où on doit me transformer en escalope dès demain ? Même si je ne sais pas ce que c'est ?

— C'est ouné…

— JE N'AI PAS DEMANDÉ DE PRÉCISIONS !

Giacomo a réfléchi un instant avant de se décider :

— Yé té dois beaucoup. Tou as sauvé ma vie. Et les chats indiens ils disent : « Si tou as sauvé ma vie, elle t'appartienne jousqu'à cé qué la dette elle est payée. »

— Les chats indiens ? Ceux qui vivent en Inde ?

— Non, pas en Inde, a soupiré Giacomo. Ma yé t'espliquérai tout pendant lé voyage.

Le voyage. J'allais réellement partir en voyage. Et sans retour.

J'ai regardé autour de moi l'étable, les stalles vides, et j'ai compris que je ne pouvais pas être sauvée seule. Pas sans Hilde et P'tit Radis. Je n'avais pas le droit d'abandonner à leur sort mes meilleures amies !

En fait, c'étaient toutes les vaches que je devais sauver de cette mort horrible et emmener en Inde. Y compris Champion. Et Oncle Prout. Et même – que cela me plaise ou non – Susi.

Quoique… Il ne fallait peut-être pas exagérer.

9

— Personne ne te suivra, Lolle, parce que personne ne te croira, a affirmé Hilde.

Le soir venu, nous étions enfin rentrées à l'étable et, devant mon box, je venais d'expliquer à mes deux meilleures amies que les humains nous mangeaient. À côté de nous, P'tit Radis était encore très occupée à vomir.

— Et toi, tu me crois ? ai-je demandé à Hilde.

— Peu importe ce que je pense, a-t-elle éludé. Aucune des vaches d'ici ne va renoncer à sa vie dans cette ferme simplement parce que tu lui auras raconté cette histoire.

— Mais il le faut !

Sans plus discuter, je suis allée me poster au milieu de l'étable, là où les autres pouvaient me voir.

— Vous toutes, écoutez-moi !

Au lieu de quoi, elles ont continué à mâchouiller de la paille.

— J'ai quelque chose d'important à vous dire !

Personne n'a fait mine d'entendre.

— ÉCOUTEZ-MOI À LA FIN, IDIOTES DE VACHES !

Cette fois, elles ont cessé de mastiquer pour lever la tête d'un air contrarié.

— Eh bien, a ricané Hilde, tu as une façon charmante de gagner les cœurs !

Un peu intimidée par les regards mauvais que me jetait le troupeau, j'ai rassemblé mon courage. Il ne s'agissait pas de savoir si on m'aimait. C'était une question de vie ou de mort. Alors, bravement, j'ai dit la vérité :

— Demain, nous devons toutes mourir. Le fermier va nous tuer pour nous manger. Toutes.

Elles m'ont regardée avec l'air de penser que j'avais dû me cogner un peu trop souvent la tête contre la barrière du pré.

— Mais nous pouvons encore être sauvées, ai-je poursuivi. Loin d'ici, il existe un pays où nous pourrions nous réfugier. Un pays où nous vivrions toutes heureuses. Ce pays s'appelle l'Inde, et les humains y vénèrent les vaches comme des divinités.

J'ai préféré garder pour moi le fait que les taureaux y avaient moins de valeur que chez nous, afin que les mâles ne se sentent pas trop frustrés si jamais les femelles se montraient trop enthousiastes à cette nouvelle.

— Le voyage sera long et difficile…

Il valait mieux ne pas leur dire non plus qu'il durerait peut-être trois jours, que le pays qu'on appelait Inde pouvait même être proche des arbres du bout du monde. Encore moins que ce voyage était si dangereux que nous risquions de ne pas y survivre.

— … mais n'importe quel endroit sera préférable à la mort !

Quand j'ai atteint le terme de mon petit discours, tous les regards étaient enfin posés sur moi. J'ai soudain senti le poids énorme de la responsabilité. J'allais devoir emmener tout le troupeau loin d'ici, vers une vie meilleure. Ou peut-être le conduire à sa perte. L'un ou l'autre. J'en avais le souffle coupé, comme si un objet très lourd me comprimait le poitrail. Serais-je un bon guide pour mes compagnes ?

À cet instant, toute l'étable a éclaté de rire… et j'ai cessé de m'interroger sur mes qualités de meneuse.

Même Champion n'avait pu retenir un léger sourire qui m'affectait plus que tout le reste. J'ai couru droit à son box.

— Tu dois me croire !

— Lolle, n'aurais-tu pas par hasard goûté aux champignons du pâturage extérieur ?

— Bien sûr que non !

— De quel pâturage, alors ?

— Je n'ai mangé aucun champignon !

— Oh, non ! s'est-il écrié avec horreur. Tu n'as quand même pas mis ton nez dans le réservoir du tracteur ?

— Je suis totalement lucide !

— Ce n'est pas l'impression que tu donnes.

Je me suis plantée devant lui, mufle contre mufle, les yeux dans les yeux, et je l'ai imploré :

— Champion, il y va de notre vie !

— Tu… tu me fais peur, a-t-il balbutié.

Déconcerté, il a fait demi-tour dans son box, me laissant face à son arrière-train, que j'ai continué à supplier :

— Champion ! Je t'en prie… Tu voulais pourtant passer ta vie avec moi…

Il a continué à grignoter sa paille avec angoisse, tandis qu'Oncle Prout, qui occupait la stalle voisine, me répondait à sa place :

— Ne te plains pas, ma fille. Tu aurais pu parler à mon arrière-train.

J'étais bien trop désespérée pour répliquer. Champion ne me croyait pas. Que devais-je faire ? Rester avec lui ? L'accompagner dans la mort par amour ? La veille encore, c'est ce que j'aurais répondu sans hésiter : plutôt un jour avec mon Champion, même une heure seulement, même une minute, à tout prendre, plutôt qu'une longue vie misérable sans lui. Mais ce qui s'était passé avec Susi avait cassé quelque chose en moi.

Les larmes aux yeux, je me suis éloignée et j'ai crié aux autres :

— S'il vous plaît, s'il vous plaît, croyez-moi enfin !

Une voix s'est élevée d'un angle de l'étable :

— Arrête tes sottises et laisse-moi dormir !

D'un autre coin :

— Tu as sûrement une araignée entre les cornes !

Du troisième coin :

— Aïe, Oncle Prout a encore pété !

Le quatrième angle de l'étable était celui de mes amies. Hilde me considérait d'un air compatissant. Quant à P'tit Radis, incapable de soutenir mon regard, elle se balançait d'un sabot sur l'autre, les yeux rivés au sol.

Apparemment, il n'y avait rien à faire, mais je ne voulais pas, ne pouvais pas renoncer. Et surtout, je n'en avais pas le droit ! Alors, j'ai mugi de toutes mes forces :

— Que ceux qui ne veulent pas mourir me suivent !

Là-dessus, je suis sortie de l'étable qui m'avait vue naître. La quittant pour toujours.

Giacomo m'a suivie en boitillant et s'est retourné une dernière fois vers le troupeau.

— Mamma mia, ça va faire beaucoup des escalopes !

10

Dehors, j'ai levé les yeux vers la lune de fromage qui commençait à monter dans le ciel et j'ai prié :

— Chère Naïa, fais que je ne parte pas toute seule ! Je conduirai les autres vers cette fameuse Inde, je t'en fais la promesse solennelle. S'il le faut, je suis prête à mourir pour cela, je le jure ! Évidemment, ce serait encore mieux si je n'étais pas obligée de mourir...

À cet instant, j'ai vu P'tit Radis pousser la porte de l'étable !

— Alors, tu me crois ! me suis-je réjouie.

— Ben oui, ce n'est pas possible d'inventer un truc aussi dingue, a répondu mon amie. À moins que tu n'aies...

— Non, je n'ai pas grignoté de champignons ! ai-je coupé. Et je n'ai pas reniflé le réservoir du tracteur.

— Bon, bon... a fait P'tit Radis d'un ton apaisant.

Elle a tout de même reculé d'un pas, parce que mon attitude l'inquiétait un peu. Nous sommes restées à attendre les autres sans rien dire. Longtemps. Très longtemps. Mais personne ne venait. Finalement, Giacomo a rompu le silence :

— Yé régrette dé vous dire céla, mais lé moins vous sérez nombreuses, lé plous facile il séra lé voyage.

À peine avait-il prononcé ces paroles que la porte s'est encore ouverte. Mon cœur a battu très fort. Était-ce Hilde ? Champion ? Ou même les deux ? Pouvais-je espérer un résultat aussi merveilleux ?

Une vache est sortie de l'étable… Susi ???

— La pétite salope, a confirmé Giacomo.

— Et sssut, ai-je susurré dans ma déception.

Susi a commencé à s'expliquer :

— Champion ne m'aime pas. Il me l'a dit ce matin, le rendez-vous, c'était pour ça. Je ne peux pas supporter de rester avec lui. Que tu aies raison ou pas, je m'en fiche. Je veux juste partir. M'éloigner de lui.

Ça, je comprenais. Et puis, j'avais beau détester Susi, toute vie de vache méritait d'être sauvée. Même la sienne. C'était ainsi.

Nous étions maintenant trois à attendre.

— Alors, on s'en va ? a demandé Susi au bout d'un moment.

J'hésitais encore. Je n'avais pas tout à fait renoncé à l'idée que d'autres vaches puissent franchir cette maudite porte pour se joindre à nous.

— Plus personne ne viendra maintenant, Lolle, m'a soufflé P'tit Radis.

— Champion… Hilde… ai-je murmuré avec désespoir.

P'tit Radis m'a léché le museau pour me consoler. J'aurais trouvé cela très sympa si elle n'avait pas vomi avant.

— Il faut partir mainténant, a insisté Giacomo à son tour. Nous dévons profiter dé la nouit pour fouir.

Il a sauté sur mon dos, et failli retomber par terre, car sa patte blessée n'avait pas encore retrouvé tous ses moyens. Mais, au dernier moment, il s'est raccroché à mon pelage en y plantant ses griffes pour se hisser.

Déjà submergée par le chagrin, j'ai a peine senti la douleur.

— Nous ne sommes que trois vaches... Toutes les autres vont mourir.

— Quatre ! a soudain fait une voix derrière moi. Nous sommes quatre vaches !

— Hilde ! nous sommes-nous réjouies en chœur, P'tit Radis et moi.

Quant à Susi, elle boudait :

— Hilde est là... mon cœur bondit de joie.

— Alors, toi aussi, tu me crois ! ai-je constaté avec ravissement.

— Non. Pour être franche : absolument pas, a répondu Hilde. Mais, a-t-elle poursuivi devant mon air surpris, je n'ai pas envie de rester à la ferme sans toi ni P'tit Radis.

— C'est tellement gentil de dire ça ! s'est exclamée P'tit Radis en s'avançant vers elle.

— Si tu oses me toucher avec ta langue qui pue, je repars tout de suite ! s'est défendue Hilde.

Ce qui n'a pas empêché P'tit Radis de se mettre à la lécher en murmurant :

— Oh, Hilde, tu es trop, troooop gentille !

Bien entendu, Hilde n'est pas rentrée à l'étable et s'est laissé cajoler. Quand P'tit Radis s'est enfin arrêtée, Hilde m'a demandé :

— J'espère que tu as un bon plan pour sortir d'ici ?

— Un... plan ? ai-je répété sans comprendre.

— Évidemment. Il nous faut un plan. Je n'ai que deux mots à dire : clôture électrique !

Oh, non ! Quelle idiote j'étais de ne pas y avoir pensé !

— Ah, Hilde, tu n'aurais pas pu dire deux autres mots ? a soupiré P'tit Radis.

11

— Il m'en vient encore plein d'autres à l'esprit, a déclaré Hilde.

— Tu n'es pas obligée de les dire, ai-je suggéré.

Mais il n'y avait pas moyen de retenir notre amie.

— Par exemple celui-ci : fermier.

Ce mot ne me faisait plus aussi peur qu'avant. Avec le truc bizarre qu'il buvait (la fermière l'appelait aussi « alcool de grains », même si je ne voyais pas le rapport avec ce qu'elle donnait aux poules), il s'emmêlerait aussitôt les pieds si jamais il essayait de nous courir après.

— Ou bien : bâton qui tonne, poursuivait Hilde.

Ces mots-là me déplaisaient encore davantage que « clôture électrique ». J'avais été témoin un jour de la façon dont le fermier se servait de ce « bâton qui tonne », quand le coq Coco avait eu l'idée amusante de chanter deux heures avant le lever du soleil. Réveillé, le fermier était arrivé avec ce bâton et l'avait dirigé vers le coq. Il y avait eu un fracas assourdissant, et Coco était tombé d'un coup, le crâne en sang. Il avait survécu de justesse, mais était devenu aveugle. La fermière, qui avait un peu plus de compassion que son mari pour nous, les animaux, avait engueulé le fermier.

Mais celui-ci s'était contenté de répondre en riant abominablement : « T'énerve pas, même une poule aveugle peut encore boire la goutte. »

— Je pense aussi à un autre mot, a ajouté Hilde.

— La vieille commence à m'énerver, a murmuré tout bas Susi.

Je l'aurais dit autrement, mais, sur le fond, j'étais d'accord, même si cela me contrariait de donner raison à Susi. Je n'avais déjà aucun plan, ni pour la clôture, ni pour le fermier, ni pour le bâton qui tonne, je n'avais donc pas un besoin urgent d'un nouveau problème.

— Les bouledogues, a dit Hilde.

Par Naïa, je les avais oubliés ! Après avoir chassé Old Dog, le fermier avait pris comme chiens de garde trois bouledogues qu'il avait nommés Chach, Lik et Brochette. (Cet homme adorait donner des noms humoristiques aux animaux de la ferme. Par exemple, trois vaches spécialement mélancoliques s'appelaient : Tristessa, Suicida et Accidentdechmindfère.)

La plupart du temps, les bouledogues nous laissaient tranquilles et se contentaient de baver au soleil de telle façon que, rien qu'en les voyant, nous n'avions plus envie de brouter. Si, malgré cela, l'une d'entre nous s'approchait un peu trop des limites de la prairie, les brutes grondaient si méchamment que l'audacieuse rejoignait d'elle-même le troupeau.

— Les bouledogues, a haleté Susi. Ça fait deux mots, pas un.

Hilde l'a foudroyée du regard.

— Je m'étonne que tu saches compter aussi loin !

— Et je sais aussi super bien donner des coups de pied, a répliqué Susi, non moins furieuse.

— J'espère que tu sais aussi brouter sans dents.

— Yé crains qué cé né soit pas lé début d'ouné merveilleuse amitié, a soupiré Giacomo.

Il avait raison, hélas. Les deux querelleuses semblaient prêtes à se jeter l'une sur l'autre. Comment allions-nous survivre ensemble, si nous nous prenions par les cornes au moindre prétexte ? Je ne pourrais pas conduire notre petit groupe jusqu'en Inde sans en faire d'abord une communauté soudée, et ce serait peut-être plus difficile qu'avec le bâton qui tonne, la clôture électrique ou les bouledogues.

Tout à coup, j'ai de nouveau entendu grincer la porte de l'étable.

Mon Dieu, Champion allait-il nous rejoindre ?

Ce serait merveilleux ! Mon taureau bien-aimé survivrait, nous aurions un avenir ensemble, et – autre avantage – je pourrais lui confier la direction de notre troupe de voyageuses.

Je me suis retournée. La porte s'est ouverte, mon cœur s'est arrêté, et… Oncle Prout est sorti.

Mon cœur s'est remis à battre normalement.

— Vous ne pourriez pas faire un peu moins de bruit ? nous a engueulées Oncle Prout. Il y a des vaches qui ont sommeil, ici !

Puis il est rentré dans l'étable pour s'endormir une dernière fois avant de lâcher son dernier prout.

Dans nos chants sacrés, il est dit qu'après notre mort, nous les vaches, nous nous réveillerons sur les gras pâturages de Naïa, où nous retrouverons nos bien-aimés et brouterons l'herbe la plus verte qu'on puisse imaginer. Après ma mort, je pourrais donc frotter mon museau contre ceux de mes parents. En espérant que, dans les pâturages de Naïa, papa et maman ne se disputeraient plus comme à l'époque où papa montait toutes les vaches qui n'étaient pas en haut d'un arbre le temps de compter jusqu'a trois – et, puisque aucune vache ne peut monter dans un arbre que l'on compte jusqu'à trois ou jusqu'à mille, autant dire que c'était toutes les vaches.

Malheureusement, un léger doute subsistait en moi concernant les chants sacrés. S'ils chantaient la vérité, pourquoi n'y était-il jamais question de cette bistèque hachée ? Par exemple sous la forme : « Quand tu seras bistèque hachée, tu entreras au royaume de Naïa… »

Ah, la vie serait tellement plus simple si on pouvait croire sans réserve aux chants sacrés ! Ou bien est-ce seulement la mort qui serait plus simple ?

Je me suis secouée deux fois, m'efforçant de chasser de ma tête sombres pensées et chants à propos de bistèque hachée. Puis j'ai déclaré d'une voix décidée :

— Maintenant, à la clôture !

— Tu as un plan, finalement ? m'a demandé Hilde.

— Bien sûr !

C'était en quelque sorte un mensonge, mais je me suis mise en marche avec résolution, portant Giacomo sur mon dos et le corps rempli d'énergie. Même si je n'avais aucune idée de ce qu'il fallait faire, nous faisions enfin quelque chose, et ça, c'était formidable !

12

Bien. Que savais-je de la clôture électrique ? Que, lorsque l'une d'entre nous se jetait contre elle, on entendait un sifflement. Puis cela sentait la chair brûlée, et l'intéressée mettait quelques heures à cesser de rouler des yeux. Il ne fallait donc pas toucher la clôture, et surtout pas avec la langue. C'était l'une des premières choses qu'on rabâchait aux petits veaux.

Giacomo était le seul parmi nous à pouvoir passer sous la clôture. Quant à sauter par-dessus, même lui ne le pouvait pas, à cause de sa patte blessée. Il n'y avait donc qu'une solution : la faire tomber à plat sur le sol de façon que nous puissions l'enjamber sans problème. Mais comment y parvenir ?

— Eh bien, explique-nous ton plan, a réclamé Susi quand nous nous sommes arrêtées devant la clôture.

— Chut ! ai-je répliqué.

En partie parce que je n'avais toujours aucune idée et que je ne voulais pas l'avouer. Mais surtout parce qu'il ne fallait pas attirer l'attention. Les bouledogues pouvaient nous entendre, et ils nous pourchasseraient jusqu'à l'étable. Vraisemblablement en profitant de l'occasion pour nous mordre.

— Quoi ? s'est indignée Susi, en colère parce que je lui avais coupé la parole.

— Lolle veut dire : boucle-la ! a expliqué Hilde, prenant un plaisir visible à traduire.

— Ce n'est pas à elle de me dire si je peux ou non ouvrir la bouche !

— Si nous continuons à nous disputer aussi fort, les bouledogues vont arriver, ai-je prévenu. Et ils feront bien autre chose à ta bouche.

P'tit Radis s'est permis de me contredire :

— Non, les bouledogues ne vont pas arriver...

— Pourquoi donc ?

— Parce qu'ils sont déjà là !

Nous nous sommes retournées, et c'était vrai. Chach, Lik et Brochette nous regardaient en bavant d'un air menaçant.

— Cetté fouite né sé passe pas si bien qué ça, a marmonné Giacomo.

Chach a montré les dents.

— Qu'est-ce que vous faites là, les vaches ?

— Nous... nous promenons, ai-je prétendu.

— En pleine nuit ? a demandé Lik.

Ces bouledogues étaient peut-être idiots, mais, hélas, pas assez pour croire ça. J'ai donc tenté une autre explication :

— Nous souffrons d'insomnie.

— Insomnie ? s'est étonné Brochette.

— Nous... nous sommes indisposées.

— Toutes en même temps ? a demandé Chach d'un air sceptique.

Nous avons toutes hoché la tête.

Y compris Giacomo.

Ce qui rendait mon excuse un peu moins crédible.

— Nous n'avons pas besoin qu'on se foute de nous, a grogné Lik.

Giacomo avait sans doute un problème avec les chiens, parce qu'il a répliqué en ricanant :

— Ça, yé veux bien lé croire. Vous pouvez lé faire vous-mêmes en vous régardant dans oune miroir.

— Là, tu ne nous aides pas beaucoup, lui ai-je reproché.

— Ta gueule, chat puant ! a grondé Lik.

Au lieu de fermer sa gueule, Giacomo a de nouveau riposté :

— Et vous, vous pouez commé des latrines pleines !

— Tu ne nous aides pas du tout, du tout, ai-je rectifié.

— Et pouis, vous réssemblez à des latrines pleines, a-t-il renchéri.

— Oui, rendre service aux gens, c'est effectivement autre chose, a soupiré Hilde.

— Né t'inquiète pas, signorina, m'a susurré le chat. Il né mé va rien arriver. Si les affreuses bestioles elles m'attaquent, yé n'ai qu'à grimper dans oune arbre.

— Mais dans ce cas, c'est nous qu'elles vont mettre en pièces !

— Oups… Y'aurais doû y penser.

— Oui, tou aurais bien doû, ai-je répondu, un peu énervée.

Pendant ce temps, Chach écumait :

— Je vais te tuer, matou !

— Non, moi ! a hurlé Lik.

— Non, c'est moi qui vais le faire, pauvres cloches ! s'est insurgé leur frère Brochette.

Ils ont commencé à se quereller, comme souvent les frères. En les regardant, j'ai soudain songé que les provocations de Giacomo allaient finalement peut-être se révéler utiles. Pour la première fois de la nuit, un plan germait dans mon esprit : il fallait exciter les trois bouledogues les uns contre les autres, afin qu'ils se désintéressent de nous. C'était sans doute périlleux, et il y avait aussi des risques que ce soit le dernier plan de ma vie, mais je devais essayer.

— Brochette est trop gentil de vous traiter simplement de pauvres cloches, ai-je dit en souriant. Quand vous n'êtes pas là, il emploie d'autres expressions.

— Ah oui ? a fait Chach, surpris.

— Comment nous appelle-t-il donc ? a voulu savoir Lik.

— Les folledogues.

— QUOI !!! se sont-ils écriés en chœur tandis que mes compagnes pouffaient en dépit du danger.

Lentement, mais pleins de rage, les deux chiens se sont retournés vers leur frère, qui leur a demandé timidement :

— Vous… vous n'allez quand même pas croire cette vache ?

Sans lui laisser le temps de les convaincre que je mentais, j'ai ajouté :

— Il dit aussi qu'il ne sait pas ce qu'il trouve le plus répugnant : que vous soyez pédés, ou l'inceste.

Tandis que Brochette me considérait avec épouvante, ses deux frères, furieux, se jetaient sur lui.

— Les chiens sont oune errore dé l'evoluzione, a commenté Giacomo en souriant.

Si je ne savais pas ce que voulait dire le chat avec son « evoluzione », j'ai beaucoup mieux compris Hilde quand elle a murmuré :

— Je ne voudrais pas gâcher ta joie, mais, quand ils en auront fini avec lui, il restera encore deux bouledogues.

De fait, à peine Brochette était-il K-O que les deux autres se sont mis à nous regarder, de l'écume aux babines à la place du filet de bave.

— À l'étable ! nous a ordonné Chach en grondant.

Nous tremblions de peur toutes les quatre, mais aucune des fugitives n'a accepté de retourner vers une mort certaine.

— Sinon, nous vous arrachons la peau du derrière ! a menacé Lik pour venir en aide à son frère.

— Sais-tu comment il t'appelle quand tu n'es pas là ? ai-je demandé à Lik.

Il a sursauté.

— Ce n'est pas très gentil pour votre maman, ai-je précisé.

— Hein ?

— Lik-ta-mère.

Après avoir mis un moment à comprendre ce que je disais, il s'est jeté sur son frère avec d'autant plus de rage.

— Tromper oune chien est plous facile qué d'ôter la nourritoure à ouné taupe qu'elle a l'Alzheimer, a constaté Giacomo.

— Ce chat raconte vraiment des trucs bizarres, a commenté Susi pendant que les chiens se battaient. En comparaison, Lolle a l'air presque normale.

Hilde est venue à mon secours :

— Dis donc, Susi, tu n'aurais pas envie de courir te jeter contre la clôture électrique ?

— Et toi, tu n'aurais pas envie de courir devant un tracteur ?

— Tu n'aurais pas une langue à mettre dans la trayeuse ?

— Mamma mia ! a soupiré Giacomo sur mon dos. Yé né comprends pas pourquoi on dit qué les jouments prennent lé mors aux dents et on né parle jamais des vaches !

Normalement, j'aurais dû chercher à apaiser la querelle, mais un problème plus urgent se présentait. Ayant fini de massacrer son deuxième frère, Lik s'avançait vers nous ! Que faire pour m'en débarrasser ? Je ne pouvais pourtant pas le monter contre lui-même en lui demandant s'il savait quel surnom il se donnait ! (Et répondre par exemple : « Janus sans *J*. »)

Il ne me restait qu'une solution, même si elle semblait folle. Je devais exciter le dernier bouledogue contre moi ! Alors, je me suis lancée :

— Sais-tu ce qui m'énerverait à ta place, Lik ?

— Quoi ? a-t-il grommelé d'une voix pas très nette, à cause de l'écume qui lui recouvrait maintenant la moitié de la face.

— Que tu aies cru tout ce que je te disais et démoli tes frères.

Lik est devenu tout pâle.

— Je retire ce que j'ai dit, a fait Susi d'une voix étranglée. Lolle est réellement plus cinglée que le chat.

— Oh, merde ! Je voudrais bien pouvoir te contredire, a ajouté Hilde.

Mais elle ne pouvait pas. Ce que je faisais là était totalement dingue. Rendu fou furieux, Lik s'apprêtait à me tailler en pièces, et je continuais pourtant à l'exciter :

— À ta place, je me trouverais très con.

Giacomo a jugé le moment opportun pour se mettre en lieu sûr. Sautant de mon dos, il a atterri sur l'un des poteaux auxquels était fixée la clôture électrique. P'tit Radis s'est mise à gémir :

— Lolle, il ne va pas t'épargner comme Old Dog hier !

Elle avait raison : Lik ne se contrôlait plus du tout. L'écume lui recouvrait le museau et dégoulinait jusqu'au sol.

Me postant juste devant la clôture, j'ai adressé une brève prière à Naïa pour qu'elle m'accorde la rapidité nécessaire à mon projet, puis j'ai recommencé à asticoter le chien :

— À ta naissance, ta mère a dû dire : « Et voici l'avorton ! »

— Ouaaouhh ! a hurlé Lik en prenant son élan pour bondir sur moi.

C'était maintenant qu'il fallait faire vite : je devais m'écarter avant la fin de son vol plané. (Nous autres vaches, nous pouvons parfois courir à une vitesse incroyable, du moins lorsque le troupeau est pris de panique. Ainsi, dans notre ferme, il y avait eu une débandade mémorable le jour où la fermière avait eu l'idée de sonoriser l'étable avec ce qu'elle avait appelé « Les plus grands succès de Wolfgang Petry ».)

Lik volait vers moi. Dans un instant, il planterait ses énormes crocs dans ma chair. Mais mes pattes ne sont pas restées paralysées comme lors de ma rencontre avec Old Dog. D'abord parce que le bouledogue n'était pas aussi terrifiant que le chien de l'enfer. Ensuite parce que, cette fois, ma vie n'était plus seule en jeu. Il s'agissait aussi de celles de mes amies et de cette salope de Susi.

C'est ce qui m'a donné la force dont j'avais besoin pour me ruer sur le côté, tandis que Lik volait, volait, volait… droit sur la clôture électrique.

Il y a eu un crépitement. Des étincelles ont jailli en tous sens dans une déplaisante odeur de chair roussie, et Lik s'est écroulé sur le sol en tremblant de tous ses membres, avant de s'évanouir. Les trois bouledogues étaient désormais hors de combat. P'tit Radis m'a lancé le plus grand compliment qu'une vache puisse adresser à une autre :

— Vachement cool !

— Même toi, tu dois le reconnaître, non ? a dit Hilde à Susi en la poussant du museau.

Après une petite hésitation, Susi a hoché la tête.

— Apparemment, ça peut parfois aider d'être un peu cinglée.

Seul Giacomo s'est abstenu de me féliciter, préférant me mettre en garde :

— Né t'emballe pas trop. Pendant notré voyage, tou né verras pas qué des gens aussi stoupides qué cé chien.

Il n'avait pas besoin de me le dire. Je savais que je ne tiendrais pas le coup contre un adversaire tel qu'Old Dog, si je le rencontrais à nouveau.

Mais ce n'était pas le moment d'y penser. Les bouledogues ne tarderaient pas à reprendre leurs esprits, nous devions franchir la clôture avant !

C'est étonnant comme le cerveau peut se mettre à fonctionner quand on vient d'échapper de peu à la mort et qu'on se sent envahi d'une formidable énergie ! Ma vision du monde était soudain beaucoup plus nette, plus colorée – même en pleine nuit, sous la seule clarté de la lune et des étoiles –, et j'ai alors remarqué que tous les fils électriques étaient attachés aux piquets. Pour abattre la clôture, il nous suffisait donc de les renverser !

— Faites comme moi ! ai-je meuglé.

Avec mes pattes de derrière, j'ai commencé à donner des coups de sabots, sans toucher au fil, contre le poteau sur lequel était assis Giacomo. Aussitôt, le chat a sauté sur mon dos et s'y est solidement cramponné. De mes compagnes, c'est Hilde qui a réagi le plus vite. Elle s'est attaquée à un autre poteau et nous avons continué à cogner toutes les deux. Les piquets se sont peu à peu inclinés, puis se sont abattus ensemble. Ce n'était maintenant plus qu'un jeu d'enjamber les fils tombés à terre pour courir vers la liberté !

À cet instant, nous avons entendu le fermier hurler :

— Saloperies de vaches ! Je m'en vais vous transformer en chachliks !

— Il va nous transformer en deux bouledogues ? a demandé P'tit Radis, étonnée. Comment peut-il faire ça ?

— Je ne veux pas le savoir, a répliqué Hilde. Il a son bâton qui tonne à la main !

13

— Sautez ! ai-je crié. Sautez !

— Ottima idea !

Lâchant mon dos pour bondir par-dessus la clôture renversée, Giacomo s'est éloigné dans la nuit aussi vite que pouvaient le porter ses trois pattes valides. Hilde a sauté derrière lui et s'est mise à courir, suivie de P'tit Radis. Susi a encore hésité une seconde :

— Ce serait peut-être mieux d'attendre le fermier ?

— Je vais vous refroidir ! a alors crié celui-ci.

— Mais peut-être que non, a conclu Susi.

Et elle a passé la clôture à son tour. Maintenant que je n'avais plus personne à attendre, je pouvais m'enfuir moi aussi. C'est alors qu'un grand bruit a retenti. J'ai regardé le fermier. Son bâton qui tonne était levé, et de la fumée s'échappait de l'extrémité.

Une corneille est tombée sur l'herbe à côté de moi.

Blessé à mort, l'oiseau noir croassait doucement :

— Pourquoi moi ? Je n'ai jamais fait de mal à personne... Bon, c'est vrai qu'en volant j'ai souvent fait exprès de chier sur la tête de beaucoup d'animaux... mais quelle corneille n'aime pas jouer à cela ?... Et je n'aurais pas dû crever un œil à cette corneille qui s'appelait Jacob, c'est tout à fait contraire à la loi des corneilles...

Le pauvre volatile faiblissait. Croassant plus bas a chaque parole, il a supplié :

— Grande Corneille, je t'en prie, laisse-moi entrer quand même au ciel éternel des corneilles...

C'était une nouveauté pour moi. Les corneilles avaient donc elles aussi leur Vache divine, ou plutôt leur Corneille divine ? Et, après leur mort, elles n'allaient pas dans une prairie, mais dans un ciel éternel ? D'une certaine manière, cela paraissait logique, car qu'auraient-elles eu à faire d'un gras pâturage ? De plus, c'était pratique que les animaux soient séparés, car, sur la prairie éternelle de Naïa, les corneilles ne viendraient pas faire leurs saletés sur nos têtes.

— ... ne m'envoie pas expier mes fautes dans la tempête éternelle de neige...

Il existait donc aussi un endroit où on envoyait les corneilles qui avaient été méchantes, et il avait l'air d'y faire un froid terrible. Pour nous, les vaches, c'était moins cruel. Sur la prairie de Naïa, celles qui n'étaient pas assez gentilles avaient leur propre enclos où elles pouvaient se taper mutuellement sur les nerfs. J'avais de la chance d'être née vache. Qui avait bien pu décider de ces choses-là ? Naïa et cette Grande Corneille en discutaient-elles entre elles, peut-être aussi avec d'autres divinités animales, ou même avec le dieu des humains ?

Devant moi, la corneille a fermé les yeux. Avant de rendre son dernier souffle, elle a encore murmuré :

— Au moins, je n'ai plus besoin d'avoir peur de vieillir.

Bon, maintenant, je reparlerais bien avec toi de cette idée de fuir, m'a alors suggéré mon instinct en revenant à la charge. Cette fois, j'étais tout à fait de son avis.

Alors que mes sabots se préparaient à franchir la clôture, le fermier a dirigé vers moi son bâton qui tonne.

— Ne bouge pas ! a-t-il menacé.

Il s'est approché et a appuyé contre mon front le bout du bâton, dont le métal était encore chaud et sentait très fort la fumée. Cela devait avoir un rapport avec son bruit de tonnerre.

— Je ferais mieux de te flinguer tout de suite !

Euh… je ne trouvais absolument pas que ce soit la meilleure chose à faire.

Le fermier m'a regardée dans les yeux. Soudain, il a repris d'une voix plus douce :

— Tu sais, je n'ai jamais eu l'intention de vous faire toutes abattre, mais je n'avais pas le choix. C'est l'administrateur judiciaire qui le demande, et… Mais pourquoi je te raconte ça ? Tu ne peux pas comprendre de toute façon.

La fermière et lui s'imaginaient toujours que nous ne comprenions pas la langue des humains, sous prétexte qu'ils ne nous comprenaient pas eux-mêmes quand nous meuglions des phrases telles que : « Hé, la trayeuse est réglée beaucoup trop fort ! » ou : « Mes trayons ne sont pas en caoutchouc ! » ou encore : « Combien de fois faudra-t-il vous répéter que nous n'aimons pas que vous nous regardiez faire l'amour ? Ni que vous allumiez le taureau avant, par-dessus le marché ? »

Le fermier a pressé le bâton un peu plus fort contre mon front, mais sans grande conviction. Il n'avait visiblement pas envie de faire partir le coup. Je devais profiter de son hésitation, tenter de le dissuader de me tuer, même s'il ne comprenait pas mes paroles. J'ai meuglé :

— Stop !

Il a paru un peu étonné.

— Ne fais pas ça ! ai-je répété.

— Merde, tu as l'air de savoir ce que je vais faire !

Ses mains se sont mises à trembler, et, craignant qu'il ne déclenche le coup de tonnerre par inadvertance, j'ai mugi en hâte :

— Tu veux me tuer, tu trouves ça difficile à comprendre ?

— Je regrette tellement, a-t-il déclaré, la gorge serrée.

Il a abaissé le bâton qui tonne, me soulageant d'un grand poids, et a poursuivi d'une voix entrecoupée :

— Il y a dix ans, le banquier m'a dit : « Klaasen, il faut passer à l'élevage intensif, c'est votre seule chance… » Mais je ne voulais pas torturer des animaux, j'ai jamais fait ça… et maintenant…

Sa voix n'était plus qu'un murmure.

— … je suis forcé de vous tuer toutes.

— Oh, on n'est jamais forcé de rien… à part quand on est forcé, ai-je meuglé.

— Si, a-t-il répondu comme si lui aussi me comprenait tout à coup.

Le visage contre mon museau, il s'est mis à pleurer, parce qu'il n'avait pas envie de nous tuer. Il avait donc réellement des sentiments. Comme nous.

Peut-être les humains n'étaient-ils finalement que des vaches ?

J'aurais voulu le consoler en lui passant ma langue sur le visage. Mais, je ne sais pourquoi, j'avais la vague intuition qu'il ne l'aurait pas forcément bien pris.

Se ressaisissant, le fermier a essuyé sur sa manche son nez qui coulait (étant donné l'état de sa chemise, ça n'a pas fait une grande différence). Puis il m'a jeté un regard totalement inexpressif, et j'ai compris. Même si cela le faisait souffrir, il n'avait pas changé d'avis. Il nous tuerait toutes. Ma pitié s'en est soudain trouvée sérieusement atténuée. Quand il a levé son bâton qui tonne pour le pointer vers moi, j'ai fait un demi-tour sur moi-même à la vitesse de l'éclair. Pas pour obéir à mon instinct de fuite, mais pour mieux viser. De toutes mes forces, je lui ai décoché une ruade dans le bas-ventre. Il a lâché son bâton et s'est mis à hurler :

— Ouillouillouille… tu m'as brisé les noisettes !

Toutes sortes de questions m'ont traversé l'esprit. Pourquoi le fermier avait-il des noisettes avec lui ? Ce n'était pourtant pas un écureuil. Et pourquoi ne fallait-il pas les casser ? Et surtout, ne pouvais-je pas arrêter de me poser des questions alors qu'il pouvait reprendre son bâton à tout moment, et me mettre plutôt à courir ?

À cette dernière question, je me suis répondu : Mais bien sûr ! Sauve-qui-peut !

— Lolle ! Nous sommes là ! m'a crié P'tit Radis.

Elles s'étaient réfugiées dans un champ au milieu d'immenses plantes auxquelles étaient accrochés des épis de maïs. Jusqu'à cette heure, je ne m'étais jamais demandé d'où venait le maïs qu'on nous donnait parfois comme fourrage. J'aurais donc examiné ces plantes avec grand intérêt si je n'avais pas eu des problèmes plus urgents.

Susi a engueulé P'tit Radis :

— T'es pas folle ? Si Lolle nous rejoint, nous serons toutes en danger !

Il fallait vraiment se forcer pour aimer cette Susi. Pendant que je galopais vers elles, Susi m'a crié :

— Va ailleurs ! Va ailleurs !

Un court instant, j'ai même envisagé de faire ce qu'elle disait, afin de protéger mes amies. Mais c'est alors que le bâton a tonné et qu'un drôle de courant d'air est passé tout près de moi en sifflant. Prise de panique, j'ai couru rejoindre les autres dans le champ.

— Ah, super ! a gémi Susi.

Elle s'est retournée et a filé dans le chemin entre les rangées de maïs. Hilde et P'tit Radis l'ont suivie, et je leur ai emboîté le pas. Derrière nous, le fermier nous maudissait d'une voix aiguë :

— Vous ne m'échapperez pas !

— Pourquoi couine-t-il comme ça ? m'a demandé P'tit Radis.

— Ses noisettes sont cassées, ai-je expliqué entre deux ahanements.

P'tit Radis m'a lancé un coup d'œil étonné.

— Il y a vraiment des choses que je ne comprendrai jamais… a-t-elle soupiré.

Nous avons couru toutes les quatre comme si nos vies en dépendaient – ce qui était bien le cas –, tandis que Giacomo filait entre nos pattes aussi vite que le lui permettait sa blessure, pestant contre le fermier :

— Décidément, cé type-là né mé paraît pas très équilibré.

— Arrêtez-vous ! hurlait le fermier.

— Cause toujours ! a soufflé Hilde en accélérant encore l'allure.

Une nouvelle détonation a retenti, moins proche que la précédente. Apparemment, nous avions réussi à mettre un peu de distance entre le fermier et nous.

— Je vous aurai ! piaillait-il toujours.

Je commençais à en douter, parce qu'il me semblait au contraire que nous étions en train de le semer, lentement mais sûrement.

— Je vous aurai… Je vous aurai… Je vous aurai… pas…

Puis nous l'avons entendu sangloter avec désespoir :

— J'ai vraiment une vie de merde !

— À qui le dis-tu ! a ronchonné Susi.

Les gémissements du fermier se faisant toujours plus lointains, nous avons un peu ralenti notre course, avant de nous remettre enfin à marcher dans le champ de maïs. Curieusement, j'avais de nouveau pitié du fermier. J'espérais qu'il existait une Inde pour les humains.

Quand nous avons cessé d'entendre notre poursuivant, nous avons toutes respiré à fond. Sauf Susi, qui s'est plutôt mise à déconner à fond.

14

— Je veux rentrer à la maison ! meuglait Susi hystériquement. Je veux rentrer à la maison, je veux ren…

— Nous ne pouvons pas rentrer à la maison, lui ai-je expliqué aussi calmement que possible.

Ce qui n'était pas beaucoup, parce que moi aussi je n'avais qu'une envie, me blottir sur la paille douillette de l'étable.

— Mais je veux rentrer à la maison !

— Impossible.

— Je veux, je veux, je veux !

Puisque les paroles ne pouvaient pas la convaincre, il fallait, bon gré mal gré, recourir à la force. Je lui ai décoché un bon coup de sabot au tibia. Tout en constatant à ma grande honte que cela me procurait une certaine satisfaction.

— Aaaaïe !!! a crié Susi.

Perfidement, j'ai souhaité qu'elle continue un peu, parce que cela m'aurait fourni un prétexte pour lui envoyer un nouveau coup de sabot. Mais elle ne m'a pas fait ce plaisir. Elle s'est seulement couchée dans le champ de maïs et s'est roulée par terre en gémissant comme un petit veau perdu.

— Étais-tu obligée de faire ça ? m'a demandé P'tit Radis en me regardant d'un air de reproche.

— Oui, parce que je n'allais pas la laisser me donner mauvaise conscience.

— Non, tu ne l'étais pas ! a-t-elle répondu avec une sévérité inaccoutumée chez elle.

Elle s'est allongée près de Susi et s'est mise à lui lécher doucement le mufle jusqu'à ce qu'elle gémisse moins fort.

— Ouah ! P'tit Radis n'est vraiment dégoûtée par rien, a commenté Hilde.

C'était mesquin, mais je n'ai pas pu retenir un sourire. Puis, en observant Hilde, j'ai remarqué qu'elle avait l'air épuisée. Comme nous toutes, d'ailleurs.

— Faisons une pause ici, ai-je proposé. Nous marcherons mieux après un petit somme.

— Oui, y'ai bésoin dé dormir oune peu pour préserver ma beauté, a approuvé Giacomo.

— Dans ce cas, tu ne pourras jamais dormir assez longtemps, l'a taquiné Hilde.

— Signorina, votré langue n'est pas dé vélours, mais dé fil dé fer barbélé.

— C'est ce qui fait mon charme, a répliqué Hilde.

— Vous avez ouné definizione intéressante dou charme.

— Tous les mâles me le disent, a-t-elle ricané.

Trouverait-elle un jour un taureau, malgré ses manières rudes ? me suis-je demandé. Ou bien passerait-elle sa vie sans avoir été câlinée ?

Hilde s'est couchée à son tour, et je l'ai imitée. Le champ de maïs était encore un peu humide de la pluie de la veille, mais nous étions bien trop fatiguées pour nous en soucier. Seul Giacomo n'a pas voulu dormir par terre et a préféré s'installer sur mon dos.

— Scusi, signorina, ma yé n'ai pas envie d'attraper oune inflammazione ourinaire.

— Si nous dormions maintenant ? ai-je proposé.

Tout le monde étant de cet avis, nous avons fermé les yeux. Mais, au bout de quelques secondes, Giacomo s'est mis à ronfler si fort que nous n'avons pas pu dormir, nous, les vaches. Au lieu de cela, nous l'avons écouté ronfler tout en ruminant nos pensées. Les miennes allaient à nos compagnes, à tous ceux que nous avions laissés derrière nous. Je ne les reverrais jamais, et ils me manquaient déjà. Le vieux Kuno, Tristessa, Suicida et Accidentdechmindfère, Oncle Prout... Bon, j'admets que, pour ce dernier, j'avais moins de regrets.

Mais Champion... lui me manquait déjà, et si fort !

À la pensée qu'il allait mourir, j'ai failli me mettre à beugler de chagrin. Mais comment donnerais-je du courage aux autres, si je pleurais moi-même ? Susi allait définitivement craquer, mes amies perdraient peut-être elles aussi tout espoir. Alors, pour ne pas pleurer, j'ai proposé par-dessus les ronflements de Giacomo :

— Si nous parlions un peu ?

— De quoi ? a demandé Susi.

— Par exemple, de la quantité de maïs qu'il faudrait fourrer dans la gueule du chat pour qu'il arrête de ronfler, a suggéré Hilde.

— Ça, je veux bien en parler, a dit Susi en souriant pour la première fois de la soirée.

Il y avait donc au moins un point sur lequel ces deux bagarreuses étaient d'accord. C'était bien. Mais ç'aurait été mieux s'il ne s'était pas agi de brutaliser quelqu'un.

— Je sais de quoi j'ai envie de parler ! a déclaré P'tit Radis.

— De quoi ? ai-je demandé.

— De la vie que vous aimeriez avoir en Inde, vous trois.

— Là-bas, les humains nous vénèrent au lieu de nous tuer, ai-je répondu.

— D'accord. Mais ce n'est pas le tout de survivre. De quoi auriez-vous envie en plus ?

On en revenait à la question du bonheur. Cette question que Naïa s'était déjà posée jadis.

Pourquoi Naïa créa les vaches

Naïa vit tout ce qu'elle avait fait, et elle vit qu'elle était seule. Les oiseaux chantaient ensemble, les cochons grognaient en chœur, les mouffettes s'aspergeaient entre elles de liquide puant. Même le ver de terre, s'il ne voulait plus être seul, n'avait qu'à se faire couper en morceaux par une corneille et il avait aussitôt des compagnons[1]. Naïa seule n'en avait pas. Personne ne lui ressemblait.

Bien sûr, les animaux parlaient avec elle, mais ce n'était souvent que pour se plaindre : « Pourquoi as-tu créé les mouffettes ? » « À quoi servent les orties ? » « À quoi pensais-tu en inventant la digestion ? »

Par un beau jour d'été, la Vache divine contemplait le ver de terre. En le voyant se tortiller gaiement sur le sol avec ses compagnons, Naïa eut l'idée de faire comme le ver : elle se divisa, et de toutes ses parties naquirent les vaches. Dès que le premier troupeau foula l'herbe de la prairie, Naïa ne connut plus la soli-

---

1. Affirmation à ne pas prendre au pied de la lettre ! Malgré sa grande capacité de régénération, le ver de terre meurt généralement lorsqu'on le coupe en morceaux. De plus, s'il est hermaphrodite, il ne peut pas se reproduire seul (par parthénogenèse)…

tude. *Jour après jour, elle broutait et folâtrait avec ses amies, et elles lui léchaient le museau. Elle fut heureuse. Mais pas pour longtemps. Car, au bout de quelques lunes, elle s'aperçut qu'il lui manquait ce qu'avaient les autres animaux – à l'exception du ver de terre –, quelqu'un avec qui unir son corps. C'est ainsi que Naïa décida de sa création la plus surprenante : le mâle.*

Avec le taureau, elle fit entrer dans le troupeau toutes sortes de choses plus désagréables encore que les orties ou les parasites : la convoitise, la jalousie, le comique involontaire de la copulation. Et, bien sûr, ce à quoi toutes les vaches aspiraient, qui leur procurait tant de joie et de douleur à la fois, la chose la plus absurde de toutes : l'amour.

Susi nous a énoncé sa conception du bonheur :

— Quand nous serons en Inde, je veux beaucoup de taureaux. Puisqu'ils prennent toujours plusieurs vaches, je veux faire comme eux.

Ce n'était pas là un rêve de bonheur, mais de vengeance contre l'autre sexe, avec l'espoir de ne plus souffrir à cause d'un taureau. Pour être aussi amère, Susi avait dû être très éprouvée par son histoire avec Champion. Peut-être davantage encore que moi. Même si cela me paraissait difficile à imaginer.

— Moi aussi, j'ai un rêve, a déclaré Hilde.

De sa part, je m'attendais à un bon mot, car Hilde n'était pas vache à croire aux rêves, ni à la Vache divine, ni à la bonté du taureau. Pourtant, elle semblait tout à fait sérieuse. Et de fait, dans ce champ de maïs humide, sous le ciel étoilé, mon amie nous a dévoilé le fond de son cœur :

— Je voudrais rencontrer des vaches qui auraient la même robe que moi.

Par Naïa, Hilde se sentait donc plus seule que je ne l'avais cru !

Après cette confession, nous nous sommes tues. J'espérais pour mon amie que nous trouverions en Inde beaucoup de vaches tachées de brun. Et, qui sait, peut-être un taureau à taches brunes ?

Au bout d'un moment, P'tit Radis a rompu le silence pour nous exposer son plus cher désir :

— Je souhaiterais…

Elle s'est interrompue.

— Oui, que souhaiterais-tu ? ai-je demandé avec curiosité.

Visiblement en proie à un conflit intérieur, comme si ce qu'elle avait à nous dire était tout à fait essentiel, peut-être même difficile à confesser, elle a hésité longuement, puis elle a fini par murmurer :

— Oh, c'est sans importance.

— Je trouve aussi, a raillé Susi.

P'tit Radis était certes affectée par ce désintérêt méprisant, mais elle n'était pas le genre de vache capable d'une réplique vulgaire. Elle s'est contentée de soupirer avec tristesse avant de fermer les yeux. Je ne savais pas ce qu'elle avait voulu nous dire, mais il paraissait clair qu'elle avait elle aussi un rêve de bonheur auquel elle aspirait de tout son cœur. C'était pour nous l'avouer qu'elle avait proposé ce sujet de conversation.

À mon tour, j'ai fermé les yeux tristement. Je me suis endormie en enviant un peu P'tit Radis, Hilde et Susi. Au moins, elles avaient des rêves. Et moi, seulement un but : l'Inde.

15

— *Je vais te tuer,* ricanait Old Dog.

J'étais avec lui au milieu d'une neige profonde, sur un étroit sentier caillouteux qui semblait monter en lacets jusqu'au ciel. Près de moi, dans la neige, j'ai aperçu une unique fleur gelée. À ma droite, une immense paroi rocheuse se dressait vers les nuages noirs. À cause de la tempête de neige qui tourbillonnait autour de moi, je ne pouvais pas distinguer le fond du précipice à ma gauche.

Je n'avais aucune idée de l'endroit où nous nous trouvions, mais l'air était... comment dire... plus rare. Je respirais avec peine, et le froid me mettait à rude épreuve. Mais, pire que celui du dehors, il y avait le grand froid qu'Old Dog mettait en moi.

Où étaient P'tit Radis, Hilde, Giacomo... ou même Susi ? Pourquoi étais-je seule dans ce lieu glacé ?

J'ai dit à Old Dog la seule chose que je savais encore :

— *Je serais terriblement contente de me réveiller de ce rêve.*

— *Sois tranquille,* a répondu le chien de berger avec un sourire qui découvrait ses crocs. *Nous nous reverrons très bientôt !*

Il a de nouveau éclaté de rire, un rire vulgaire, qui me glaçait jusqu'à la moelle. Et...

... j'ai ouvert les yeux, affolée. J'étais couchée dans le champ de maïs, à côté des autres. Le soleil brillait déjà. J'ai aspiré avidement ses rayons, tant ce cauchemar m'avait frigorifiée.

Les pattes flageolantes, je me suis levée, oubliant que Giacomo dormait sur mon dos. Le chat est tombé à terre comme un paquet et a poussé un miaulement avant de se mettre à jurer dans sa langue bizarre :

— Mafia, Cosa Nostra, spaghetti qué né sont pas al dente...

Ses vociférations ont réveillé les autres. Susi s'est mise à râler :

— Alors, y a plus moyen de dormir tranquille avec sa dépression ?

— Regardez, le soleil brille ! s'est extasiée P'tit Radis en s'étirant.

— Super, ça veut dire qu'on va se traîner sous la canicule jusqu'en Inde, a rétorqué Hilde, beaucoup moins enthousiaste.

Elle s'est relevée péniblement et m'a demandé :

— Alors, grande guide, qu'est-ce qu'on fait ?

Malgré son ton un peu ironique, les choses étaient claires à présent : j'étais la meneuse de notre petit troupeau – bon gré mal gré, capable ou pas. Capable, je l'espérais, tout en craignant fort que « ou pas » ne soit plus près de la vérité.

Avant que j'aie pu répondre, nous avons entendu un bruit pétaradant. Celui d'un tracteur.

— Merde, le fermier ! s'est écriée Hilde.

Susi s'est dressée d'un bond en piaillant :

— Je n'aurais jamais dû écouter vos délires de vaches folles !

P'tit Radis s'est levée tranquillement.

— Ce n'est pas le tracteur du fermier.

Cessant de mugir, nous l'avons regardée avec stupéfaction, et elle nous a expliqué :

— Le tracteur du fermier fait « broumm-brambroum », alors que la mélodie de celui-ci fait plutôt « bram-broum-broumm ».

— Tu entends une mélodie dans le bruit d'un tracteur ? s'est étonnée Hilde.

— Tout a une mélodie. Même la batteuse et le hache-paille. Si tu savais comme c'est beau d'entendre les fils électriques chanter sur les pylônes pendant la tempête…

— C'est bien ce que je disais, a gémi Susi. Cette vache est folle.

J'hésitais. Devais-je me fier à l'ouïe de P'tit Radis ? Quelqu'un devait aller voir si, oui ou non, le fermier nous poursuivait encore avec son bâton qui tonne. Et, en tant que guide, je n'avais pas le droit de mettre en danger la vie des autres. Je devais donc être ce quelqu'un.

Ah, être une meneuse était vraiment un boulot de merde !

— Je vais aller jeter un coup d'œil discret pour savoir qui c'est.

— Tou es ouné vache, a répliqué Giacomo. Tou né peux pas être discrète.

J'ai soupiré, parce que le chat avait raison, mais je me suis quand même dirigée vers le bruit de tracteur, en suivant le chemin qui traversait le champ de maïs. Étant donné mon poids vif, mes efforts pour avancer sans bruit n'étaient pas précisément couronnés de succès, mais au moins, je réussissais à ne pas faire sensation.

Parvenue au bout du chemin, j'ai observé en me cachant derrière les plants de maïs, et j'ai vu un tracteur rouler dans un champ. Et, sur ce tracteur... un autre fermier ? C'était incroyable, il y avait d'autres fermiers ?!?

Bon, nous savions déjà, nous les vaches, qu'il existait quelques autres humains dans le monde, par exemple l'homme qui venait tout le temps chercher notre lait avec un énorme véhicule. Ce type n'arrêtait pas de se fourrer les doigts dans le nez. En le voyant, Oncle Prout avait dit un jour : « Waouh ! J'aimerais bien pouvoir faire ça avec mes sabots ! »

Ce fermier-là avait l'air plus jeune, plus gai et surtout plus aimable que le nôtre, ce qui n'était pas difficile, car tous les autres humains que nous avions pu voir jusqu'ici nous avaient paru plus aimables que lui. D'ailleurs, quand ils étaient de bonne humeur, ce n'était pas toujours très drôle, surtout avec celui qu'on appelait « vétérinaire », qui nous plantait des aiguilles dans le ventre en riant et en prononçant des phrases du genre : « Ça vous fait plus mal qu'à moi ! »

Le fermier a arrêté son tracteur, et j'ai été prise de panique. M'avait-il découverte ? Devais-je m'enfuir en courant ? Oui, mais si par chance il ne m'avait pas encore repérée, il me verrait à coup sûr dès que je partirais au galop. Je suis donc restée immobile. Je l'ai vu prendre dans sa main une petite boîte et, chose étrange, se mettre à lui parler :

— Tu es au courant pour Klaasen ? Plusieurs vaches se sont échappées de chez lui, mais il a déjà une super idée pour les reprendre...

Le fermier n'avait pas renoncé à nous poursuivre ?!?

— Klaasen doit absolument les récupérer, parce que l'administrateur judiciaire lui passera un sacré savon s'il a moins de bêtes que prévu à faire abattre.

À ce mot, mes estomacs se sont convulsés, mais je n'ai toujours pas bougé. Je voulais savoir de quelle façon exactement le fermier comptait nous reprendre.

— Klaasen ne veut pas dire comment il va faire…

Merde !

— … mais il est sûr que les vaches en question tomberont dans le panneau.

Et moi, j'étais sûre que si cet homme me voyait, il nous livrerait à notre fermier, mes amies et moi.

J'ai rejoint les autres aussi rapidement que possible. Nous n'avions pas de temps à perdre, il fallait au plus vite nous éloigner de ce champ et de tous les fermiers de ce monde, et partir pour l'Inde !

J'ai fait signe à mes compagnes de me suivre en silence. Leur expliquer que notre fermier nous cherchait toujours n'aurait servi à rien, sinon à faire piquer une crise à Susi, et c'est pour le coup qu'on nous aurait découvertes.

À une bifurcation, j'ai emprunté un chemin qui semblait ne mener ni chez l'autre fermier ni vers nos anciens prés. Mes compagnes se sont faufilées derrière moi sans poser de questions. Elles sentaient que l'heure était grave. Après avoir marché un peu, nous sommes sorties du champ de maïs, pour nous trouver face à une rangée d'arbres.

— Oh, merde… a gémi Susi.

— … les arbres du bout du monde, a achevé Hilde.

16

Quelle surprise de voir ces arbres si près de nous, à cinq longueurs de vache à peine, alors que, depuis notre pré, ils nous avaient toujours paru tellement éloignés ! Et le voyage avait été si court pour les atteindre !

— ... Mais alors, où est l'Inde ? ai-je demandé au chat avec effroi.

— Très, très lointe.

— Mais... mais... derrière les arbres, il n'y a que le Lait sans fin de la Damnation ! ai-je protesté.

— Signorina, tou es commé les houmains.

— Comme les humains ?

La comparaison n'était pas flatteuse.

— Eux non plous né connaissent pas lé monde. Parcé qu'ils né voient qué cé qu'ils voient, pas tout cé qui existe. Commé lé monde il peut être merveilleuse, magico.

Étions-nous réellement aussi ignorantes que les humains, qui ne savent même pas que nous, les vaches, nous pouvons nous parler ? Le chat m'a souri.

— Crois-moi, ton orizzonte il sé va beaucoup, beaucoup élargir pendant notré voyage. *Au-délà dé l'orizzonte toujours plous loin, ensemblé nous sommes plous forte*[1]…

— S'il chante toujours comme ça, on comprend que les chiens aient quelque chose contre les chats, s'est plainte Hilde.

— C'est facilé dé critiquer ! a fait Giacomo d'un air offensé avant de s'éloigner vers les arbres.

S'apercevant qu'aucune d'entre nous ne le suivait, il s'est retourné.

— Vénez, signorine, qué attendez-vous encore ?

— Je n'entrerai pas là-dedans ! s'est écriée P'tit Radis en tremblant de tous ses membres. C'est là que vit la Vache de la Folie !

Je me suis efforcée de la calmer :

— C'est sûrement encore un de ces personnages des légendes racontées par les vieux. Comme les créatures multicolores à cheveux rouges et à nez rouge qui jettent les vaches sur le feu avant de les mettre entre deux petits pains.

— Ah, tou parles dé les Ronald Maque-Donalde, a dit Giacomo, amusé.

— Tu crois bien au Lait sans fin de la Damnation, pourquoi pas à la Vache de la Folie ? m'a demandé P'tit Radis.

— Sûrement parce qu'il ne peut pas y avoir de vache plus folle que Lolle, a suggéré perfidement Susi.

Ignorant la provocation, j'ai répondu à P'tit Radis :

— Le Lait est mentionné dans nos chants sacrés, pas dans des contes stupides. Voilà la différence.

---

1. Paroles approximatives de la chanson à succès *Horizont*, d'Udo Lindenberg (1986).

Un court instant, je me suis demandé quelles seraient les conséquences si, comme le prétendait Giacomo, le Lait sans fin n'existait pas. Dans ce cas, les chants sacrés ne seraient eux aussi que des contes stupides. Ce serait… Oui, qu'est-ce que ce serait, au fait ? Effrayant ? Rassurant ? Excitant ?

— Crois-moi, P'tit Radis, la Vache de la Folie n'existe pas. Et si, en arrivant derrière les arbres, nous constatons que c'est effectivement le bout du monde, c'est simple, nous n'aurons qu'à faire demi-tour au lieu de continuer. Qu'en penses-tu ?

— Je ne sais pas.

— Le fait est que cela paraît raisonnable, a dit Hilde, à moitié convaincue.

Elle avait beau être la moins crédule d'entre nous, elle se sentait tout de même bizarre dans un moment pareil.

— Alors ? ai-je demandé à la ronde. Vous préférez y aller, ou rester bêtement ici ?

— Rester bêtement ici, a répondu P'tit Radis.

— Rester bêtement ici, je trouve ça super ! a approuvé Susi.

— Moi, je pourrais le faire toute la journée, a renchéri P'tit Radis.

— Oui, quand on sait bien faire une chose, c'est important de la faire.

— Longtemps et souvent, a ajouté P'tit Radis.

J'ai échangé un regard avec Hilde. Bien qu'elle semble hésiter, elle a fini par déclarer :

— Je suis contre rester ici bêtement.

Il y en avait au moins une qui avait du cran.

— Mais, a-t-elle repris, je serais très contente de rester ici intelligemment.

— Mamma mia, quelle troupe ! s'est esclaffé Giacomo.

Nous ne pouvions pas attendre que le fermier nous
trouve. Il fallait donc que l'une d'entre nous se décide.
Laquelle ? Le choix paraissait évident. Prenant une
profonde inspiration, je me suis mise en marche sans
me retourner.

Je suis entrée dans la forêt, effrayée de ma propre
audace. Sous les arbres, il faisait plus frais. Et plus
sombre. Ce n'était pas un environnement naturel pour
une vache. Si j'avais dû y passer la nuit, je serais sûrement morte de peur. C'est alors que j'ai entendu Hilde
déclarer :

— Nous resterons ici encore plus bêtement si nous
laissons Lolle partir seule.

En regardant derrière moi, je l'ai vue se mettre en
route à son tour. Puis la fierté a triomphé de la peur
chez P'tit Radis, et même chez Susi. Quel bonheur !
Seule, j'aurais sans doute fait demi-tour pour courir
vers le champ de maïs et tenter de m'y cacher jusqu'à
la fin de mes jours.

Ensemble, nous avons marché à la file dans
l'épaisse forêt, intimidées par les grands arbres pressés
les uns contre les autres, par le contact inhabituel de la
mousse humide du sol, par le bruissement des feuilles
lorsqu'un coup de vent frais les traversait.

À l'inverse, Giacomo courait partout sans aucune
crainte – sa patte abîmée allait visiblement de mieux
en mieux. À part les écureuils que nous voyions parfois grimper au tronc des arbres, tout paraissait très
calme, et nous nous sommes un peu détendues.

Nous avons fini par atteindre un petit ruisseau à
l'eau cristalline qui serpentait à travers la forêt. Il tom-

bait à pic, car je n'avais rien bu depuis la veille au soir, et toutes ces émotions m'avaient asséché la gorge.

— Au bord de ce ruisseau vit l'ours Praxx, le terrible gardien de la forêt, a annoncé P'tit Radis d'une voix anxieuse. Et lui, il ne sort pas d'un conte comme la Vache de la Folie ! Ce sont les chants sacrés qui en parlent !

— Même si les chants sacrés ont raison, ce dont je doute, l'ours n'est plus là, a rétorqué Hilde. Les chants disent bien qu'il a quitté la forêt, non ?

— Oui, mais il reste la Vache de la Folie !

— Regarde autour de toi. Vois-tu ici une Vache de la Folie ? ai-je demandé, énervée par la soif.

J'ai trempé mon museau dans l'eau claire. Elle était tellement meilleure que tout ce que j'avais connu à la ferme ! Fraîche, revigorante… Était-ce là le goût de la liberté ?

Les autres m'ont imitée, même P'tit Radis, dont la soif était plus grande que la peur. Elles ont bu si long-temps et si avidement qu'on aurait dit qu'elles vou-laient vider le ruisseau. Remplie d'une énergie nouvelle, je leur ai demandé :

— N'est-ce pas que vous n'aviez jamais rien bu d'aussi bon ?

Giacomo s'est mis à rire.

— Signorina, vous né connaissez pas encore lé « Sex one ze beache » !

— Non, ai-je répondu en toute sincérité.

— Mais moi, oui ! a beuglé tout à coup une voix de vieille femelle. Moi, j'en ai déjà bu !

Effrayées, nous avons regardé autour de nous, sans voir personne. C'était comme si le vent nous avait parlé. Mes pattes commençaient à trembler, et j'enten-dais claquer les dents de P'tit Radis à côté de moi.

— Là-haut ! a repris en riant la voix enrouée.

Nous avons levé les yeux. Juste au-dessus de nous, sur une branche de chêne particulièrement solide, était assise une vieille vache.

Susi a clamé la première idée qui m'était venue à l'esprit à moi aussi :

— Merde, cette vache est vraiment dans un arbre !

P'tit Radis a murmuré la deuxième :

— Oh, non, c'est la Vache de la Folie !

— La vieille pue drôlement, a chuchoté Hilde, formulant la troisième idée qui m'était venue à l'esprit.

Oui, cette vache puait même de loin, son cuir était ridé, son pis pendait très bas… Elle devait avoir un âge extraordinaire. Sûrement vingt étés au moins.

Sautant lestement à terre du haut de sa branche, elle nous a demandé :

— Que faites-vous dans ma forêt ?

— Nous sommes en route pour l'Inde, ai-je répondu timidement.

Car me tenir devant la Vache de la Folie me remplissait de crainte et d'effroi.

— Des vaches qui veulent voir le monde ? s'est-elle étonnée.

Puis elle a éclaté de rire. Un grand rire déplaisant. Et fou. C'était le troisième bruit le plus effrayant que j'aie jamais entendu, après le bâton qui tonne du fermier et la voix d'Old Dog.

Soudain, la Vache a cessé de rire.

— Il existe une chanson sur une vache qui a vu le monde. Voulez-vous l'entendre ? a-t-elle proposé.

Personne n'a osé répondre.

— Elle parle d'une vache de cirque…

Cirque ? Qu'est-ce que ça pouvait bien être encore ?

— … et son histoire pourrait vous servir d'avertissement !

Nos gorges se sont serrées, car la façon dont la Vache de la Folie avait dit cela était plus inquiétante encore qu'elle-même.

— La chanson s'appelle *La Vacabana*[1], a annoncé la vieille. Hé, les musiciens ! a-t-elle alors lancé en levant la tête.

Des écureuils, des moineaux et des pics ont déboulé des arbres alentour, et la vieille nous a expliqué en grimaçant un sourire :

— Les habitants de cette forêt ont appris la musique avec moi !

Puis elle a commandé aux musiciens :

— Faites-moi quelques rythmes latino-américains.

Aussitôt, les moineaux se sont mis à siffler, les pics à cogner joyeusement leur bec contre les troncs d'arbres, les écureuils à frapper des noisettes l'une contre l'autre avec entrain. Puis la vieille vache a commencé à chanter, d'une voix tout à fait renversante, à ma grande surprise :

> *Elle s'app'lait Lola,*
> *c'était une vache de show*
> *avec des plumes jaunes sur la tête*
> *et un pis comme on n'en voit pas.*
> *Elle dansait le merengué*
> *et aussi le cha-cha...*

Tout en chantant, la vieille faisait des pas de danse. À son âge, ai-je pensé, d'autres se seraient déjà déboîté les sabots !

_____

1. Évidemment sur l'air de *Copacabana,* de Barry Manilow (chantée en français par Line Renaud).

Et pour devenir une star
elle bossait du matin au soir
avec le beau Bruno,
un magnifique taureau.
Ils étaient jeunes, ils étaient deux...
Que demander de mieueueux ?

À la Vaca, Vaca Cabana,
la vie était aussi dingue que ça
à la Vaca, Vaca Cabana,
la musique et l'amour
étaient les passions de toujours.
À la Vaca... elle laissa son cœur...

La Vache dansait maintenant avec frénésie sur les « rythmes latino-américains » que gazouillaient les moineaux accompagnés par les noisettes des écureuils et les becs des pics.

— Jusqu'ici, ça ne ressemble vraiment pas à une mise en garde, a commenté Susi.

— Moi, je trouve ça formidable ! a déclaré P'tit Radis en se balançant maladroitement sur la musique.

Sa peur se dissipait un peu plus à chaque instant.

— Moi aussi, yé veux chanter ! s'est écrié Giacomo.

Toutes les quatre, nous lui avons jeté un regard qui signifiait clairement : Non, toi, tu ne chanteras pas ! Il a aussitôt compris.

— Peut-être yé né chante pas, finalemente, a-t-il marmonné.

— Bonne idée, a approuvé Hilde tandis que nous autres hochions la tête.

Pendant ce temps, la vieille virevoltait avec grâce – si j'avais bougé comme ça, je serais certainement tombée sur mon arrière-train –, puis elle a repris :

Il s'app'lait Nico,
il avait de belles boules
et des cornes en forme d'accroche-cœur.
Très vite il s'est échauffé,
quand il l'a vue danser,
ses yeux ont brillé.
Près d'elle sans bruit il s'est glissé,
a commencé à la charmer.

— Je crois que c'est là que ça va se gâter, a supposé Hilde.

— Avec une musique aussi gaie ? s'est étonnée P'tit Radis, incrédule.

— Eh bien, Lola est avec Bruno, non ? Et si un Nico arrive là-dessus…

— Vous en parlez presque comme si cette Lola existait vraiment, a gémi Susi.

On pouvait effectivement avoir cette impression, ai-je songé, fascinée par le spectacle.

Nico allait trop loin,
Bruno a fait du foin,
les sabots ont jailli
pour la tuerie.
Et Bruno est mort !

À la Vaca, Vaca Cabana,
la vie était aussi dure que ça
à la Vaca, Vaca Cabana.
Musique et amour,
c'est le choc en retour.
À la Vaca... elle pleure son taureau...

— Ça, c'est vraiment triste, s'est émue P'tit Radis.

— Oui, a approuvé Susi. Moi non plus, je n'aimerais pas avoir un pis comme cette vieille.

— Tu es tellement sensible ! s'est moquée Hilde.

— C'est ma principale qualité.

— Alors, je préfère ne pas savoir quel est ton principal défaut.

Les moineaux et les pics sont descendus des arbres et se sont mis à voleter gaiement autour de la vieille vache en gazouillant. À leur tour, les écureuils ont sauté à terre et ont dansé les mêmes pas rapides qu'elle, tout en continuant à frapper leurs noisettes l'une contre l'autre.

Elle s'app'lait Lola,
c'était une vache de show.
Mais c'était il y a si longtemps.
Son cirque n'existe plus...
Dans la forêt où elle vit,
elle sait qu'elle a vieilli.
Elle a perdu son cœur, a perdu son Bruno,
a perdu la raison !

— Par Naïa... a fait P'tit Radis d'une voix étranglée.

— Lola, c'est elle. Et son Bruno est mort.

Je me sentais à présent pleine de compassion envers la vieille.

— C'est à peine croyable que des taureaux aient pu se battre autrefois pour une vache comme elle, a commenté Susi, toujours pas d'humeur compatissante.

À la Vaca, Vaca Cabana,
ça lui est tombé d'sus comme ça,
à la Vaca, Vaca Cabana.

Musique et amour, les passions de toujours.
À la Vaca...
tombe pas en amour...

Lola a répété plusieurs fois encore : *Tombe pas en amour,* mais de plus en plus doucement. Les moineaux, les pics et les écureuils ont cessé de jouer et de danser. Ils se sont dispersés en s'envolant ou en bondissant gaiement. Même si Lola était triste, sa musique procurait beaucoup de joie à ses voisins de la forêt.

— Bon, cette fois, il n'y a plus de doute, a constaté Susi. C'est bien la Vache de la Folie !

— Oui, mais je n'ai plus peur d'elle, a déclaré P'tit Radis avec compassion.

— Moi, oui, s'est moquée Susi. Elle doit pouvoir faire mal à quelqu'un en balançant ce pis qui pendouille.

Quant à moi, je me suis approchée de Lola sans rien dire et lui ai léché le museau pour la consoler. Tant pis si elle puait un peu trop.

Sa chanson m'avait fait comprendre une fois de plus que le monde extérieur devait être dangereux pour nous, les vaches, mais elle m'avait aussi donné une information sensationnelle : Lola avait vu le monde. Autrement dit, derrière les arbres, il n'y avait pas de Lait sans fin de la Damnation !

J'ai remercié Lola, qui paraissait encore très émue :

— C'est gentil de ta part d'avoir essayé de nous mettre en garde. Mais ce qui t'est arrivé ne nous arrivera pas nécessairement.

— No, cé qui té va arriver pourrait être bien pire, est intervenu l'impertinent Giacomo.

— Crois-tu vraiment qu'un sort pire que le mien soit possible ? lui a demandé Lola avec tristesse.

Le chat a regardé au fond des yeux vides semblables à des fenêtres ouvertes sur cette âme ravagée, et il a secoué lentement la tête.

— Yé té démande pardon.

— Lola, peux-tu nous montrer le chemin pour sortir de la forêt ? l'ai-je alors questionnée.

— Es-tu sûre de vouloir aller en Inde ?

J'ai fait oui de la tête.

— Quel est ton nom ?

— Je m'appelle Lolle, Lola.

Cette fois, nous avons éclaté de rire ensemble. La vieille dame a frotté son museau contre le mien, et je lui ai rendu la pareille.

Puis elle nous a fait traverser la forêt, qui ne nous inspirait plus aucune terreur, car c'était un lieu empli de musique et de danse. Je sentais l'excitation monter en moi à chaque pas. Qu'allions-nous découvrir derrière les derniers arbres ?

En atteignant la lisière de la forêt, nous n'avons vu que de grands champs. Pas de Lait sans fin de la Damnation.

Ainsi, les chants sacrés avaient menti.

Autrement dit, nous n'avions plus besoin d'y croire.

Je savais maintenant ce qu'on ressentait quand on ne pouvait plus croire les anciens sages. C'était à la fois effrayant, rassurant et exaltant. Car cela signifiait que notre ancienne vie était définitivement terminée. Et qu'une nouvelle commençait !

17

En guise d'adieu, Lola a frotté son museau contre le mien et m'a murmuré :

— Moi aussi, je suis allée en Inde. C'est vraiment beau, là-bas. J'espère que tu y arriveras.

— Pourquoi n'y es-tu pas restée ?

Si c'était un tel paradis, je ne comprenais pas qu'on puisse le quitter.

— Il ne fait beau nulle part quand il ne fait pas beau dans ton cœur, a répondu Lola.

Les larmes lui sont venues aux yeux, mais, au lieu de se laisser aller, elle a fait demi-tour vers la forêt et a crié aux autres animaux :

— Maintenant, nous allons chanter *No Milk Today* !

Avant d'entamer la traversée des champs, nous avons encore entendu les petits habitants de la forêt pousser des cris de joie. Nous étions si bouleversées de ne pas être tombées dans le Lait sans fin que nous ne savions plus du tout que dire.

Au bout de quelques minutes de marche silencieuse, nous avons atteint un chemin transversal dont le sol, d'un gris et d'une dureté inhabituels, avait été réchauffé d'une manière agréable aux sabots par les rayons du soleil, à présent haut dans le ciel. Je me serais sans doute sentie moins à mon aise si j'avais su alors que je me tenais sur cette invention à laquelle les humains avaient donné le nom peu poétique de « route secondaire ».

— Alors, de quel côté est l'Inde ? a fait Susi d'une voix geignarde. À droite ou à gauche ?

J'ai jeté un coup d'œil à Giacomo pour demander son aide. Bondissant sur la surface grise, il s'est approché d'un panneau jaune situé à quelques longueurs de vache et où étaient peints des signes humains incompréhensibles pour nous. Le chat les a étudiés rapidement – on aurait dit qu'il savait réellement déchiffrer ces signes étranges –, puis il est revenu vers nous et a déclaré :

— Allora, nous dévons marcher quinze kilomètres, jousqu'à oune endroit qu'elle s'appelle Cuxhave[1]. Poui nous attendrons oune bateau qu'il va en Inde. Puis yé vous fait monter clandestinémente sour lé bateau… et plous yé réfléchis à cé plan, plous qué moi-même yé lé trouve complètémente cinglé…

Avant d'avoir eu le temps de lui poser des questions sur son plan cinglé, telles que : « Qu'est-ce qu'un bateau ? », « Que veut dire *clandestinémente* ? », ou encore « Qu'est-ce qu'une Cuxhave ? », nous avons entendu un vrombissement.

— Ce n'est pas la même mélodie qu'un tracteur, a analysé P'tit Radis. Celle-ci fait plutôt : « Vroumm-vroumm-vrrrrrrrrroum. » Beaucoup plus énergique et rapide.

— Attenti ! a crié Giacomo.

_____

1. Prononciation du chat pour « Cuxhaven », ville portuaire sur la mer du Nord, au nord de Brême.

Personne n'a réagi.

Le vrombissement se rapprochait.

— Attenti !!! a de nouveau crié le chat.

Toujours pas de réaction.

— Vous n'avez pas entendou qué y'ai crié : « Attenti ! », idiotes dé vaches ?

— Si, bien sûr… a répondu P'tit Radis.

— … mais nous n'avons aucune idée de ce que signifie « Attenti », a complété Hilde.

Susi, vexée, a mugi pour dominer le bruit de plus en plus fort :

— Et puis, nous ne sommes pas des vaches idiotes… pas moi, en tout cas… les autres, peut-être un peu… surtout Lolle…

— La audoo ! a crié Giacomo.

Une sorte de machine qui ressemblait vaguement à un tracteur est soudain apparue, fonçant sur nous à une vitesse incroyable. Dans cette chose, il y avait une humaine qui, à notre vue, a semblé au moins aussi effrayée que nous.

— Là ! a crié le chat en sautant dans un fossé au bord de la route.

Étant donné la visible robustesse de cette « audoo », j'ai trouvé que c'était une très bonne idée.

M'ayant précédée aussi bien en pensée qu'avec ses sabots, Hilde se jetait déjà dans le fossé.

— Tou es tombée sour moi ! Y'ai ton derrière sour ma figoure ! lui a crié Giacomo.

Avant que Hilde ait pu réagir, P'tit Radis avait sauté à sa suite, et c'était maintenant Hilde qui criait :

— Hé, pas sur moi !

— Et yé souis encore sous toi, a gémi Giacomo. Encore ouné vache et yé sérai aussi plat qué ma vieille amie Chatte Moss.

Je m'apprêtais à sauter sur elles à mon tour, quand j'ai vu que Susi restait figée au milieu de la route, les yeux fixés avec angoisse sur l'audoo qui approchait.

— Susi !

Mais paralysée par la peur, cette idiote ne réagissait pas. La chose allait lui rentrer dedans, et elle n'en sortirait certainement pas vivante.

Alors, baissant la tête, j'ai foncé plein pot au lait vers son derrière, les cornes en avant.

Elle a poussé un grand « Ahh !!! » et a couru tout droit vers le fossé, où elle est tombée sur P'tit Radis encore accroupie sur Hilde, elle-même assise sur Giacomo, qui s'est lamenté :

— Et voilà, perfetto…

J'ai sauté la dernière et me suis aplatie sur Susi, qui a hurlé tandis que, sous elle, P'tit Radis et Hilde gémissaient et que Giacomo pestait tout en bas :

— La prochaine fois, yé voyagérai avec des lapins !

L'audoo est passée en coup de vent, et notre petit tas s'est renversé. Je me suis relevée et j'ai sorti prudemment la tête du fossé pour regarder, imitée par les autres vaches. Il passait vraiment beaucoup de ces audoos sur la route. Certaines étaient plus grosses que la première, quelques-unes avaient même une petite maison accrochée derrière.

— Cé sont les Olandese, nous a expliqué Giacomo.

Sans que cela nous aide en quoi que ce soit à mieux comprendre.

De toute évidence, P'tit Radis et Susi étaient très effrayées par les audoos. Plus courageuse, Hilde regardait avec dégoût ces objets fuyants :

— À côté de ça, l'odeur d'Oncle Prout est un doux parfum de rose sauvage !

Comme j'étais moi aussi un peu intimidée, je leur ai demandé :

— Qui est d'accord pour chercher un autre chemin ?

Pour la première fois depuis le début du voyage, nous étions toutes du même avis. Mais Giacomo a objecté :

— Vous n'avez pas lé choix. Vous dévez prendre lé chemin dé la civilizzazione. Yé régrette.

— Pas tant qué moi, a soupiré P'tit Radis.

— Qué moi non plous, a ronchonné Susi.

— Quoi que puisse être cette civilizzazione, je la hais déjà ! a soupiré Hilde.

C'était la deuxième fois depuis le début du voyage que nous étions toutes d'accord.

À contrecœur, nous nous sommes mises en chemin vers la fichue civilizzazione. Nous ne marchions pas sur ce que Giacomo avait appelé « route secondaire », mais sur l'herbe qui poussait au bord, et les unes derrière les autres, parce que la bande était étroite entre la route à notre gauche et les champs à droite. Ce qui ne plaisait guère à Susi :

— Super ! Maintenant, je dois avoir tout le temps les yeux sur le derrière de Lolle !

Je n'avais jamais autant désiré avoir des flatulences. Cependant, comme il fallait préserver le moral de notre petite troupe, je n'ai pas répondu à l'insolence de Susi. Hilde, qui fermait la marche, s'en est chargée à ma place :

— Moi, j'aimerais bien voir ton derrière, Susi.

— Ah bon ? s'est étonnée celle-ci.

— Oui, dans un massif d'orties, a ricané Hilde.

— Et moi, voir le tien dans un nid de guêpes, a rétorqué Susi.

— Et moi, le tien avec du miel dessus…

— Ce n'est pourtant pas si terrible, si ? a dit Susi.

— … dans une fourmilière !

Pendant qu'elles étaient occupées toutes les deux à se rendre chèvres (les chèvres sont vraiment salopes entre elles, en tant que vache, on imagine difficilement tout ce qu'elles peuvent se balancer à la tête en une seule journée), j'observais les humains qui, tous, nous regardaient avec stupéfaction depuis leurs audoos. Les seuls à y prendre plaisir étaient leurs veaux. Ils agitaient leurs petits bras, nous montraient du doigt en riant joyeusement. À les voir ainsi, on avait du mal à les croire capables de nous dévorer. Ces jeunes humains pouvaient-ils vraiment être des monstres qui se repaissaient de vaches ?

— Ils n'ont pas du tout l'air de vouloir nous manger, ai-je dit à Giacomo.

Il était assis sur ma tête, entre mes cornes. Bien que sa patte soit pratiquement guérie, j'avais l'impression que cela lui plaisait de se laisser porter par moi au lieu de marcher.

— La ploupart des houmains ils né touent pas les vaches eux-mêmes. Ils né voient jamais ouné vache morte. Ils né mangent qué des morceaux qu'on né les réconnaît pas, et commé ça ils né pensent pas qué d'abord c'était oune être vivant.

Un tel comportement me paraissait non seulement absurde, mais pervers.

— Yé crois qué la ploupart né vous mangéraient pas s'ils pouvaient voir comment on vous toue.

Cela rendait-il meilleur le comportement des humains ? Pas vraiment ! Et il était inconcevable qu'ils apprennent à leurs petits à manger d'autres êtres vivants. Quand j'aurais un veau, je lui apprendrais a respecter toutes les créatures. Sauf Susi.

— Vous les vaches, vous n'avez à craindre qué très peu d'houmains, a expliqué Giacomo. Les fermiers, les bouchers, les zoophiles…

— Les os filent ?

— Allora, cé sont les gens qu'ils font l'amour avec les bêtes…

— Je n'ai pas demandé ! l'ai-je coupé.

Pas étonnant qu'il y ait le mot « filer » là-dedans ! Décidément, je trouvais les humains de plus en plus inquiétants. Combien de choses insoupçonnables, mais indispensables à notre survie, devais-je encore apprendre sur eux ? Au fait, combien étaient-ils ? Nous en avions déjà vu un nombre extraordinaire dans les audoos.

Pendant que je ruminais ces questions, Susi, qui marchait derrière moi, a demandé :

— On arrive bientôt ?

— No, a répondu Giacomo.

Au bout d'un moment, elle a redemandé :

— On arrive bientôt ?

— No, a répété Giacomo, avec cette fois un peu d'agacement.

— Maintenant ? a-t-elle redit à peine une minute plus tard.

— NO !

— Mais on va quand même y être tout de suite ?

— Si tou continoues à démander commé ça, tou n'y séras jamais !

— Ah ? Et comment penses-tu te débarrasser d'une vache, petit chat ? a-t-elle répliqué d'un ton de défi.

Giacomo a rampé jusqu'à mon arrière-train – j'ai tourné la tête pour assister à la scène – et a sorti ses griffes sous le museau de Susi.

— Commé ça.

Susi a frissonné.

— Bon, je préfère ne pas avoir ça dans l'œil, a-t-elle fait d'une voix étranglée.

— No, signorina, a conclu Giacomo en lui souriant froidement.

Marchant en équilibre sur mon dos, il est revenu s'installer entre mes cornes. Son sourire m'avait fait frémir. Jusque-là, je l'avais simplement pris pour un gentil matou, mais je me rendais compte à présent qu'il pouvait se révéler dangereux. C'était un vrai combattant, qui n'hésiterait pas à blesser un adversaire. Je n'ai pu m'empêcher alors de penser à Old Dog. S'il avait failli tuer un chat pourvu de telles griffes, avais-je la moindre chance face à lui ? Certes, je l'avais seulement vu en rêve parler de me tuer. Mais si ce rêve cachait une prémonition ? Si je devais réellement rencontrer à nouveau le monstre ? À cette idée, j'ai éprouvé un tiraillement dans le bas-ventre. Un peu comme quand on a ses règles, et cependant différent.

— Matou, j'ai quand même une autre question à te poser, a dit Susi, m'arrachant à mes pensées.

— Gare à toi si tou mé démandes encore si on est bientôt arrivés ! a menacé Giacomo.

— Non, pas ça.

— Va bene, alors, qué veux-tou savoir ?

— C'est encore loin ?

Giacomo a poussé un gémissement de douleur et s'est roulé entre mes cornes en soupirant :

— Lé temps qué nous arrivons en Inde, yé sérai dévénou alcoolique !

D'une audoo qui passait, un veau humain nous a jeté un trognon de pomme qui a atterri sur mon dos. Leurs petits n'étaient visiblement pas tous également gentils.

En suivant l'audoo des yeux, je me suis demandé où finissait le monde si, pour le traverser, les humains étaient forcés d'emprunter ces machines au lieu de marcher sur leurs jambes. La terre était peut-être plus grande que je n'étais capable de l'imaginer. Et même beaucoup plus grande ! Mais jusqu'à quel point ? Un terrible soupçon m'est venu. Il faudrait peut-être sacrément longtemps avant d'« y être » !

— Dis-moi, ai-je demandé au chat assez bas pour que les autres n'entendent pas. L'Inde est-elle plus loin que trois jours de marche ?

— Lé pape il est catholique ?

— Je ne comprends pas du tout ta réponse.

— Évidentemente qué l'Inde elle est plous loin !

— À quatre jours ? ai-je insisté, espérant que « plus loin » ne signifiait pas « beaucoup trop ».

— Encore plous loin.

Ma gorge s'est nouée. Combien de jours des vaches comme nous pouvaient-elles résister à un tel voyage ? Huit ? Neuf ? Sûrement pas plus de dix.

— Plus de dix jours ? ai-je questionné avec précaution.

— Yé crois qué c'est oune peu plous.

— Mais combien plus ?

— Oh… peut-être trois pleines lounes ?

— TROIS PLEINES LUNES ?!? ai-je mugi avec épouvante.

Surprises, les autres m'ont regardée.

— Trois pleines lunes pour quoi ? a demandé Hilde.

J'ai cherché en hâte un bobard à leur raconter :

— Euh… Giacomo me disait qu'en Inde on pouvait voir trois pleines lunes.

C'était un peu stupide, mais, sur le moment, je n'avais rien trouvé de mieux. Je ne devais surtout pas leur révéler que le voyage serait aussi long. Si je faisais cela, elles perdraient tout espoir, comme moi à présent.

Intéressée, Hilde voulait en savoir davantage :

— Trois lunes… comment est-ce possible ?

— Là-bas, Naïa a lancé dans le ciel beaucoup plus de son fromage…

En continuant à broder ainsi, je m'aventurais dans un domaine où je n'étais pas sûre que la Vache divine puisse retrouver ses petits, d'autant que je n'étais même plus très sûre de son existence.

— Son pis était vraiment très productif, s'est émerveillée P'tit Radis.

En tout cas, elles avaient avalé mon explication. Mais, tandis que Susi bougonnait à intervalles réguliers : « Combien de temps encore ? », « Quand y serons-nous exactement ? » ou « Que fait-on quand on a mal aux sabots ? », je me demandais, moi, comment nous allions nous supporter pendant trois pleines lunes, sans même parler de survivre aussi longtemps dans le monde des humains. Alors que mes derniers espoirs s'envolaient, j'ai soudain senti un nouveau tiraillement dans le bas-ventre. Ce ne serait pas le dernier de cette journée. Ni de ma vie.

18

Susi ralentissait à chaque pas et devenait de plus en plus silencieuse. Hilde grommelait parce que Susi nous retardait. Seule P'tit Radis semblait s'être réellement épanouie au cours de notre périple. Les audoos ne lui faisaient plus peur du tout, et elle posait des questions à Giacomo sur toutes les nouveautés fascinantes que nous rencontrions. Il lui expliquait les éoliennes (dommage pour les oiseaux), les pare-brise (dommage pour les insectes), les centrales nucléaires (dommage pour tout le monde). Il lui racontait les rockers (sous les cheveux, des humains), les motos (des machines qu'il ne faut pas utiliser sans les mains. Et, non, une vache ne doit pas les conduire). À un moment, après avoir consulté un nouveau panneau jaune, le chat nous a annoncé :

— Plous qué cinq kilomètres jousqu'à la Cuxhave !

— Où as-tu appris à déchiffrer les signes des humains ? ai-je voulu savoir.

— Avec ma maîtresse, a répondu Giacomo, la mine nostalgique. Elle lisait toujours des livres à voix haute, et moi y'étais sour son épaule et yé régardais les lettres…

— Qu'est-ce que c'est qu'une maîtresse ? l'ai-je interrompu, contente de pouvoir penser un peu à autre chose que la distance inaccessible qui nous séparait de l'Inde.

— L'houmaine à qui y'appárténais.

Le matou avait donc été la propriété d'un humain, comme nous. Si c'était le cas de tous les animaux et si c'était là l'ordre naturel du monde, je trouvais la nature bien peu naturelle !

— Ta maîtresse mangeait-elle aussi des vaches ? ai-je demandé.

— Non, elle né mangeait pas dé la viande.

— Seulement de l'herbe, alors ?

— Non, avec l'herbe elle faisait autré chose.

— Quoi donc ?

— Elle foumait.

Là, j'étais quand même surprise.

— Elle aimait aussi les champignons halloucino-gènes. Elle m'en donnait, et on passait touté la nouit à ricaner et à voir des couleurs estraordinaires…

Cela m'a rappelé les champignons de notre pâturage extérieur, à la ferme.

— Ma maîtresse, yé l'ai perdoue, et c'était ouniqué-ment dé ma faute, s'est mis à sangloter le chat.

Je sentais ses larmes goutter sur moi, mais, comme il me paraissait impoli de lui demander ce qu'il avait pu faire pour perdre sa maîtresse, j'ai continué à marcher en silence. Même quand il s'est mouché bruyam-ment dans mon pelage. La seule à arborer encore un air heureux et satisfait était P'tit Radis. Regrettant de ne pas pouvoir en dire autant de moi-même, je lui ai demandé :

— Tu te sens bien ?

— Nous sommes ensemble, nous vivons, le soleil brille… Que veux-tu de plus ?

— La sécurité... l'amour... le bonheur... ai-je répondu avec nostalgie.

— Sais-tu ce que ma mémé Toc-Toc disait toujours ?

— Encore ce nom idiot ? a haleté Susi derrière nous.

Au moins, il lui restait assez de force pour dire des vacheries.

— C'est un très beau nom, a répliqué P'tit Radis avec véhémence.

— Pourquoi pas « mémé Zinzin », pendant que tu y es ?

— Tu peux m'insulter si tu veux, mais pas ma mémé ! s'est insurgée P'tit Radis en la foudroyant du regard.

Susi a reculé d'un bond. Pour P'tit Radis, sa grand-mère avait été la personne la plus importante au monde. À sa mort, elle avait amèrement pleuré pendant des jours. Puis, un beau matin, elle avait recommencé à sourire : mémé Toc-Toc lui était apparue en rêve et lui avait dit de ne pas gâcher sa vie dans le chagrin, mais d'en jouir pleinement. Depuis ce temps-là, P'tit Radis était toujours gaie. Elle avait l'impression qu'une part de mémé Toc-Toc était restée en elle. Cela conférait à mon amie une force intérieure que je lui avais souvent enviée. Mais jamais encore comme à présent.

— Que disait mémé Toc-Toc ? lui ai-je demandé.

— Sécurité, amour, bonheur... tout cela est en toi.

J'ai regardé en moi. À part un tiraillement dans la région du bassin, je n'y ai pas trouvé grand-chose – en tout cas pas le bonheur.

— Lolle, tu dois apprendre à jouir de l'instant présent. Avant qu'il soit passé.

— Aussi ma maîtresse elle disait toujours céla, a miaulé tristement le chat. Et après, elle mangeait des champignons.

Jouir de l'instant présent en dépit de tout, était-ce là la clé d'une vie heureuse ?

Je pouvais toujours essayer, même si nous avions un très long chemin à parcourir et si cela m'accablait. Donc, le soleil brillait, c'était déjà super. Il soufflait une brise agréable, ça aussi, c'était merveilleux. Les audoos puaient : on ne pouvait pas apprécier, mais au moins ignorer. Hélas, il y avait autre chose que je ne pouvais en aucun cas ignorer – et je ne le voulais d'ailleurs pas. La mort de notre troupeau. Et celle de Champion. Un instant n'existait donc pas en soi, isolé de tout le reste. La douleur du passé pouvait l'envahir. Comme l'inquiétude pour l'avenir.

P'tit Radis était capable d'oublier les deux, le passé comme l'avenir. Et il se pouvait que d'autres vaches possèdent cette faculté enviable. Mais elle ne m'avait pas été donnée. Pour cela, il aurait peut-être fallu que je sois élevée par mémé Toc-Toc, et non par une vache sans cesse trompée.

Je ne pouvais donc surmonter le passé qu'en agissant sur l'avenir. Autrement dit, même si cela durait trois pleines lunes, je devais conduire en Inde notre petit troupeau. Sans me laisser abattre. Car je ne pourrais jouir de l'instant présent que dans l'avenir que j'aurais choisi !

C'était soit ça, soit manger des champignons.

19

Au bout de quelque temps, nous avons atteint ce que Giacomo a appelé une « aire de repos » ou un « parking ». Il y avait partout de drôles de déchets que le chat, tout en s'essuyant les yeux avec ses pattes, nous a présentés comme des films plastique, des emballages et des préservatifs.

Nous sommes restées un moment immobiles, à regarder autour de nous.

— Je ne crois pas qu'il puisse exister un endroit plus dégoûtant, a déclaré Hilde.

— Signorina, c'est qué vous né connaissez pas les toilettes d'oune stadio dé football !

Giacomo s'efforçait de sourire, cherchant visiblement à chasser le souvenir de sa maîtresse.

Toutes les quatre, nous avons soufflé un peu sur le pré qui bordait le « parking ». Tandis que Hilde et Susi mâchonnaient l'herbe d'un air morose et que P'tit Radis se remplissait joyeusement la panse, je réfléchissais sans pouvoir avaler la moindre touffe. Devais-je dire la vérité aux autres, à savoir que le voyage entrepris durerait bien plus longtemps que nous ne l'avions cru ? Lorsqu'on conduisait un troupeau, ai-je fini par conclure, il valait parfois mieux mentir pour ne pas compromettre le but à atteindre. C'était mesquin et sournois, mais nécessaire. Être une meneuse était donc encore plus dégueulasse que je ne l'avais cru.

Ayant cessé de mâchouiller de l'herbe, P'tit Radis a remarqué nos airs accablés et s'est efforcée de nous remonter le moral :

— Je suis sûre qu'en Inde nous trouverons des vaches à taches brunes !

Les yeux de Hilde se sont éclairés à cette idée, mais elle n'a rien dit. Elle ne voulait pas trop espérer, au cas où elle serait vraiment la seule vache à taches brunes au monde et où le rêve de sa vie s'effondrerait définitivement.

— Et toi, a poursuivi P'tit Radis en s'adressant à Susi, je te souhaite de trouver là-bas beaucoup de taureaux.

— Parce que tu n'en veux pas, toi ? a rétorqué Susi.

Soit elle était trop épuisée pour supporter d'entendre un mot gentil, soit elle avait réellement trop mauvais caractère.

Comme P'tit Radis tardait à répondre, Susi a insisté :

— Ben quoi ? Tu ne veux pas de taureau, peut-être ?

P'tit Radis se balançait maintenant d'une patte sur l'autre, visiblement en proie à un combat intérieur.

— Je dois vous faire une confession, a-t-elle fini par déclarer.

Étonnées, nous avons toutes cessé de brouter.

— Hier soir, je ne vous ai pas raconté mon rêve...

— Oh, ça ne fait rien, a coupé Susi avec insolence.

Cette fois, bien qu'affectée, P'tit Radis a poursuivi sans se laisser déstabiliser :

— Je vais vous dire quel est mon rêve, mais...

Elle hésitait de nouveau.

— Mais ? l'ai-je encouragée.

— Je ne peux pas le dire.

— Ce n'est pas grave non plus, a estimé Susi.

— Mais je peux faire autre chose !

— La fermer ? a demandé Susi avec espoir.

— Une faculté qui ne t'a malheureusement pas été accordée, a persiflé Hilde.

Susi a fait la grimace.

— Je ne peux pas le dire, mais je peux le chanter ! a déclaré P'tit Radis.

— Les vaches, vous êtes touté des meuh-siciennes ! a plaisanté le chat.

Et P'tit Radis a entonné :

> *I wanna be loved by cow,*
> *just cow, nobody else but cow...*

En même temps, elle se trémoussait gracieusement. Du moins aussi gracieusement que la nature le permet à une vache.

> *I wanna be loved by cow, alone.*
> *Pou, pou, pi dou.*

Susi a été la première à comprendre ce qu'on nous chantait là. Bondissant en arrière, elle s'est écriée :

— Par Naïa ! Tu aimes les vaches !

— Cetté fois, yé souis étonné quand même, a reconnu Giacomo.

Je l'étais aussi, mais dans le genre ahuri. Ma P'tit Radis, celle que je connaissais depuis l'enfance, était donc attirée par les vaches et non par les taureaux ?

Pendant que nous restions tous ébahis, P'tit Radis poursuivait sa chanson, tout en esquissant de jolis petits pas de danse avec ses pattes de devant.

I wanna be loved by cow,
just cow, nobody else but cow,
I wanna be loved by cow, alone.
Paah didel-dideli-dideli-dam, pou, pou, pi dou !

Après le « pou, pou, pi dou », P'tit Radis a formé avec son gros mufle noir un gracieux baiser qu'elle a soufflé vers nous. Puis elle nous a regardées d'un air plein d'espoir, tout excitée de nous avoir révélé son grand secret, mais aussi un peu inquiète de savoir comment nous allions digérer la nouvelle.

Sur le moment, nous n'avons rien digéré du tout.

À mesure que le silence se prolongeait, P'tit Radis devenait de plus en plus nerveuse. Sa mâchoire a commencé à remuer, jusqu'à ce qu'elle ne puisse plus y tenir.

— Dites-moi quelque chose !

— Paah didel-dideli-dideli-dam, a répondu Hilde, désemparée.

— À quoi je voudrais ajouter : « Pou, pou, pi dou », ai-je enchaîné, non moins bouleversée.

Tout à coup, P'tit Radis a éclaté de rire.

— Ne vous inquiétez pas, je ne suis pas amoureuse de vous !

— Et pourquoi pas ? a répliqué Hilde en feignant la colère.

Sa première surprise passée, elle n'a pu s'empêcher de sourire. Le rire de P'tit Radis avait légèrement détendu l'atmosphère, et, parmi nous, Hilde était la plus à même de s'accommoder d'une telle révélation. En tant que marginale, elle n'avait aucun problème avec la différence.

Contrairement à Susi, qui s'est mise à gueuler :

— Cette fois, c'est clair : je suis partie avec une bande de cinglées !

Puis elle s'est éloignée de quelques pas pour bien marquer sa distance avec P'tit Radis. De toute évidence, Susi faisait partie des nombreuses vaches qui avaient quelque chose contre les vaches qui aimaient les vaches. Dans un troupeau, c'était une situation presque aussi pénible que celle des taureaux qui aimaient les taureaux. Ou des taureaux qui aimaient les poules.

De mon côté, j'étais surtout en colère contre moi-même. N'aurais-je pas dû prendre les désirs de P'tit Radis avec autant de décontraction que Hilde ? Je n'avais pourtant rien contre les amatrices de vaches. Je n'avais jamais cru au dicton que répétaient souvent les anciennes : « Vache sur vache, ça fait tache ! »

Pourtant, la confession de P'tit Radis me mettait sens dessus dessous. Ou plutôt, je me sentais blessée. Parce qu'elle avait attendu notre fuite, notre halte au bord d'un parking, pour m'avouer ses vrais désirs. Alors que nous nous étions connues petits veaux. Jusqu'à quand aurait-elle gardé son secret si nous étions restées à la ferme ? Me l'aurait-elle jamais révélé ? Pourquoi ne m'avait-elle pas fait confiance ?

Brusquement, j'ai senti revenir le tiraillement du côté de mon bassin.

— C'est le moment où, en tant qu'amie, tu es censée me souhaiter de trouver la vache que je pourrai aimer, a dit P'tit Radis en s'approchant de moi.

— Et c'est ce que je te souhaite, ai-je répondu d'un ton pas très aimable et plutôt contraint.

Elle s'est mise à rire, sans grande conviction.

— Cela venait vraiment du cœur ! a-t-elle constaté. As-tu quelque chose contre l'amour entre vaches ?

— Non, non… me suis-je défendue évasivement, car je ne voulais pas avouer que je me sentais vexée. C'est juste que j'ai une sorte de tiraillement bizarre dans le bas-ventre.

— Tu as un tiraillement dans le bas-ventre ? s'est-elle exclamée.

Elle m'impressionnait. L'instant d'avant, il était question de son plus grand secret, de ce qui comptait le plus dans sa vie, mais, dès qu'elle s'inquiétait pour un autre, elle s'oubliait complètement et était tout entière avec lui.

J'ai soudain eu honte de mon attitude, et surtout de ne pas être dotée d'aussi grandes qualités bovines qu'elle. Et, comme j'avais honte, je lui ai répondu avec beaucoup plus de colère que je ne l'aurais voulu :

— C'est bien ce que j'ai voulu exprimer en disant : « J'ai un tiraillement dans le bas-ventre. »

— Sérieusement, ça te tiraille ?

— Sérieusement.

Tout à coup, P'tit Radis a souri largement et a pris un air sagace.

— Qu'est-ce qu'il y a ? ai-je voulu savoir.

Son sourire s'est encore élargi et elle a pris un air encore plus sagace.

— Alors ?

— Tu es enceinte !

— QUOOOIII ?!?

20

— Eh bien, m'a-t-elle expliqué patiemment, enceinte, cela veut dire qu'on attend un veau…

— Je sais ce que ça veut dire ! ai-je beuglé.

— Alors, pourquoi tu demandes ?

Si quelqu'un savait ouvrir de grands yeux de vache, c'était bien P'tit Radis.

— Tu es enceinte ?!? s'est écriée Susi en revenant vers nous au pas de course.

Au ton de sa voix, on la sentait jalouse et furieuse. Car si j'étais enceinte, cela ne pouvait être que de Champion.

— Je ne suis pas enceinte, ai-je bafouillé.

— Si, tu l'es, a affirmé P'tit Radis, radieuse.

— C'est juste un tiraillement dans le bas-ventre, ai-je tenté de minimiser.

Cette fois, c'est Hilde qui a eu un large sourire.

— Qu'est-ce qu'il y a ? me suis-je énervée.

— Tu es enceinte, a constaté Hilde.

— N'importe quoi ! ai-je protesté avec véhémence. Ce qui ne devait pas être ne pouvait pas être !

— L'automne dernier, Accidentdechmindfère avait un tiraillement semblable… a poursuivi Hilde.

Par Naïa, c'était vrai !

— … et elle a eu un veau…

Hélas, c'était vrai aussi.

— … que le fermier a appelé « Psychotropia ».

— Mais mon tiraillement n'a rien à voir avec ça ! ai-je répondu avec un manque total d'assurance.

En réalité, je n'en savais rien, je ne faisais que l'espérer.

— Lolle, quand as-tu eu tes règles pour la dernière fois ? m'a demandé Hilde.

— Euh… ai-je commencé à bredouiller.

— Je pensais bien que tu allais dire ça.

— Oh, non…

Car cela faisait effectivement un petit moment. Pour être exacte : deux pleines lunes de fromage.

Susi était profondément vexée.

— Alors, tu vas vraiment avoir un veau de Champion ! a-t-elle lancé d'une voix furieuse.

— Yé sérai lé parrain ! s'est écrié Giacomo.

Il dansait de joie sur ma tête, mais je m'en apercevais à peine, car je ne savais plus où je l'avais (la tête). Tout ce que je savais, c'était que je ne pouvais pas être enceinte ! Il ne fallait pas !

— Il y a une façon très simple de savoir si on est enceinte ou pas, a déclaré P'tit Radis.

— On attend que le veau naisse, a grommelé Susi.

— Ma mémé Toc-Toc m'a appris un truc pour cela.

— La revoilà avec sa mémé Toc-Toc, a soupiré Susi.

Elle se montrait agressive pour ne pas pleurer.

— C'est la même mémé qu'elle conseillait dé pisser sour ma blessure ? a questionné Giacomo d'un air dubitatif.

— Et elle s'est trompée ? lui a demandé P'tit Radis en souriant.

— No, a concédé Giacomo, se souvenant que sa patte avait été sauvée par les traitements éprouvés de la vieille guérisseuse. Ta mémé était una signora très sage. Bizarre, mais sage.

— Alors, comment sait-on si on est enceinte ? a insisté Susi.

Elle était plus pressée que moi d'en avoir le cœur net. En toute franchise, je n'étais même pas sûre de le vouloir vraiment.

— Il faut une grenouille ! a répondu P'tit Radis

— Une grenouille ? ai-je répété, surprise.

— Et c'est elle qui te dit si tu es enceinte ? a fait Susi, également sceptique.

— Si je peux me permettre un jeu de mots idiot, c'est n'importe coâ ! a dit Hilde.

— La grenouille ne le dit pas, a expliqué P'tit Radis. Elle le montre par sa couleur.

— Elle devient toute rouge quand on lui parle de la reproduction ? a plaisanté Hilde.

— Non. Quand on pisse dessus, elle devient bleue si on est enceinte, et sinon, elle reste verte.

— Ta mémé aimait vraiment qu'on pisse sur tout, a constaté Hilde.

— C'est parce que, quand on est enceinte, il y a je ne sais quelles choses dans le pipi...

— Les ormone, a soupiré Giacomo.

— La grenouille ne sera pas franchement ravie si je lui pisse dessus, leur ai-je fait remarquer. Et puis, encore faut-il en trouver une.

J'espérais que ces objections régleraient le problème, au moins le temps que je me fasse une opinion sur la question de savoir si je voulais vraiment savoir.

— Il y a une mare là-bas, a dit Susi en désignant une petite pièce d'eau à une centaine de longueurs de

vache de nous. On peut sûrement y trouver des grenouilles !

Elle est aussitôt partie en direction de la mare,
s'éloignant du parking en traversant un pré après avoir
longé quelques buissons. Contrairement à moi, elle
était bien décidée à savoir tout de suite.

— Ben, qu'est-ce que tu attends, Lolle ? m'a
demandé P'tit Radis en me poussant affectueusement
du museau.

Ce que j'attendais ? La fin du cauchemar ! Je ne
voulais même pas imaginer ce que cela signifierait si
un petit veau grandissait en moi. Un veau dont le papa
serait Champion. J'espérais surtout que Susi ne trouverait aucune grenouille. À cet instant, elle nous a appelés :

— J'en vois des tas ! C'en est rempli par ici !

Adieu, espoir…

— Allez, viens, a fait P'tit Radis en riant.

Elle m'a poussée vers la mare en me piquant le derrière avec ses cornes, toujours gentiment et en douceur,
et, à contrecœur, je me suis mise à trotter dans les
hautes herbes. À chaque pas, les coassements deve-
naient plus bruyants et je me sentais un peu plus mal
à l'aise.

Susi m'attendait au bord du point d'eau, devant une
grenouille particulièrement hideuse.

— Qu'est-ce que tu penses de celle-là ? a-t-elle
demandé d'un ton insistant.

Elle me posait vraiment la question !

P'tit Radis s'est penchée vers la grenouille.

— Excusez-moi, cela vous ennuierait-il beaucoup
que mon amie vous fasse pipi dessus ?

— Pardon ? a fait la grenouille en me regardant
d'un air offensé.

J'avais tellement honte que j'aurais voulu rentrer sous terre.

— Cela prendra très peu de temps, a susurré aimablement P'tit Radis.

— Et... ce n'est pas possible autrement ? a répondu l'autre.

— C'est extrêmement important !

— Sacrebleu ! a commencé à vociférer la grenouille. Trois cents ans que je suis là, victime d'un sortilège, et croyez-vous qu'une seule femme aurait eu l'idée de me donner un baiser ?

— Euh... pardon ? Quoi ? a demandé P'tit Radis.

Sautant à terre pour examiner la grenouille de près, Giacomo a éclaté de rire :

— Oune prince ensorcélé ! Qu'est-ce qué yé vous disais : lé monde il est plous magico qué lé pensent les vaches et les houmains !

La grenouille, qui ne nous écoutait plus du tout, a répondu elle-même à son étrange question :

— Non, aucune femme ne veut me donner un baiser ! Et voici maintenant qu'une vache veut me pisser dessus !

— On ne peut pas réellement parler de « vouloir », ai-je précisé à voix basse.

Cela n'a pas suffi à interrompre les lamentations de la grenouille :

— Comme si je n'avais pas assez d'ennuis ! Où que j'aille, d'affreuses bestioles veulent s'accoupler avec moi et produire des milliers de têtards...

Elle a frémi à cette idée.

— ... et, quand j'étais en France, ces stupides Franzosen voulaient me capturer pour me manger ! Mais savez-vous le pire ?

— Tu vas sans doute nous le dire, a répondu Hilde, qui ne voyait pas plus que nous de coâ coassait cette drôle de grenouille.

— Le pire, ce sont les mouches. Il n'y a rien de plus fade. Et nous, pauvres idiotes de grenouilles, nous ne mangeons quasiment rien d'autre ! Mon Dieu, que ne donnerais-je pas pour un bon rôti de bœuf !

Toutes les quatre, nous l'avons regardé avec colère. Mais il a poursuivi sans rien remarquer :

— Je n'aurais jamais dû dire à cette sorcière que son aspect compromettait l'impression esthétique d'ensemble de mon royaume... Mon Dieu, même ses verrues avaient des verrues... et je n'aurais peut-être pas dû l'envoyer au bûcher... ou alors, seulement bien attachée, afin qu'elle ne puisse pas me jeter un sort...

La grenouille n'arrêtait pas de coasser. Mais pourquoi ne pouvait-on pas constater une grossesse simplement en pissant sur une pierre ?

— À qui d'autre ce type tape-t-il sur le système ? a demandé Susi.

Sans laisser à quiconque le temps de répondre, elle lui a flanqué un coup de sabot sur la tête, et la grenouille s'est affaissée, évanouie.

— À toi de jouer, maintenant, m'a dit Susi.

Je ne sais pourquoi, je ne trouvais pas ça très correct de pisser sur quelqu'un d'inconscient. D'un autre côté, cela valait sûrement mieux pour lui ?

— Bon, alors, tu te décides ? me pressait Susi.

— Je ne peux pas faire ça sur commande, ai-je protesté en toute sincérité.

— Moi qui t'avais toujours prise pour un pissenlit ! s'est-elle moquée.

Je ne me suis pas vexée, car je comprenais son besoin de clarification. N'allait-elle pas souffrir beau-

128

coup si j'attendais vraiment un petit de Champion ? Si c'était à elle que c'était arrivé, je ne l'aurais pas supporté et je lui en aurais certainement voulu bien davantage.

Je me suis donc placée au-dessus de la grenouille. Mais j'étais complètement bloquée. Et cela ne m'aidait pas beaucoup que tout le monde me regarde.

— Veux-tu que je te chante la chanson du pipi de mémé Toc-Toc ? m'a demandé P'tit Radis.

Avant que j'aie eu le temps de dire : « Non, surtout pas ! », elle fredonnait déjà :

— Coule, coule, coule, coule vite petit pipi…

Aussitôt, ma vessie s'est décoincée. Le secret de la chanson était sans doute qu'on faisait tout pour que ça s'arrête très vite.

À peine avais-je terminé que Susi s'écriait joyeusement :

— La grenouille ne change pas de couleur !

À mon tour, j'ai poussé un grand « ouf » de soulagement. Hélas, nous nous réjouissions trop tôt, car P'tit Radis a précisé :

— Il faut attendre un peu, ça ne se fait pas aussi rapidement.

Nous avons donc attendu. Mille pensées se bousculaient dans ma tête – la dernière fois que j'avais fait l'amour avec Champion dans le pré, combien il me manquait, même si c'était un idiot, comme c'était terrible qu'il ne soit pas avec moi en cet instant crucial… Tandis que je remuais mes souvenirs, Susi s'est soudain écriée :

— Cette saleté de grenouille est bleue !

— Et pas à cause dé ton coup dé sabot sour la tête, a ricané Giacomo.

21

J'ai examiné la grenouille inconsciente. Elle n'était pas juste vaguement bleue ou bleu-vert, mais d'un bleu éclatant ! Aucun doute n'était donc plus possible. Pourtant, je ne voulais pas me rendre à l'évidence.

— C'est peut-être à cause de la grenouille ? ai-je balbutié. Il faudrait peut-être essayer avec une autre ?

J'ai regardé autour de moi, mais pas une seule n'était en vue dans les parages et on n'en entendait plus aucune.

— Elles ont toutes détalé quand elles ont vu ce que tu faisais à celle-ci, a constaté Hilde.

— Commé yé les comprends ! a ricané le chat.

J'ai de nouveau posé les yeux sur la grenouille bleue toujours évanouie, et l'idée s'est peu à peu frayé un chemin jusqu'à mon cerveau. Par Naïa, j'allais être maman !

Loin d'être submergée de bonheur, j'ai seulement éprouvé une profonde tristesse. Mon veau allait grandir sans père. Quel cruel destin pour ce petit ! Et pour moi. Être forcée d'élever seule mon enfant était très loin de mon rêve d'une vie semblable à celle des éphémères Zoum et Vroum.

Me voyant totalement déprimée, P'tit Radis est venue frotter son museau contre le mien et m'a dit :

— Ce doit être super de devenir maman.

— Oui, super, a remarqué Hilde, sarcastique. Tu deviens de plus en plus énorme. Tes pattes gonflent, la naissance est horriblement douloureuse. Quand le petit est là, tu ne peux plus fermer l'œil parce qu'il faut l'allaiter tout le temps. Et si tu n'as pas de chance… ce sera encore un taureau.

Cette fois, je n'étais plus seulement triste, mais angoissée. Hilde s'y entendait à gâcher la joyeuse anticipation de la maternité. Mais Susi savait encore mieux s'y prendre :

— Et si tu n'as vraiment pas de chance du tout, il ressemblera à son papa !

Elle disait cela avec haine. Que le taureau avec qui elle avait une histoire d'amour ait fait un petit à une autre la blessait terriblement, et ses yeux flamboyaient. À mon tour, j'ai senti la rage m'envahir. Comment Champion avait-il osé me faire un enfant tout en ayant une liaison avec Susi ? Comment avait-il pu me faire ça, à moi ? Et au petit ? J'aurais voulu que Champion soit là pour lui planter mes cornes dans le corps. Mais à peine avais-je imaginé la scène que le remords m'a saisie. Peut-être était-il déjà mort… ?

Quelle sale vache j'étais ! Si déplaisant que soit mon sort, il valait bien mieux que celui de Champion.

Comme son rire me manquait ! Et sa puissante voix de basse, quand il m'appelait : « Lolle, viens faire un câlin ! »

Je l'entendais encore comme s'il était là.

— Lolle, viens faire un câlin !

Mais je n'étais pas la seule. Hilde a réagi :

— Vous avez entendu ça ? Quelqu'un a meuglé : « Lolle, viens faire un câlin ! »

Avais-je pensé à voix haute ?

Non, c'était impossible.

— Lolle, viens faire un câlin !

Encore ?

— Vous avez entendu, cette fois aussi ? ai-je demandé aux autres.

Tout le monde m'a regardée en ouvrant de grands yeux de vache, à part Giacomo qui ouvrait de grands yeux de chat. Au bout de quelques instants – qui m'ont paru une éternité –, ils se sont décidés à hocher la tête.

Je me suis avancée avec hésitation dans la direction d'où venait la voix. Plus elle se rapprochait, plus je pressais le pas et plus mon cœur battait vite. À la fin, je courais comme je n'avais jamais couru de ma vie, même la veille, quand je fuyais le fermier et son bâton qui tonne.

Les autres m'ont suivie. Plus pressée que les autres, Susi n'a pas tardé à me rejoindre. Subitement, nous nous sommes immobilisées sur le pré, juste avant d'atteindre les buissons. Nous pouvions apercevoir le parking à travers les feuilles. Et là, de l'autre côté, il y avait… Champion !

22

Il était là, sur le parking !

Il regardait fixement devant lui, et je ne lui avais encore jamais vu un air aussi abattu, même le jour où je lui avais déclaré que j'étais une vache de principes et que je ne me laissais jamais monter dès le premier rendez-vous.

— Il est vivant ? a balbutié P'tit Radis, stupéfaite.

— Plus pour longtemps, a déclaré Susi avec hargne. Je vais le démolir !

Elle l'aimait vraiment beaucoup pour le détester à ce point.

Quant à moi, je tremblais de tous mes membres. Mon Champion avait survécu ! J'étais si heureuse que mon cœur battait comme il ne l'avait pas fait depuis longtemps, peut-être même jamais, car c'était la première fois de ma vie que je revoyais quelqu'un que j'avais cru mort.

En vérité, j'étais si heureuse que je ne cherchais plus à comprendre quoi que ce soit. Par exemple, comment Champion avait pu être épargné, pourquoi il était ici ou comment il avait pu nous retrouver. J'étais même prête à lui pardonner de m'avoir trompée avec Susi. Tout ce que je voulais, c'était aller vers lui, frotter mon museau contre le sien, le cajoler, ne plus jamais le quitter, lui dire que nous allions être parents, devenir une famille… C'est alors qu'il a meuglé :

— Viens faire un câlin, Susi !

— Cé taureau mé paraît oune chaude lapine, a commenté Giacomo.

— Si « chaude lapine » signifie qu'il manque de discernement dans ses choix, j'approuve, a déclaré Hilde. De même si ça veut dire qu'il est un crétin. Ou qu'il pense avec ses grelots.

— Ses grélottes ?

— Grelots, a corrigé Hilde.

— C'est cé qué yé disais, grélottes.

Hilde a levé les yeux au ciel, mais Giacomo insistait pour savoir :

— Cé sont les choses dé la vie qué tou appelles commé ça ?

— Viens faire un câlin, Susi ! a meuglé Champion à cet instant.

J'ai jeté un regard inquiet à Susi. Ses yeux flamboyaient encore de colère et de haine.

— Il se fout de nous, a-t-elle soufflé avec mépris.

— Et c'est encore formulé trop gentiment, a ajouté Hilde.

— Je vais aller lui dire ce que je pense de lui !

Susi s'apprêtait à rejoindre Champion, qui, apparemment, ne nous avait toujours pas vues. Pourtant, nous n'étions guère qu'à une quarantaine de longueurs de vache de lui. C'était tout de même bizarre. D'accord, nous étions séparés par les buissons, mais il lui aurait suffi de bien regarder pour nous apercevoir. On avait un peu l'impression qu'en réalité il ne voulait pas du tout nous faire un câlin. Et même, qu'il ne nous cherchait pas vraiment. Cela devait cacher quelque chose ! Comment était-il arrivé ici ? Pourquoi avait-il survécu ? Pourquoi appelait-il tour à tour Susi et moi ? Champion n'était certes pas un grand sensible, mais à ce point… ? De plus, il avait l'air triste et coupable, comme si sa volonté avait été brisée… À l'instant où cette pensée m'a traversé l'esprit, j'ai compris ce qui se passait.

— N'y va pas ! ai-je murmuré à Susi.

— Pourquoi donc ? a-t-elle rétorqué agressivement en se mettant à marcher. Il a bien mérité d'entendre ce que je vais lui dire, et même davantage ! Tu devrais pourtant être d'accord, après ce qu'il t'a fait.

— C'est un piège ! ai-je fait d'une voix pressante.

Susi s'est arrêtée, surprise, et les autres ont retenu leur souffle avec effroi. Je leur ai rapidement expliqué à voix basse :

— Ce matin, j'ai entendu parler un autre fermier. Il disait que le nôtre allait nous reprendre par ruse. Elle est là, la ruse : Champion est chargé de nous attirer.

— Viens faire un câlin, Hilde ! a alors mugi notre taureau.

— Cette fois, il manque vraiment de discernement, a constaté Susi, stupéfaite.

Hilde lui a jeté un regard mauvais.

— Ou alors, c'est que Lolle a raison, a déclaré P'tit Radis, sous le choc. Il est chargé de nous attirer.

Giacomo a poussé un profond soupir.

— Commé disait autréfois Catsanova, lé célèbre sédoucteur : La louxoure mène à la perte !

— Mais… si c'est vrai, pourquoi Champion a-t-il accepté de faire une chose pareille ? a murmuré P'tit Radis.

— Je suppose que le fermier l'y a forcé, ai-je répondu.

— On peut toujours résister ! s'est écriée Hilde.

135

— Pas quand on veut sé sauver soi-même, a observé Giacomo.

Hilde a reniflé avec mépris.

— Donc, il cherche à échanger notre vie contre la sienne.

Quelle affreuse pensée ! Si Champion voulait réellement nous envoyer à l'abattoir pour sauver sa propre vie, ce n'était pas seulement une trahison de notre amour, mais de la bovinité tout entière.

C'est alors que le fermier est apparu derrière Champion. J'avais donc eu raison, il se servait de lui comme appât.

Jamais je n'avais trouvé aussi terrifiant d'avoir raison !

Nous nous sommes cachées en hâte derrière les buissons, ne faisant pas plus de bruit que de petites souris.

Le fermier, l'air très déçu, maugréait tout haut :

— Ces crétins des informations routières disaient pourtant qu'on avait vu des vaches en liberté sur cette route. Elles doivent bien être quelque part dans le coin !

Derrière nous, du côté de la mare, s'est alors élevée une voix bien différente, celle de la grenouille qui pestait :

— C'est inconcevable, cette sale vache m'a réellement pissé dessus ! Si jamais je reprends forme humaine un jour, le rôti de bœuf deviendra plat national dans mon royaume !

Au mot « vache », Champion a tourné les yeux dans notre direction, et il nous a aperçues derrière les buissons. Il nous a regardées longuement, tandis que nous retenions notre souffle. Dans un instant, Champion allait nous trahir, le fermier prendrait son bâton qui tonne, et nous mourrions toutes les quatre. Non, tous les cinq ! Car le veau que je portais mourrait aussi. Tué par son propre père.

Champion me regardait maintenant droit dans les yeux, et je me suis figée, saisie d'une terreur mortelle. Oui, j'avais peur du taureau que j'aimais.

Mais Champion n'avait toujours pas attiré l'attention du fermier sur nous en mugissant. Il semblait hésiter, en proie à une lutte intérieure. Puis, soudain, le combat a cessé en lui. Il s'est détendu, est devenu très calme, comme s'il venait de prendre une décision avec laquelle il pourrait vivre en paix. Allait-il meugler de toutes ses forces ?

Rien de tel. Il a gardé le silence et m'a souri. Visiblement heureux de me voir en vie. Puis il a fait un signe de tête amical, comme pour me dire adieu, et a trottiné vers le fermier. Sans nous trahir. Sans trahir son enfant à naître. Il avait choisi.

C'était moi maintenant qui avais envie de meugler, de lui crier qu'il allait être père. Mais cela aurait causé notre perte à tous. Alors, je me suis tue, le cœur déchiré de le voir s'éloigner sans avoir pu lui parler, encore moins poser un baiser sur son mufle.

De plus en plus déçu, le fermier l'a emmené vers une grande audoo à l'arrière de laquelle il y avait place pour beaucoup de vaches. Il a poussé Champion à l'intérieur et a refermé la porte derrière lui. Lui-même est monté à l'avant du véhicule et a commencé à boire au goulot d'une bouteille de saloperie de gnôle. Champion avait été englouti dans le grand gosier de l'audoo qui le conduirait sans doute à l'abattoir. Mais il ne nous avait pas trahies.

Il en avait peut-être eu l'intention, pour sauver sa vie. Une impulsion compréhensible et même pardonnable, puisque, au moment décisif, il y avait renoncé. Cela faisait de lui un héros. Un héros qui marchait volontairement vers la mort. Avec la consolation de nous savoir vivantes.

Mais pour moi, ce n'était pas une consolation !

M'effondrant derrière les buissons, je me suis mise à pleurer sans bruit.

Les autres se sont couchés à côté de moi et ont frotté leur museau contre le mien. Même Giacomo, qui, d'habitude, détournait les yeux de ces cajoleries entre vaches. Et, oui, même Susi, qui ne pouvait plus éprouver de colère contre Champion. Elle avait besoin de pleurer tout comme moi, et c'était elle qui me léchait le museau le plus frénétiquement, tandis que je faisais de même avec elle.

23

Pendant très longtemps, personne n'a rien dit. Je ne sais combien de temps cela a duré, car, dans ma douleur, chaque seconde me semblait une éternité. Naturellement, c'est la voix de Giacomo qui, rompant le silence, s'est élevée au-dessus des sanglots :

— Euh… yé né voudrais pas déranger…

— Alors, ne le fais pas ! a dit Hilde.

— … mais, a poursuivi Giacomo sans se laisser décourager, nous dévons penser bientôt à ficher lé camp. Lé fermier il est toujours là. Quand il aura fini dé sé soûler, il va sé rémettre à vous chercher.

De fait, à travers mes larmes, j'ai vu que l'audoo était encore sur le parking. Accroupi dehors, le dos contre la porte, le fermier continuait à boire sa saloperie de gnôle. De nouveau, j'ai senti un tiraillement dans le bas-ventre. Soit j'étais trop bouleversée, soit c'était mon petit veau qui me disait : « Fais quelque chose, maman ! »

J'ai tenté de faire comme si de rien n'était, mais ça tirait toujours plus fort. Si c'était vraiment mon veau qui protestait, il avait déjà un sacré caractère, et j'allais être une mère débordée. Mais il avait raison : je n'avais pas le droit de laisser tomber son père, d'abandonner Champion à son sort !

Me levant du sol trempé de larmes, j'ai dit aux autres :

— Nous devons le libérer.

— Quoi ? ont-elles répondu d'un mugissement unanime.

— Nous devons le libérer, ai-je répété avec encore plus d'énergie.

— Tu te rends bien compte que le fermier a son bâton qui tonne ? m'a demandé Hilde.

— Je ne le sais que trop. Et pourtant, il le faut !

— Aïe aïe aïe, je veux retourner chez la Vache de la Folie ! s'est lamentée Susi. Comparée à toi, elle a l'air normale.

— Mais comment comptes-tu le délivrer ? m'a demandé P'tit Radis avec curiosité.

J'ai dévoilé mon plan :

— Nous nous ruons toutes ensemble sur le fermier et nous le renversons.

— Si nous ne sommes pas assez rapides, il va nous tirer dessus, a objecté Hilde.

— C'est possible, mais je suis prête à courir le risque. Qui vient avec moi ?

Elles m'ont regardée, hésitantes.

— Pas toutes à la fois, hein ?

— Juste pour que je sois sûre de comprendre, a dit Hilde. Tu veux que nous risquions notre vie pour un parfait crétin ?

— Eh bien…

La formulation ne me plaisait pas, mais je n'avais guère d'arguments à lui opposer.

— … qui t'a trompée avec une salope ? a poursuivi Hilde.

— Hé ! a protesté l'intéressée.

— Une vache qui ne t'arrive pas au paturon ?

— Je suis à côté de toi, au cas où tu n'aurais pas remarqué, a râlé Susi.

— Champion ne nous a pas trahies. Il a sacrifié sa vie pour nous, ai-je déclaré en m'adressant directement à Susi.

Je m'attendais à ce qu'elle soit la première à m'approuver. Après tout, elle aussi avait des sentiments pour Champion. Elle a hésité, mais la haine l'a emporté sur l'amour :

— Sans moi, a-t-elle dit d'un air profondément offensé.

— Je croyais que tu l'aimais ? ai-je insisté. Tu n'as pas le droit de l'abandonner à son sort.

Elle m'a foudroyée du regard.

— Je le hais !

— C'est justement parce que tu l'aimes, ai-je répondu doucement.

— Les femmes sont vraiment les créatoures les plous compliquées dé cé monde, a commenté Giacomo avec un soupir.

Susi se taisait, ne voulant pas reconnaître que j'avais raison. On ne pouvait pas lui demander l'impossible.

— Moi, je t'aiderai, Lolle ! a décidé courageusement P'tit Radis. Les chances que tu survives seront plus grandes alors. Et, sans toi pour nous conduire, nous n'arriverons jamais en Inde.

Après avoir mûrement réfléchi, Hilde s'est tournée vers P'tit Radis :

— Je déteste quand ce que tu dis est si incontestablement juste.

Puis elle s'est adressée à moi :

— Je vous suis. À cause de toi… et d'elle, a-t-elle fait en montrant P'tit Radis du museau. Et de lui, a-t-elle ajouté avec un signe de tête vers mon ventre. Mais sûrement pas à cause de cet idiot de Champion !

J'ai hoché la tête avec gratitude, puis je me suis tournée vers Giacomo.

— Et toi ?

— Y'aimérais mieux être à Ibiza avec ouné pizza, ma pouisqué yé souis ici, yé souis avec vous.

— À trois, on se met à courir, ai-je annoncé.

— On pourrait peut-être compter jousqu'à les 4 800... a proposé Giacomo, sceptique.

Sans l'écouter, j'ai commencé :

— Un... deux... trois !

P'tit Radis, Hilde et moi nous sommes élancées en meuglant, Giacomo nous suivant avec un temps de retard.

Mon mugissement signifiait : « Champion, nous arrivons ! »

Celui de Hilde voulait dire : « Si jamais je meurs à cause de cet idiot, je serai carrément de mauvais poil. »

Et celui de P'tit Radis : « Oups, je crois que j'ai marché sur la grenouille bleue... »

Le vacarme a fait sursauter le fermier, qui a reposé sa bouteille et s'est levé en jurant :

— Ah, mes salopes, ça va être votre fête !

— Il veut faire la fête avec nous ? s'est étonnée P'tit Radis.

À cet instant, le fermier a empoigné son bâton qui tonne.

— Yé préfère décidément Ibiza ! s'est écrié Giacomo.

Il est retourné se cacher dans les buissons, tandis que nous chargions toujours en mugissant.

Mon mugissement signifiait : « Nous t'aurons fait la peau avant que tu aies pu nous tuer toutes, fermier ! »

Celui de P'tit Radis : « Ce serait quand même mieux si tu ne tuais aucune d'entre nous... »

Et celui de Hilde : « Mais si jamais tu le fais, je te tue ! »

— Tu ne pourras pas, Hilde, si c'est toi qui es tuée, a meuglé P'tit Radis.

— P'tit Radis, ce n'est pas vraiment le moment de faire de la logique.

— Hé, vous deux, pourrions-nous rester concentrées sur l'essentiel ? ai-je meuglé en accélérant l'allure.

— Ne pas mourir ? a demandé P'tit Radis.

— Lui foncer dessus !

Le fermier a levé son bâton qui tonne.

Nous n'étions plus qu'à dix mètres de lui. J'aurais préféré dix mètres de moins.

Ou alors des milliers de mètres en plus.

Le bâton s'est levé vers nous.

— Merde, il va nous tirer dessus ! a beuglé Hilde.

— J'aurais préféré le contraire, a répliqué P'tit Radis.

— Comment ça ?

Même dans un moment de danger extrême, P'tit Radis pouvait encore déconcerter Hilde.

— Le contraire, ça donnerait : Tire, il va nous ch...

— J'ai compris, j'ai compris ! a coupé Hilde.

Le bâton a émis une sorte de cliquetis. À présent, c'était certain : l'une d'entre nous allait bientôt mordre l'herbe, et pas à la façon préférée des vaches.

Il ne restait plus que cinq mètres.

Le bâton bougeait beaucoup, car le fermier ne parvenait pas à choisir celle des trois qu'il devait viser.

Encore quatre mètres.

Cette fois, il s'était décidé. En ma faveur, hélas.

Je me suis mise à paniquer. Pour moi-même, mais surtout pour mon veau à naître. Idiote que j'étais, je n'aurais pas dû le mettre en danger ! Mais je n'avais pas encore l'expérience de l'instinct maternel. Et il était trop tard maintenant pour l'écouter et revenir en arrière.

C'était le moment ou jamais d'avoir une idée de génie.

Plus que trois mètres.

Le moment devenait idéal pour avoir cette idée. Soudain, le fermier a braillé :

— Je vous aurai toutes les six !

Six ? Nous voyait-il en double ?

Plus que deux mètres. Avec un vacarme effroyable, le bâton s'est mis à fumer !

Un courant d'air est passé… complètement à côté de moi ???

Mais moi, quand j'ai foncé sur le fermier, je ne l'ai pas raté.

— AAHH ! a-t-il hurlé en s'écroulant.

Le bâton qui tonne lui a échappé des mains. Il a essayé de le reprendre, mais déjà, Hilde était là pour lui décocher un coup de sabot à la tête. Il est tombé dans les pommes.

Après un grand « ouf » de soulagement, nous sommes restées un bon moment à trembloter de peur rétrospective, tout en observant le fermier immobile sur le sol.

— Je crois que nous lui avons vraiment fait mal, a constaté P'tit Radis, toujours compatissante.

— Tu sais quoi ? a dit Hilde.

— Quoi ?

— Je m'en contrefous !

— Qu'est-ce que ça veut dire au juste ? a demandé P'tit Radis.

— Comment ça ?

144

— Ben, c'est un de ces mots sur lesquels je me pose toujours des questions. Si tu t'en fous, tu ne peux être ni pour ni contre, non ? Et si tu es contre, tu ne t'en fous pas ? Et d'ailleurs, pourquoi dit-on « s'en foutre » ? Quand quelque chose est foutu, on ne s'en fout pas, si ?

Tandis que Hilde levait les yeux au ciel, je contemplais le fermier. Ce méchant homme avait voulu nous tuer. Il avait forcé Champion à nous attirer dans un piège, et tout le reste de notre troupeau avait sans doute déjà été assassiné. J'aurais dû avoir envie de le piétiner sous mes sabots, même maintenant qu'il était sans défense. Mais si j'avais fait cela, je n'aurais pas été meilleure que lui. Je n'aurais été qu'humaine.

Plutôt que de faire cela, je me suis donc dirigée, suivie de mes amies, vers la porte de l'audoo derrière laquelle Champion avait disparu, et j'ai appelé :

— Champion !

— C'est toi, Lolle ? a-t-il meuglé à travers la porte.

— Non, c'est mémé Zinzin ! a répondu Hilde.

— Elle s'appelle mémé Toc-Toc ! a protesté P'tit Radis.

— Je ne connais ni l'une ni l'autre, a fait Champion, déconcerté.

— C'est moi ! ai-je mugi.

— Mémé Zinzin ? a-t-il demandé, de plus en plus décontenancé.

— Son intelligence est réellement impressionnante, a ricané Hilde.

— C'est Lolle ! ai-je meuglé à Champion.

— Par Hurlo, c'est formidable de t'entendre !

Hurlo était la divinité sacrée des taureaux. Et son histoire d'amour avec Naïa était aussi bouleversante que compliquée.

Naïa et l'amour

Naïa vit ce qu'elle avait créé, et voici que le taureau était magnifique. La toison de Hurlo était plus brillante que le soleil, ses paturons plus forts que la terre, et sa puissance virile si grande que le ver de terre dit à Naïa : « Tu as vraiment un peu manqué d'imagination avec moi. »

Les yeux de Hurlo étaient d'un bleu qui rendait jaloux les lacs des montagnes. De ces yeux merveilleux, il regardait Naïa avec amour, et Naïa pensa avoir enfin trouvé le bonheur qu'elle avait tant désiré.

Hurlo et Naïa firent l'amour sur-le-champ. Six jours durant et sans relâche. Le septième jour, pourtant, Naïa voulut parler, en savoir davantage sur l'âme de Hurlo. Alors, elle lui montra un merveilleux papillon arborant les plus belles couleurs qui fussent au monde et demanda : « N'est-il pas ravissant ? »

Hurlo regarda le papillon quelques instants et répondit : « Pas mal… »

C'est ainsi que Naïa remarqua pour la première fois que le mâle souffrait peut-être d'un certain manque de délicatesse. Ou, plus exactement, ce n'était pas le mâle qui en souffrait, mais la femelle.

Trop fatiguée pour poursuivre la discussion, Naïa s'endormit. À son réveil, le soleil couchant rougeoyait déjà dans le ciel, et elle ne vit Hurlo nulle part. Partant aussitôt à sa recherche, elle le trouva occupé à monter une vache. Le ver de terre, qui assistait à la scène, dit à Naïa : « Finalement, tu n'aurais peut-être pas dû inventer la puissance virile. »

Cependant, Naïa voyait seulement que beaucoup d'autres vaches étaient couchées sur la prairie, satisfaites, car Hurlo les avait déjà visitées. À la vue de ces vaches bienheureuses, Naïa fut si triste qu'elle s'enfuit. La Vache divine courut, courut, jusqu'à ce qu'elle atteigne les arbres du bout du monde, qu'elle avait placés là afin que nul ne tombât dans le Lait sans fin. Elle rencontra alors un ours gigantesque, nommé Praxx, et lui ordonna de veiller à ce que personne n'entre dans la forêt. Puis, courant à travers cette forêt, elle atteignit le Lait sans fin et sauta dedans. Ses larmes, en se mêlant au lait, le gâtèrent, et c'est ainsi que naquit le Lait sans fin de la Damnation.

— Tu es libre ! ai-je crié à Champion.

— Je ne crois pas.

— Pourquoi donc ? me suis-je étonnée.

— Eh bien, parce que la porte est bouclée.

J'ai regardé de plus près, et, de fait, il y avait un cadenas. Fermé.

— Zut ! s'est exclamée Hilde. Comment allons-nous sortir de là ce benêt avant le réveil du fermier ?

— C'est de moi qu'elle parle ? a demandé Champion d'une voix offensée.

— Si nous renversions l'audoo, peut-être le cadenas se casserait-il, ai-je suggéré. En s'y mettant toutes, ça devrait marcher.

— De mieux en mieux, a ronchonné Hilde.

Mais elle a appuyé son museau contre le côté de l'audoo avec P'tit Radis et moi. Ensemble, nous avons poussé de toutes nos forces. Le véhicule a vacillé, mais sans basculer. Il nous fallait du renfort. Et il ne pouvait venir que d'une personne : Susi, qui était restée en arrière à nous regarder faire.

— Aide-nous ! lui ai-je ordonné.

— Pourquoi le ferais-je ?

— Parce qu'il le faut.

147

— Il m'a trompée

— Et alors ? Moi, il m'a trompée avec toi !

Sa conception de la justice commençait à m'agacer sérieusement.

— Je ne crois pas qu'elle nous aidera si tu te chamailles avec elle, m'a murmuré P'tit Radis.

Elle avait raison, bien sûr. Il en allait de ma vie, pas de mon amour-propre. Que cela me plaise ou non, je devais maîtriser ma colère. Grinçant un peu des dents, j'ai donc demandé à Susi :

— D'accord, Champion t'a trompée. Mais cela mérite-t-il la mort ?

Même si elle était visiblement tentée de répondre que oui, le mot n'a pas franchi ses lèvres de vache. Sans rien dire, elle s'est jointe à nous et, unissant nos forces, nous avons poussé l'audoo en ahanant jusqu'à ce qu'elle tombe sur le côté dans un grand fracas.

Nous avons entendu un mugissement de douleur. La chute avait dû précipiter Champion contre la paroi, peut-être même la tête la première. J'ai couru vers la porte : le cadenas avait cédé. J'ai passé mon museau par l'étroite ouverture, sans me soucier du bord coupant qui m'entamait le mufle et le faisait légèrement saigner. Enfin, le battant s'est écarté, et j'ai vu Champion allongé sur la paroi de l'audoo renversée, inconscient. Par bonheur, il respirait encore. De toute évidence, il s'était assommé dans sa chute. Entrant dans l'audoo, je me suis approchée de lui en vacillant sur le sol incliné, et je lui ai léché le museau – par Naïa, je n'aurais jamais cru pouvoir encore être un jour si près de lui ! Cela l'a réveillé. Souriant à travers mes larmes de bonheur, je lui ai dit :

— C'est merveilleux de te revoir !

Le rêve de ma vie allait donc pouvoir s'accomplir, nous fonderions une famille ! J'allais dire cela à Champion, quand il m'a regardée d'un air perplexe et a demandé :

— Euh… nous nous connaissons ?

— Si c'est une plaisanterie, elle n'est pas drôle, ai-je répliqué.

Mais il m'a répondu gravement, sans avoir l'air de plaisanter du tout :

— Je ne sais pas qui tu es.

24

Champion ne me reconnaissait pas.

Par Naïa, il ne me reconnaissait pas !

— C'est moi, Lolle !

— Je regrette, ce nom n'éveille en moi aucun son de clarine. Sommes-nous censés nous connaître ?

Cette fois, je n'ai pu m'empêcher de pousser un glapissement hystérique. Nous étions ensemble depuis un an, soit un tiers de notre vie, et il m'avait fait un petit. J'aurais donc vraiment trouvé sympa qu'il ait au moins une vague idée de qui j'étais !

Hilde nous a appelés depuis la porte :

— Hé, les deux tourtereaux ! Il faut ficher le camp avant que le fermier ne revienne à lui !

— Quel fermier ? a demandé Champion en se relevant péniblement.

— Eh bien, laisse-moi réfléchir… Celui qui veut nous tuer, peut-être ? Oui, je crois que c'est celui-là.

— Quelqu'un veut nous tuer ? s'est écrié Champion avec effroi.

Il avait l'air si surpris que Hilde m'a jeté un regard étonné.

— Tu ne te souviens vraiment plus de rien ? ai-je demandé prudemment.

— Non, a-t-il bredouillé.

— Il a perdu la mémoire, a constaté Hilde.

C'était presque inconcevable, et pourtant, il n'y avait pas d'autre explication possible au comportement de Champion.

— P'tit Radis a peut-être un remède de sa mémé Toc-Toc contre cela ? ai-je suggéré avec un vague espoir.

— Si c'est le cas, il s'agira sans doute de pisser dessus d'une façon ou d'une autre, a répondu Hilde.

— Vous voulez me pisser dessus ? a demandé Champion, qui comprenait de moins en moins. Quelle sorte de vaches êtes-vous donc ?

J'aurais voulu lui meugler que j'étais la sorte de vache qui portait un petit de lui, mais Hilde nous pressait :

— Allez-vous sortir de cette audoo, à la fin ?

Nous avons sauté du véhicule renversé. Dehors, Susi nous attendait déjà, les yeux étincelants de colère.

— Salut ! a-t-elle lancé sèchement.

À peine Champion avait-il répondu : « Salut » d'une voix hésitante que Susi lui balançait plein pot au lait un coup de sabot dans la jambe.

— Ah ! a-t-il mugi. Qu'est-ce qui te prend ?

— Tu le demandes ?

Et Susi lui a envoyé un autre coup de sabot. Cette fois à un endroit beaucoup plus douloureux.

— Direttamente dans lé bassone de amore, a commenté avec compassion Giacomo, qui nous avait rejoints entre-temps. Cetté fois, c'est la guitare dé l'infertilité.

— C'était très courageux de ta part de filer comme ça tout à l'heure ! l'a charrié Hilde.

Giacomo a baissé les yeux, honteux.

— Quand ça dévient sérieux, yé laisse tomber tout lé monde… Commé ma maîtresse…

À n'importe quel autre moment, je lui aurais demandé dans quelles circonstances exactement il avait laissé tomber sa maîtresse, mais je ne pouvais m'intéresser à rien d'autre qu'à Champion. Roulant des yeux à toute vitesse, il demandait à Susi d'une voix aiguë :

— Pourquoi me donnes-tu des coups de sabot ?

— C'est fou, il est capable de gazouiller comme un merle, s'est émerveillée P'tit Radis.

— Il va bientôt gazouiller comme un merle mort ! a grommelé Susi.

P'tit Radis a voulu la corriger :

— Un merle mort ne peut pas gazouiller…

— Je m'en fous de ce qu'un crétin de merle mort peut faire ou pas !

J'ai tenté d'expliquer la situation à Susi :

— Champion s'est cogné la tête dans l'audoo, et…

— Champion ? a couiné l'intéressé tout en s'efforçant de fixer son regard. Est-ce mon nom ?

— Sì, ma parfois c'est plous compliqué, a répondu Giacomo. C'est commé la grammaire, lé nom né réssemble pas toujours à cé qu'il indique.

— De quelle grand-mère parles-tu ? a demandé Champion, définitivement égaré.

— Vous ne pourriez pas la boucler un peu ? a protesté Susi. Je n'arrive pas à me concentrer pour viser !

Je me suis interposée juste avant qu'elle ne donne un nouveau coup de sabot à Champion :

— Susi, il ne se souvient de rien !

Cela l'a laissée sans voix.

— Il ne sait plus qui nous sommes, ai-je ajouté avec tristesse.

Susi a eu besoin de quelques instants pour se remettre de sa surprise. Puis elle a déclaré avec mépris :

— À sa place, c'est ce que je prétendrais aussi.

— Ça m'est arrivé dé simouler l'amnésie, a raconté Giacomo. La fois qué ma fiancée dé l'époque m'avait sourpris... avec ses trois sœurs.

P'tit Radis a détourné tristement la tête, et je devinais pourquoi. Champion n'y était pour rien. En ce moment, elle pensait à sa chère mémé Toc-Toc. Dans les derniers mois de sa vie, celle-ci était très diminuée, elle souffrait elle aussi de pertes de mémoire. Avec pour conséquence qu'elle ne parlait presque plus avec P'tit Radis, alors qu'elle avait des conversations très animées avec le pommier de notre pré.

Derrière nous, le fermier a poussé un gémissement, signe qu'il n'allait pas tarder à revenir à lui. S'avançant vers lui d'un pas décidé, Hilde lui a administré un coup de sabot, et il est retombé dans les pommes.

— Vous êtes drôlement féroces pour des vaches, a constaté Champion d'une voix angoissée.

— Nous pouvons même être carrément enragées ! l'a menacé Susi.

Champion a paru encore plus inquiet. Je l'avais rarement vu aussi peu sûr de lui. En fait, une seule fois, et dans un tout autre genre. C'était par cette chaude journée de printemps où, sur le pré, il m'avait avoué son amour en me tendant une fleur de pissenlit au bout de son museau.

— Cetté fois, il faut vraiment ficher lé camp en vitesse, a insisté Giacomo. Les houmains ils n'aiment pas quand les bêtes s'attaquent à eux. Après, ils font grande chasse. Et là, ils vont faire grande chasse à vous, les vaches !

Cela ne me disait rien qui vaille, vraiment rien. J'ai donc demandé au chat ce que nous devions faire.

— N'aie pas peur, a-t-il souri. Y'ai oune idée souper !

— Pourquoi ne me sens-je pas rassurée ? a soupiré Hilde.

— Parcé qué mon idée a peut-être oune pétite inconvéniente, a répondu Giacomo. Voulez-vous savoir léquel ?

Nous avons toutes secoué la tête.

— Yé vais vous lé dire quand même, a repris le chat en souriant. Nous dévons d'abord traverser la ville !

25

Nous trottions sur la route en direction du couchant, échangeant à peine une parole de temps à autre. Certes, Susi avait enfin admis que Champion ne se souvenait plus de rien et renoncé à lui flanquer des coups de sabot, mais sa colère n'était pas retombée pour autant. Elle lui jetait sans cesse des regards furieux qui rappelaient à Champion de garder ses distances. Quant à lui, au lieu de se placer en tête du troupeau comme le font d'habitude les taureaux, il marchait au milieu du groupe. Il sentait que, sans nous, il serait perdu dans ce nouvel environnement auquel il ne comprenait rien. Malheureusement, nous ne pouvions guère l'aider. D'abord, nous nous retrouvions à peine mieux que lui dans ce monde bizarre. Ensuite, P'tit Radis ne connaissait aucune recette contre l'amnésie. Si elle en avait eu une, nous avait-elle expliqué, elle s'en serait servie pour soigner sa mémé Toc-Toc, plutôt que d'être jalouse du pommier.

De mon côté, j'étais en proie à un conflit intérieur. Devais-je avouer à Champion que j'étais enceinte ? S'il ne me reconnaissait pas, il y avait très peu de chances qu'il explose de joie à l'idée de devenir père. De plus, il avait déjà bien assez à faire avec sa situation actuelle sans que j'en rajoute. J'ai donc décidé de lui cacher ma grossesse, au moins provisoirement.

Au bout de quelque temps, nous sommes parvenus en vue de Cuxhave. Les maisons y étaient bien plus hautes que celle de notre fermier, mais elles paraissaient tout aussi miteuses à leur manière. On pouvait certainement mettre beaucoup d'humains dans ces étables géantes grises et crasseuses. Et, avec des maisons pareilles, je n'aurais pas été étonnée qu'un bon nombre de ces humains boivent souvent eux aussi de la saloperie de gnôle.

Quittant la route secondaire, nous nous sommes avancés prudemment en direction des maisons, car, d'après Giacomo, nous devions traverser cet endroit, que cela nous plaise ou non. Et cela ne nous plaisait pas du tout.

Au-dessus de nous, des quantités d'humains nous regardaient par les fenêtres de leurs étables, et d'autres ont commencé à s'approcher de nous sur le chemin gris que nous suivions timidement. Beaucoup avaient la peau plus foncée que celle de notre fermier, certaines des femelles avaient des foulards sur la tête. Les plus vieux des mâles avaient l'air fatigués dans leurs vêtements gris, tandis que les plus jeunes, à l'inverse, portaient des couleurs si criardes qu'on en avait mal aux yeux.

Il en venait toujours davantage, tellement qu'à un certain moment, si nous ne voulions pas leur marcher dessus, nous n'avons plus eu d'autre solution que de nous arrêter. On sentait que ces humains n'avaient jamais vu une vache de près. En tout cas, pas vivante ni entière. Nous non plus, nous n'avions jamais vu d'humains semblables. Encore moins en si grand nombre.

— La ploupart des gens ici sont commé vous, s'amusait Giacomo. Eux aussi, ils ont oune passé nomade.

Je ne savais pas ce qu'il voulait dire par là, mais tous ces humains me faisaient peur, à moi et aux autres aussi. Je m'attendais à tout moment à en voir un avec un couteau ou un bâton qui tonne. Pourtant, rien de tel n'est arrivé. Au contraire, une petite fille s'est même approchée pour me tendre une carotte. En humant ce merveilleux parfum, je me suis rendu compte que j'avais une faim terrible. Après tout, nous n'avions pour ainsi dire rien brouté de la journée. J'ai donc pris la carotte avec reconnaissance et l'ai engloutie rapidement. Très contente, la petite fille s'est mise à rire. En la voyant si gaie, j'ai un instant éprouvé de l'affection pour elle, malgré son humanité.

D'autres veaux humains se sont approchés pour nous nourrir de toutes sortes de gourmandises qu'ils portaient sur eux.

— Vous devriez essayer ces « bonbons gélifiés » ! s'est exclamée P'tit Radis.

— Et le « chocolat » ! s'est écriée Susi. Ça a un peu le goût du lait, mais en bien meilleur !

— Ce n'est rien comparé à ce truc qu'ils appellent « beignet » ! a meuglé joyeusement Champion, qui souriait pour la première fois depuis sa perte de mémoire.

— Mamma mia, s'exclamait Giacomo, vous sérez les prémières vaches avec lé diabète !

À présent, certains humains commençaient même à nous caresser. Je ne me sentais plus vraiment en danger. En mastiquant la pomme offerte par une femme d'un certain âge, je suis allée jusqu'à me dire que tous les humains ne pouvaient pas être mauvais.

Pendant que ces gens aimables nous nourrissaient, les jeunes humains aux vêtements criards s'amusaient drôlement. L'un d'eux, qui portait une casquette de travers, a dit à un autre sur le visage duquel poussait un fin duvet irrégulier :

— Regarde, Hakan, cette vache-là ressemble à ta mère !

— Hé, Erkan, a répliqué l'autre, ta mère à toi est si grosse qu'elle occupe tout le bout de la chaîne alimentaire !

En entendant cela, Champion s'est détourné de ses beignets, son sourire subitement disparu.

— Je ne peux même pas me souvenir de ma mère, a-t-il soupiré avec tristesse.

À cet instant, il m'a fait tellement pitié que j'ai cessé de mâcher ma pomme. Ce devait être terrible pour lui ! Mais qu'aurais-je dû lui répondre ? Que sa mère s appelait Carla ? Qu'elle était de mœurs très libres, raison pour laquelle on la surnommait « Carla Belles-Miches » dans le troupeau ?

Car, Champion et moi, nous avions tous deux eu des parents qui ne s'entendaient pas parce que l'un des deux trompait l'autre à tout bout de champ. Chez moi, c'était mon père, et chez lui, cette Carla Belles-Miches. Comment avais-je pu sérieusement espérer que nous soyons heureux ensemble, avec une telle histoire familiale ? De qui aurions-nous appris à mener une vie paisible ? Avant même notre naissance, l'ombre du passé planait sur notre amour

Peut-être n'était-ce donc pas ce que j'avais cru. Avant de changer l'avenir pour pouvoir y jouir de l'instant présent, peut-être fallait-il d'abord surmonter le passé.

Tandis que je philosophais ainsi en mâchonnant ma pomme, l'un des deux jeunes mâles a dit à l'autre :

— Ta mère est si bête qu'elle rédige des thèses pour les politiciens[1].

— Et la tienne est si bête qu'elle a inventé l'euro, a répondu le second en serrant le poing.

Ils s'énervaient de plus en plus. Bien sûr, leur agressivité n'était pas dirigée contre nous, les vaches, mais les choses pouvaient se gâter, et j'avais de nouveau un mauvais pressentiment. Giacomo m'a fait signe que nous devions partir. Or, c'était impossible, car la foule nous barrait le passage. Et les gens se mettaient à faire des remarques déplaisantes :

— À la radio, ils ont parlé de vaches qui attaquaient les humains.

— Elles ont sûrement la rage, ou un truc de ce genre.

— Alors, ils seront forcés de les abattre.

— Ça me rappelle ta mère !

Les humains recommençaient à parler de nous tuer. Cette fois, j'ai vraiment pris peur. Les autres aussi avaient cessé de manger ce qu'on leur offrait et me regardaient d'un air inquiet. Même Champion. C'était la première fois de ma vie qu'un taureau me demandait de l'aide. Malgré le côté critique de la situation, j'en ai tiré une certaine fierté. Il ne me manquait plus que d'avoir une idée.

— J'appelle la police ! a crié un homme.

---

1. Allusion à plusieurs scandales outre-Rhin. En 2011, le ministre fédéral de la Défense, Karl-Theodor zu Guttenberg, a démissionné après des accusations de plagiat dans sa thèse de doctorat. Plusieurs autres cas ont été soulevés depuis.

— Elles ont peut-être la maladie de la vache folle ?

— Ta mère l'a attrapée aussi à ta naissance, quand elle t'a regardé.

Elle était là, l'idée ! Si les humains avaient peur de nous, ils s'écarteraient de notre chemin. Nous devions donc jouer les vaches folles !

— Faisons semblant d'être cinglées, et ils nous laisseront passer, ai-je dit aux autres.

Tant pis si les petits veaux humains étaient déçus que nous refusions leur nourriture.

— Certaines d'entre nous n'auront qu'à rester elles-mêmes, a lancé perfidement Susi.

— Vous souvenez-vous de la fois où nous pensions que le fermier était devenu fou ? ai-je demandé sans relever l'offense.

— C'était le jour où la fermière l'a quitté, a répondu P'tit Radis. Il est sorti tout nu hurler à la lune.

— Un spectacle pas très ragoûtant, a confirmé Susi. Heureusement que les humains ont toujours quelque chose sur eux, vu à quoi ils ressemblent nus.

Hilde a soupiré :

— Quand j'y repense, je voudrais bien avoir perdu la mémoire moi aussi.

— Moi, pareil, a approuvé Susi. Comme ça, je ne serais plus obligée de penser à Champion.

— Mais que t'ai-je fait, au juste ? a réagi l'intéressé.

— Je vais te le dire, ce que tu m'as fait…

Je me suis hâtée d'intervenir avant que Susi ait pu parler à Champion du petit.

— Hurlons tous à la mort, comme le fermier !

Champion et Susi hésitaient, mais Hilde et P'tit Radis m'ont aussitôt suivie et nous nous sommes mises à mugir de toutes nos forces, la tête levée vers le ciel.

Visiblement effrayés, les humains ont reculé, même les deux jeunes mâles :

— Qu'est-ce qui leur prend, à ces sales bêtes ?

— Aucune idée. Elles ont peut-être vu une photo de ta mère !

Bientôt, l'espace s'est dégagé et nous avons pu traverser la foule sans encombre, mais non sans mauvaise conscience en ce qui me concernait, car je regrettais d'avoir perturbé les petits veaux humains en leur infligeant une telle frayeur.

Tandis que le soleil disparaissait sous l'horizon, nous avons laissé derrière nous les hautes maisons grises pour suivre à nouveau une route déserte, celle-ci bien plus étroite que la route secondaire et presque sans audoos. Giacomo nous a expliqué qu'elle menait au « porto dé Cuxhave », où personne ne travaillait la nuit. Des lanternes haut perchées éclairaient notre chemin. Quand j'étais petite, je croyais que les lanternes de la ferme contenaient des vers luisants que le fermier y gardait prisonniers. Un jour, j'avais voulu les délivrer et je m'étais brûlé le mufle en essayant de briser la vitre. Depuis, j'avais appris qu'il n'y avait pas de vers luisants dans les lanternes, mais que les humains y enfermaient la lumière du soleil par quelque moyen magique. Eh oui ! Même la lumière du soleil, ils ne pouvaient pas la laisser en liberté.

Le vent fraîchissait, et je commençais à frissonner. À quelque distance, on distinguait maintenant plusieurs géants monstrueux se tenant côte à côte, et je me suis demandé si je devais laisser notre petit troupeau s'en approcher, mais le chat m'a rassurée en disant que nous n'avions rien à craindre de ces grues de fer. Nous avons donc poursuivi notre marche. P'tit Radis est venue me rejoindre et m'a questionnée avec précaution :

— Tu es encore fâchée contre moi, Lolle ?

— Pas du tout, ai-je menti.

— Si, tu l'es.

— Non !

— Si, tu l'es, a-t-elle répété avec obstination.

— JE NE LE SUIS PAS, NOM DE NOM DE NOM !

Elle m'a simplement regardée tristement, de ses yeux honnêtes de P'tit Radis.

— Très bien, P'tit Radis, tu as gagné. Je suis fâchée. Pourquoi ne m'as-tu jamais dit que tu... que tu...

Je ne trouvais pas le mot juste pour désigner son amour des vaches.

— ... que tu étais paah-didel-dideli-dideli-dam ?

— Je crois que « paah-didel-dideli-dideli-dam » n'est pas le bon mot, s'est moquée Hilde derrière nous.

Je lui ai jeté un regard mauvais par-dessus mon épaule et elle nous a laissées prendre quelques pas d'avance. C'était fascinant. Autrefois, Hilde n'aurait jamais évité mon regard ni permis que je lui adresse un reproche, et à présent, son respect pour moi grandissait à chaque décision que je prenais. Ce n'était donc pas si stupide que ça d'être une meneuse.

— Il ne faut pas m'en vouloir, Lolle, m'a suppliée P'tit Radis.

Je n'y pouvais rien si j'étais fâchée !

— Je suis ton amie, tu aurais quand même pu me le dire !

— Mais justement, j'avais peur que tu cesses d'être mon amie si tu l'apprenais.

Je me suis sentie encore plus vexée.

— Tu as vraiment pensé ça de moi ?

— Pas à proprement parler… a répondu P'tit Radis d'une toute petite voix.

— Et à parler improprement ? ai-je fait d'un ton autoritaire.

— Ben… à parler improprement, je me suis dit que s'il y avait le moindre petit risque que tu ne sois plus mon amie, je ne voulais pas le courir. Quand mémé Toc-Toc a commencé à perdre la boule et à discuter avec cet imbécile de pommier, Hilde et toi étiez les seules amies qui me restaient. Si vous m'aviez repoussée, même moi, je n'aurais pas pu continuer à voir l'auge à moitié pleine.

Comme ma pauvre amie avait dû souffrir, à garder pour elle tout ce temps, par peur, son secret d'amour ! Et combien j'avais été insensible de n'avoir rien compris !

— J'espérais que ce voyage en Inde changerait tout, a-t-elle poursuivi, les yeux humides. Mais je me suis bien trompée…

Les premières larmes coulaient maintenant sur son museau. Et moi, pauvre idiote, avec ma susceptibilité, j'avais blessé la plus aimable créature de la terre, la seule vache qui ait toujours été incapable de faire du mal à une mouche bleue !

— Tu ne me perdras jamais, ai-je déclaré avec douceur. Que tu sois paah-didel-dideli-dideli-dam ou pou-pou-pi-dou ou quoi que ce soit d'autre !

— C'est vrai ? a-t-elle sangloté.

— Vrai ! ai-je promis en souriant.

Les larmichettes de P'tit Radis continuaient à ruisseler sur son petit museau, mais c'était de joie maintenant. D'une voix hésitante, elle m'a demandé :

— Crois-tu que je trouverai la vache de ma vie ?

Lorsqu'il est question d'amour, même une vache qui, d'habitude, voit toujours l'auge à moitié pleine et ne perd jamais espoir peut devenir angoissée.

— Bien sûr ! Si j'étais amatrice de vaches, je craquerais totalement pour toi ! ai-je affirmé sans pouvoir m'empêcher de sourire.

— Dommage que tu ne le sois pas.

En disant cela, elle m'a fait ses yeux de P'tit Radis de telle façon que j'ai cru un court instant qu'elle aurait réellement souhaité former un couple avec moi. Mais son regard s'est très vite détourné vers le sol. C'était stupide, bien sûr, d'imaginer qu'elle puisse être amoureuse de moi, et pourtant, il m'a fallu un moment pour me débarrasser de cette pensée.

Oui, quel dommage que je n'aie pas été amatrice de vaches ! J'aurais eu la vie plus facile qu'avec Champion. Surtout avec quelqu'un d'aussi gentil que P'tit Radis.

— Promets-moi une chose, ai-je demandé à mon amie.

— Tout ce que tu voudras !

— À partir de maintenant, tu seras toujours totalement honnête avec moi.

— Je te le promets solennellement ! a répondu P'tit Radis en se léchant le mufle pour essuyer ses larmes.

Au milieu de tous ces événements dingues qui me déstabilisaient profondément – ma grossesse, l'amnésie de Champion, mon cauchemar avec Old Dog, les étranges rencontres avec les humains –, j'étais au moins soulagée de m'être réconciliée avec mon amie.

— Je vais d'ailleurs commencer tout de suite à te parler franchement, m'a annoncé P'tit Radis.

— Ah oui ? me suis-je étonnée.

— Tu as encore un peu de chocolat sur le museau.

J'ai léché le chocolat. Miam, ça faisait du bien. Ça calmait les nerfs.

— Et tu aurais vraiment dû comprendre plus tôt que tu étais enceinte.

P'tit Radis avait raison, hélas. Si je m'en étais aperçue à temps, j'aurais pu le dire à Champion alors que nous étions encore à la ferme, et il ne serait probablement pas monté sur Susi. Il aurait au moins eu cette décence. De plus, il serait sans doute parti avec nous pour l'Inde sans attendre, afin de ne pas abandonner sa famille, et il n'aurait pas perdu la mémoire.

D'un autre côté, dans ce cas, Susi serait restée à la ferme et elle serait morte avec tout le troupeau. De plus, Champion aurait certainement pris la tête de notre petit groupe de fugueuses, et, si j'avais encore pu le souhaiter jusqu'à hier soir, je n'étais plus très sûre d'avoir envie que les taureaux nous dictent si souvent notre conduite, à nous les vaches. Si jamais nous parvenions jusqu'en Inde, c'en serait d'ailleurs fini de tout ça.

C'est alors que P'tit Radis m'a annoncé une autre vérité qui m'a franchement déplu :

— Avant toute chose, tu dois maintenant dire à Champion que tu es enceinte de lui.

— P'tit Radis ?

— Oui ?

— Oublie cette histoire de dire toujours la vérité.

P'tit Radis a ouvert des yeux étonnés, et c'est alors que j'ai senti un nouveau tiraillement dans le bas du ventre. Car elle avait raison, évidemment. À un moment quelconque, il faudrait bien que Champion apprenne qu'il allait être père. Et le plus tôt serait le mieux.

26

Une fois dans la zone portuaire, nous avons pu constater que les grues de fer étaient réellement inanimées et donc inoffensives. Mais, pour le reste, l'atmosphère n'en était que plus inquiétante. Le vent soufflait toujours plus fort, le ciel nocturne roulait de gros nuages noirs. Surtout, l'air avait une odeur bizarre, et un goût plus surprenant encore. De « sel dé la mer », nous a expliqué Giacomo. Ce qu'il nous a raconté ensuite sur « la mer » nous a fait frémir. Cette eau d'une profondeur infinie ne ressemblait absolument pas à un endroit accueillant pour des vaches. Nous avions peine à nous imaginer la traversant bientôt pour aller en Inde. Et encore plus de peine à nous en imaginer capables.

Nous avons atteint une immense étable de métal. À l'intérieur, il n'y avait ni paille ni mangeoires, absolument rien. Une étable vide que le vent parcourait en sifflant, pourtant sans chasser la puanteur épouvantable.

— Lé plous magnifique parfum dou monde ! s'est réjoui Giacomo. L'odeur dé les poissons morts.

— Si je continue à le sentir, c'est moi qui serai une vache morte, a affirmé Hilde.

— Autréfois, ici, on vidait les poissons, a expliqué Giacomo en inspirant l'air à pleins poumons comme s'il s'agissait d'un doux parfum de rose sauvage.

— Comment connais-tu si bien cet endroit ? lui ai-je demandé.

— Y'ai habité ici au débout qué y'étais dans cé pays. Les houmains ils n'osent pas y vénir.

— Pas étonnant avec cette odeur, a fait Susi d'un air dégoûté. Je veux m'en aller !

Je n'étais pas d'accord.

— Si aucun humain n'entre ici, nous y sommes en sécurité.

— Je m'en fiche, je ne veux pas être asphyxiée, a répondu Susi en se dirigeant vers la sortie.

— Tu restes ici ! ai-je ordonné.

— Quel chef est mort et t'a désignée à sa place ? a-t-elle répliqué sur un ton de défi.

Il n'y avait qu'une seule réponse à cette question, à savoir la sinistre vérité :

— Tout le monde est mort. Le troupeau tout entier.

La colère de Susi est retombée d'un coup, et nous nous sommes regardées avec tristesse tandis que Champion déclarait d'une voix étranglée :

— Si c'est vrai, je suis presque content de ne me souvenir de rien.

Giacomo a alors bondi entre nos pattes en disant qu'il allait essayer de nous trouver un bateau avant l'aube, car il ne fallait pas qu'on nous voie en plein jour, c'était beaucoup trop dangereux. Nous étions trop grosses, nous les vaches, pour que les humains ne nous remarquent pas tôt ou tard. Il a filé dehors, et nous nous sommes couchées dans l'étable métallique, blotties les unes contre les autres. Champion, lui, s'est cherché une place un peu à l'écart. J'aurais tellement aimé qu'il s'allonge près de moi, et pouvoir me sentir en sécurité près de lui ! Mais c'était impossible, il était trop perturbé, fatigué, brisé. Si quelqu'un ici avait davantage que moi besoin de protection, c'était bien lui.

Épuisées, Susi, Hilde et P'tit Radis se sont aussitôt endormies, mais, après les événements de la journée, leur sommeil était loin d'être aussi tranquille que la veille encore, dans les champs. Hilde remuait les mâchoires, P'tit Radis gémissait à intervalles réguliers : « Toc... Toc... », et Susi ne cessait de projeter ses sabots en l'air – même en rêve, elle décochait des coups de pied à Champion. Quant à lui, il avait autant de mal à dormir que moi et lançait de fréquents regards dans notre direction. Cela me faisait de la peine de le voir aussi troublé. À la réflexion, pourquoi ne pas aller le rejoindre ? Je le consolerais, le réconforterais avec ma chaleur, mon amour – par Naïa, j'étais en train de m'apercevoir que je l'aimais toujours ! Et puis, ce serait peut-être l'occasion de lui murmurer que nous allions être parents. Alors, je me suis levée et me suis approchée de lui. Je lui dirais tout, et, s'il m'aimait toujours, nous nous blottirions tendrement l'un contre l'autre. Après tout, les sentiments n'étaient peut-être pas une affaire de mémoire !

— Comment ça va ? ai-je demandé une fois devant lui.

— Tu veux dire, à part que je ne me souviens de rien et que tout ce que nous voyons me fait peur ?

Il était si perturbé qu'il n'essayait même plus de jouer les taureaux braves. Cette fois, j'ai vraiment eu envie de le cajoler sans plus attendre. Au moment où je m'agenouillais sur mes quatre pattes pour me coucher, il a souri. Apparemment, je ne m'étais pas trompée, les sentiments n'étaient pas une question de mémoire !

Dans ma joie, j'aurais pu ne pas remarquer qu'il regardait ailleurs en souriant ainsi, mais il a alors désigné Susi du museau et m'a dit d'un air amusé :

— Elle me donne des coups de pied même en rêve.

— Oui… ai-je répondu.

Ne sachant pas trop où il voulait en venir, je suis restée dans ma position inconfortable, les pattes à demi pliées.

— Pourquoi donc est-elle si furieuse contre moi ? a-t-il demandé en se levant.

Du coup, je me suis redressée aussi et j'ai balbutié :

— Eh bien…

C'était le moment ou jamais de lui dire la vérité. Hélas, ce n'était pas celui où j'en avais le courage. J'ai donc répondu évasivement .

— Oh, c'est juste qu'elle a ses règles ces jours-ci…

— Qu'est-ce que c'est que ça ?

Son amnésie était plus complète que je ne l'avais cru ! À cet instant, j'ai entendu le rire de Giacomo, de retour de sa reconnaissance.

— Y'ai hâte dé savoir comment tou vas loui espliquer ça !

Moi aussi, j'étais impatiente de le savoir.

— Et combien de temps ces jours durent-ils ? a demandé Champion sans attendre ma réponse.

— Pourquoi veux-tu le savoir ? me suis-je étonnée.

— Eh bien… a-t-il hésité.

— Oui ?

— Je ne sais pas pourquoi, je trouve cette Susi charmante.

— Qu… qu… quoi ?

169

— Elle a un sacré tempérament, a-t-il lâché d'un air ravi.

— JE VAIS T'EN DONNER, DU TEMPÉRAMENT !

Mon coup de sabot était aussi énergique que celui de Susi, sinon plus. Giacomo s'en est presque apitoyé :

— Cette fois, son instrument est définitivement désaccordé !

— Vous, les vaches, vous avez vraiment un problème avec les taureaux ! a mugi Champion, si fort que les autres se sont réveillées.

Susi a été la première à comprendre ce que j'avais fait, et cela l'a révoltée :

— Alors, moi, je n'ai pas le droit, mais toi, oui ?

— En fait, elle n'a pas le droit non plus, a gémi Champion.

Comme j'étais beaucoup trop abattue pour répondre à Susi, le chat s'est de nouveau immiscé dans la conversation :

— Yé souis désolé d'interrompre les festivités, ma y'apporte les bonnes nouvelles. Y'ai trouvé oune bateau qu'il peut nous emméner en Inde. Lé bateau il prendra la mer à l'aube.

— Comment ça, il prend la mer ? Il a des fuites ? Je ne veux pas partir sur quelque chose qui prend l'eau, j'ai déjà assez peur comme ça !

Champion, dont la douleur entre les pattes arrière s'estompait un peu, s'est approché de Susi pour l'encourager :

— Ne t'inquiète pas, quoi qu'il arrive, Champion est avec vous.

Comme elle le regardait d'un air agacé, il a murmuré :

— Tu retrouveras ta bonne humeur quand tu n'auras plus tes règles.

— Mes quoi ?!? a fait Susi, totalement ahurie.

— Ce que tu as ces jours-ci, quoi que ce soit, a répondu Champion avec un gentil sourire.

Un sourire auquel Susi avait une forte envie de répliquer par un nouveau coup de sabot. Alors que moi, je ne pouvais même plus avoir envie de ça. La façon dont il fayotait avec elle me déchirait le cœur. Je portais son veau dans mon ventre, et il n'avait rien de mieux à faire que de trouver charmante cette peau de vache de Susi !

L'amour était vraiment un beau salaud !

Je suis sortie en courant de l'étable aux poissons morts, tandis que P'tit Radis me criait :

— Qu'est-ce que tu as, Lolle ?

J'étais bien trop triste et honteuse pour pouvoir lui répondre.

— Elle a peut-être ses jours elle aussi ? ai-je entendu Champion conjecturer.

— Tou né sais même pas cé qué c'est, s'est moqué le chat.

— Oui, mais personne ne me dit rien, à moi, s'est plaint Champion.

— Je vais avec Lolle, a décidé P'tit Radis.

Je ne voulais surtout pas ! Dans ma situation, je risquais de piquer une crise si jamais elle me disait qu'il fallait jouir de l'instant présent.

— Il vaut mieux la laisser tranquille, lui a répondu Hilde, qui préférait toujours rester seule quand ça n'allait pas.

Si j'ai été contente sur le moment qu'on ne me suive pas, je n'ai pas tardé à le regretter. Parce que j'étais vraiment toute seule maintenant dans le vent salé toujours plus violent et glacé, à marcher vers les monstres appelés « grues ». Celles-ci se trouvaient tout au bord d'un grand ruisseau qui coulait bizarrement droit, un peu comme si son cours n'était pas décidé par la nature.

Je me suis couchée sous l'une des grues pour tenter de me mettre à l'abri du vent, ce qui n'a pas servi à grand-chose, car le froid continuait à me transpercer les os. Mais je ne voulais pas retourner à l'étable de métal, même si cela m'obligeait à geler ici. Et il y avait autre chose que je ne voulais plus du tout : partir pour l'Inde avec les autres.

27

Couchée sous la grue, j'ai levé les yeux vers le ciel nocturne, à présent entièrement couvert de nuages. À la réflexion, il me paraissait aussi tourmenté que mon cœur. La dernière fois que je m'étais sentie à ce point sans défense, j'étais encore un petit veau. Mais à l'époque, dans ces cas-là, je pouvais me blottir auprès de ma maman pour la nuit. Elle n'était pas toujours très aimable, parce qu'elle souffrait de la manie qu'avait mon père de grimper à droite et à gauche, et même, il lui arrivait souvent de me rudoyer un peu. Dans ces moments-là, pourtant, elle était avec moi pour m'endormir en chantant des berceuses. Je me suis souvenue de sa préférée, et j'ai commencé à la chanter tout bas. Cela s'appelait *Queue sera, sera* :

> *Quand j'étais petite je d'mandais*
> *à maman : que sera ma vie ?*
> *Est-ce qu'un taureau m'aimera ?*
> *S'rai-je heureuse ici-bas ?*
> *Elle disait : Je n'sais pas...*

C'est vrai, les réponses de ma maman n'étaient pas toujours très malignes. Elle était bien trop dépassée pour ça.

Queue sera, sera,
ce qui doit être sera,
l'avenir on n' le connaît pas,
qui vivra verrat,
l'avenir on ne l'sait pas...

Maintenant, j'allais être mère à mon tour. Je ne pouvais qu'espérer être capable d'offrir à mon petit veau de meilleurs conseils maternels et un peu plus de soutien. Mais je n'en étais vraiment pas certaine.

Aujourd'hui j'attends un p'tit veau
Je m'demande si ça ira,
s'il souffrira ?
Comment éviter ça ?
Oh, mon Dieu, quel tracas !

Queue sera, sera,
ce qui doit être sera,
être une vache seule c'est pas ça,
queue sera, sera,
qui vivra verrat...

J'ai encore chantonné un peu avec mélancolie, puis j'ai senti un nouveau tiraillement dans mon ventre, mais différent des précédents. Ce n'était pas désagréable. On aurait plutôt dit que le petit cherchait à établir un contact avec moi, comme s'il appréciait ma chanson. Une sensation de bien-être m'a envahie. C'était la première fois que je trouvais ça chouette qu'un veau grandisse en moi

Je me suis rendu compte alors que l'attitude « ce qui

doit être sera » était totalement stupide. J'allais bientôt être responsable d'un petit être, il devait avoir une vie meilleure que la mienne, et pour cela, il fallait que j'aille en Inde. Donc, c'était à moi de me soucier de ce qui devait être, sans attendre ce qui serait. Que Champion préfère ou non Susi, j'avais une tâche à accomplir. La question n'était plus de savoir si ma vie serait heureuse, je devais m'occuper du bonheur de mon veau !

28

Pleine de ces bonnes résolutions, j'allais me lever pour rejoindre les autres et monter malgré tout avec elles sur le bateau pour l'Inde, quand une voix s'est élevée derrière moi :

— Vous, les vaches, vous avez vraiment le goût de la chanson !

J'ai frissonné, car le vent n'était rien comparé à cette voix glaciale. Je savais à qui elle appartenait, bien sûr, et j'avais tant espéré ne plus jamais l'entendre ! J'ai tourné la tête, et là, sur une grosse pile de caisses, se tenait Old Dog. Souriant.

— Vous devriez monter une comédie meuh-sicale, a-t-il persiflé avant d'éclater d'un rire sonore.

Apparemment, il s'agissait d'une plaisanterie, mais elle m'échappait.

Cessant de rire, le chien a repris avec une note sentimentale que je n'aurais jamais soupçonnée chez lui :

— Autrefois, à la ferme, j'aimais vous entendre mugir. Je trouvais vos voix merveilleuses… Je vous les enviais, à l'époque. Avant que je revienne d'entre les morts.

Il était réellement revenu de chez les morts ? Ce n'était donc pas une simple légende que les animaux de la ferme se racontaient entre eux ? Ou bien était-ce Old Dog lui-même qui se racontait cette histoire parce qu'il était fou ? Laquelle des deux versions était la plus inquiétante ?

— Je croyais encore au bonheur alors.

Et il n'y croyait plus ? À bien y réfléchir, cela n'avait rien d'étonnant, après la mort absurde de son grand amour, la dame caniche Tinka. Un court instant, malgré ma peur, j'ai éprouvé de la compassion pour lui. Old Dog a surpris mon regard et n'a visiblement pas pu le supporter.

— Je t'avais pourtant dit ce qui arriverait si je te trouvais à nouveau sur mon chemin, a-t-il sifflé entre ses dents.

Il est descendu de la pile de caisses d'un bond élégant, atterrissant sur le sol gris et dur avec la légèreté d'un chat.

— Je ne l'ai pas fait exprès, ai-je bafouillé, terrorisée.

— Ça m'est bien égal, a-t-il répliqué en s'avançant lentement vers moi, certainement pour me tuer.

— Ce n'est pas juste, ai-je gémi.

— Ai-je l'air d'être juste ?

— À vrai dire, non, ai-je répondu à voix basse.

Tout en parlant, je reculais, mais il n'y avait derrière moi que le large ruisseau d'eau salée. Et il paraissait tellement plus profond que celui qui traversait notre pré que je craignais fort de m'y noyer. D'un autre côté, était-ce une mort plus affreuse que d'être déchiquetée par Old Dog ?

Il continuait à avancer vers moi. Lentement. Avec délectation.

Je reculais toujours, et je commençais sérieusement à envisager de sauter à l'eau. Qui sait, peut-être parviendrais-je à sauver ma vie et celle de mon veau à naître ? Tout semblait préférable à ce qui m'attendait.

Soudain, Old Dog s'est arrêté juste devant moi, sous la grue, et a grondé :

— Je n'en ai peut-être pas l'air, mais je suis quelqu'un de juste.

— Ah oui ? ai-je fait, surprise, en m'arrêtant à mon tour.

J'étais à un demi-sabot à peine du bord de l'eau. J'avais beau craindre qu'Old Dog ne cherche seulement à s'amuser un peu, l'espoir renaissait en moi.

— J'ai un cœur, a-t-il ricané. Même si je n'ai plus de cœur.

— Tu n'as pas de cœur ? n'ai-je pu m'empêcher de demander.

— Pas de détails… Le point important est que je t'épargne. Toi… et ton veau.

Il savait que j'étais enceinte ?

— Oui, je le sais.

Lisait-il aussi dans les pensées ? Ou bien était-il seulement très, très bien renseigné ?

— J'ai un peu asticoté le fermier, a-t-il déclaré. Et j'ai appris que tu étais enceinte.

— Cela signifie-t-il que le fait de nous revoir ne dépend que de toi ?

— Encore un détail sans importance. Ce qui compte, c'est que je vais vous laisser tranquilles, ton veau et toi.

— Vraiment ? ai-je demandé, soudain emplie d'un fol espoir.

— Vraiment, a affirmé le chien en hochant la tête.

Il paraissait sincère. Dans mon soulagement, j'étais sur le point de fondre en larmes, quand il a ajouté :

— Pour l'instant.

— Pour l'instant ?

— Pour l'instant.

— Tu ne me trouveras plus jamais sur ton chemin, me suis-je empressée de dire. Je te le jure sur tout ce que j'ai de plus sacré…

— Tu me reverras, a-t-il coupé.

— Mais pourquoi ? ai-je fait d'un ton suppliant.

— Parce que le cœur du petit à naître ne bat pas encore par lui-même. Mais ce sera le cas un jour !

Et on ne pouvait tuer que quelqu'un dont le cœur battait seul, ai-je compris tout à coup.

Souriant froidement, Old Dog m'a tourné le dos et est parti en courant, se retournant une dernière fois pour me crier avec un grand rire :

— Nous nous reverrons quand le cœur du petit battra dans ton ventre !

29

Old Dog a disparu dans la nuit noire, et je suis restée un long moment à regarder dans sa direction, son rire cruel résonnant encore à mes oreilles. Pourtant, j'avais cessé de trembler. Car une résolution grandissait en moi. Ce chien fou de l'enfer n'avait pas le droit de me prendre mon veau ! Je devais absolument lui échapper !

Pour cela, il fallait d'abord que nous montions au plus vite sur ce bateau pour l'Inde. Une fois à bord, pensais-je, Old Dog ne pourrait plus nous rattraper – même un chien échappé de l'enfer n'était sûrement pas capable de traverser à la nage cette mer hostile !

J'ai rejoint en hâte les autres, sentant à peine le vent et la petite pluie qui commençait à tomber. Dans l'étable, personne ne dormait. Mes compagnes écoutaient Champion, qui disait d'une voix embarrassée :

— Tout de même, ces règles des femelles ne me paraissent pas très appétissantes. Les mâles en ont-ils aussi ?

— Tu étais déjà un idiot avant ton amnésie, mais maintenant, tu as tout ce qu'il faut pour être le dieu des idiots, lui a répondu Hilde.

— Et voici justement la déesse qui va avec, s'est moquée Susi en me voyant arriver.

— La ferme ! ai-je répliqué.

— Pardon ?

— Qu'est-ce que tu n'as pas compris dans « La ferme » ? Le « La » ou le « ferme » ?

— Vous, les vaches, vous ne savez vraiment pas vous tenir, a estimé Champion.

— La ferme, Champion !

Hilde s'est permis une légère critique au sujet de mon comportement :

— Comme meneuse, tu deviens de moins en moins sympa.

Elle avait raison, évidemment, mais c'était trop difficile pour moi en ce moment d'être gentille avec Susi et Champion. Un instant, je me suis demandé si je devais raconter aux autres ma rencontre avec le chien, puis j'y ai renoncé. Cela ne servirait qu'à leur faire peur d'être tués aussi. Et, au cours de ce voyage, j'avais déjà appris que la peur était mauvaise conseillère, même si elle parlait bigrement fort.

— Ne sois pas si dure avec Lolle, a dit P'tit Radis à Hilde. Elle est tout de même en…

— La ferme, P'tit Radis ! ai-je coupé.

Ce n'était pas le moment de révéler ma grossesse à Champion. Je ne me sentais pas en état d'avoir une conversation là-dessus avec lui.

— Tu n'es vraiment pas gentille, Lolle, a déclaré P'tit Radis, choquée par ma rudesse.

— Qu'est-ce qu'elle a ? a insisté Champion. Elle est en quoi ?

Sans laisser le temps à P'tit Radis de tout dévoiler, j'ai dit la première chose qui m'est venue à l'esprit. Malheureusement.

— Embrouillée !

— Le reconnaître est un premier pas vers la guérison, a ricané Susi.

— Évidemment, cela peut expliquer ton comportement, a admis Champion après un instant de surprise.

— Euh… je voulais dire : « enveloppée », ai-je rectifié très vite.

Ce n'était guère mieux.

— Enveloppée ? a répété Champion.

— Oui… ai-je bredouillé.

Il m'a considérée de plus près.

— Bon, c'est vrai que tu l'es peut-être un peu…

Il était réellement le dieu des idiots ! Je me suis de nouveau corrigée en hâte :

— Je voulais dire : « embloppée » !

— Embloppée ? Qu'est-ce que ça veut dire ?

J'aurais bien voulu le savoir aussi.

— Je vais te le dire, moi, ce qu'est vraiment la grosse Lolle, a déclaré Susi, prête à tout déballer.

— Oh non ! Tu ne feras pas ça ! ai-je rétorqué.

— Sinon quoi ?

— Sinon, je te tue, ai-je répondu sèchement.

— Pour être énervée comme ça, Lolle doit avoir ses règles, a murmuré Champion.

— Et je te tue juste après, lui ai-je lancé.

— Si seulement tu avais vraiment tes règles ! a persiflé Susi.

— Et quand j'en aurai fini avec Champion, je te tuerai à nouveau.

— Ça, ce n'est pas possible, a objecté Champion. On ne peut pas tuer quelqu'un deux fois.

Je n'ai rien trouvé d'autre à lui répondre que ceci :

— Ensuite, ce sera de nouveau ton tour !

— Certes, je te comprends, m'a fait observer Hilde. Mais, en tant que meneuse, tu devrais t'habituer à nous parler autrement.

À sa façon de dire cela, on avait carrément l'impression qu'elle aurait bien voulu conduire le troupeau elle-même. Cependant, elle n'avait pas tort. Si j'étais moins mordante avec les autres, je nous mènerais plus vite en Inde, et du même coup loin d'Old Dog. Après avoir inspiré à fond pour me remettre les idées en place, j'ai donc demandé au matou :

— Comment allons-nous faire pour monter sur le bateau ?

En guise de réponse, il est sorti de l'étable, et nous l'avons suivi sous la bruine jusqu'à d'énormes caisses qu'il a désignées sous le nom de « containers ». Il y en avait des bleues et des rouges, mais la plupart étaient gris. Un peu plus loin, dans le grand ruisseau d'eau de mer, le chat nous a montré l'immense véhicule qu'on appelait « bateau ». Une sorte d'audoo gigantesque qui, de toute évidence, pouvait nager sur l'eau. Les humains étaient vraiment inventifs, il fallait au moins leur reconnaître cela. Ils parvenaient même à voyager dans des endroits où ils n'avaient absolument rien à faire en réalité.

Giacomo nous a expliqué que les containers allaient être chargés sur le bateau, que nous devions donc nous cacher à l'intérieur et rester parfaitement silencieux, afin que les humains ne nous découvrent pas.

Hilde a examiné les boîtes géantes avec scepticisme.

— N'allons-nous pas étouffer là-dedans ? Il n'y a pas de trous pour respirer.

— Quand lé bateau il séra sour la haute mer et qué vous n'aurez presque plous d'air, vous férez simplemente dou bruit et les houmains ils vous féront sortir.

— Mais, ai-je objecté, ne seront-ils pas en colère quand ils nous trouveront ?

— Oui, soûrement, ma ils né vont pas faire dou chémin esprès pour vous raméner. Soit vous pourrez rester sour lé bateau jousqu'à l'Inde…

— Soit ?

— … soit ils vous jettéront dans la mer.

Nous l'avons tous regardé avec épouvante.

— C'était ouné blague ! s'est empressé d'ajouter le chat en riant.

Mais, malgré son rire plutôt exagéré, il l'avait dit de telle façon que cette possibilité ne me paraissait aucunement exclue.

De la patte, Giacomo m'a désigné deux containers bleus. Ils étaient grands ouverts et remplis l'un et l'autre de drôles d'objets jaunes qui avaient tous la même allure bizarre – ils ressemblaient un peu aux éponges avec lesquelles le fermier nous nettoyait parfois. Sauf que celles-ci avaient des jambes. Et des bras. Et des yeux de dingue.

— Cé sont des poupées dé Bob l'Éponge, a expliqué le chat.

Je me suis fait la réflexion qu'une poupée devait être une sorte d'épouvantail à oiseaux. Mais ces éponges jaunes étaient si étranges qu'on les imaginait facilement servant à effrayer bien d'autres bêtes.

— Les houmains les offrent commé jouets à leurs bambini, leurs enfants, a poursuivi Giacomo.

Ils faisaient de ces choses à leurs petits !

Après avoir observé de plus près l'une de ces éponges, P'tit Radis a déclaré :

— Ils ont quand même des yeux de cinglés !

— Sì, a répondu le chat en riant. On dirait qué, en mangeant des friandises, ils ont confondou lé soucre avec dou LSD.

Pendant ce temps, Hilde continuait d'examiner les containers.

— Avec toutes ces poupées déjà à l'intérieur, nous ne tiendrons pas tous dans un seul, a-t-elle constaté. Il faudra nous séparer.

Elle avait raison, et cela me plaçait devant un choix difficile. J'aurais préféré monter dans l'une des caisses géantes avec Hilde et P'tit Radis, mais cela aurait laissé Susi et Champion ensemble dans l'autre. Je ne pouvais pas le permettre. Il fallait donc, bon gré mal gré, que je reste avec l'un des deux. Ce dont je n'avais aucune envie.

Avec Susi, c'était trop dangereux, car nous allions certainement nous quereller et attirer trop tôt sur nous l'attention des humains. Il ne restait donc qu'une solution : que je sois dans la même caisse que Champion.

30

Personne ne s'est opposé à ma proposition. Susi l'a même chaudement approuvée :

— Super ! Comme ça, je ne serai pas obligée d'être avec cet idiot.

— Finalement, je crois que tu n'es pas si mignonne que ça quand tu es en colère, a observé Champion d'un ton offensé.

Giacomo nous a expliqué que nous devions nous cacher tout au fond des containers, afin que les humains ne nous découvrent pas quand ils viendraient les fermer. Il nous a aussi annoncé qu'ensuite, quand la grue entrerait en action pour charger les caisses géantes sur le bateau, nous serions un peu bousculés. Entre-temps, lui-même n'aurait qu'à sauter à bord, car les humains ne remarquaient pas un chat aussi facilement qu'une vache, n'est-ce pas ?

P'tit Radis, Hilde et Susi ont disparu dans l'une des caisses bleues, tandis que, dans l'autre, Champion et moi nous frayions un chemin en écartant les têtes d'éponges pour aller nous accroupir contre la paroi du fond, moi veillant soigneusement à laisser un espace entre nous deux. Nous sommes restés silencieux un moment, jusqu'à ce que Champion prenne la parole :

— Lolle… ?

— Malheur à toi si tu me demandes encore si j'ai mes règles !

— Je ne m'y risquerais pas, connaissant ton coup de sabot, a-t-il répondu avec un charmant sourire que j'ai parfaitement distingué à la lueur des premiers timides rayons de soleil qui entraient par la porte ouverte du container.

Mon humeur s'est radoucie, car si quelqu'un savait sourire de façon charmeuse, c'était bien Champion. Il était au sourire ce qu'Oncle Prout était aux flatulences. Et Susi à la crise de nerfs.

— Je suis désolé, a-t-il poursuivi. Tu n'es pas du tout enveloppée.

C'était gentil, ça. J'allais lui répondre : « Et toi, tu n'es pas un idiot », quand il a ajouté :

— Ou alors, juste très légèrement.

Tout compte fait, je n'ai rien dit.

— J'ai vraiment l'impression de te connaître, a-t-il alors déclaré d'une voix douce.

Par Naïa, la mémoire lui revenait-elle ?

— Cela me surprend, mais, je ne sais pourquoi, je me sens bien à côté de toi.

En disant cela, il s'est poussé un peu pour se rapprocher de moi, presque à me toucher.

Pourrait-il m'aimer à nouveau malgré tout ? Avions-nous encore notre chance et serions-nous un jour réunis, comme jadis Naïa et Hurlo ?

Comment Hurlo sauva Naïa

Hurlo faisait le bonheur des vaches du troupeau, mais cela ne le rendait pas heureux. Naïa lui manquait trop. L'eau monta à ses yeux, tant d'eau qu'elle finit par former une immense larme que même le puissant

Hurlo ne put retenir plus longtemps. Elle tomba sur le sol et submergea le monde. Tous les vers de terre moururent, à l'exception du dernier, qui se lamenta : « Maintenant, je vais encore devoir me faire couper en morceaux par un oiseau ! »

Hurlo s'excusa mille fois, expliquant combien Naïa lui manquait. Et le ver de terre pesta :

« Pourquoi ne la cherches-tu pas, au lieu de pleurnicher ?

— Cela ne m'était même pas venu à l'idée, répondit Hurlo, étonné de sa propre bêtise.

— Ah, tu es bien un mâle stupide et pas un hermaphrodite rusé, répliqua le ver de terre.

— Si cela permet d'être aussi astucieux que toi, je voudrais être un hermaphrodite moi aussi, dit Hurlo.

— Dans ce cas, il te faudra renoncer à tes attributs virils.

— Bon, alors, je ne veux peut-être pas », répondit le taureau.

Hurlo se mit en route avec détermination pour chercher Naïa. Il la chercha sur tous les pâturages, dans les champs, dans les prés. Enfin, il atteignit les arbres du bout du monde. Il pénétra bravement dans la forêt, dont l'obscurité ne lui causait nulle peur. Comme il arrivait devant un petit ruisseau à l'eau cristalline, un ours gigantesque vint à sa rencontre et gronda : « Je suis le gardien de cette forêt, Praxx aux puissantes dents. »

Toute autre créature que Hurlo se serait enfuie. Mais Hurlo lança à l'ours un regard terrible et lui dit : « Laisse-moi passer, ou tu seras Praxx aux dents fracassées. »

Évitant le regard décidé de Hurlo, l'ours répondit en tremblant :

« Je crois que je vais me chercher une autre forêt.

— C'est une très bonne idée », dit Hurlo.

L'ours partit en courant, et Hurlo poursuivit son chemin à travers la forêt, jusqu'à ce qu'il atteigne le Lait sans fin. Là, il vit Naïa flotter, inconsciente et proche de la mort, car ses larmes avaient fait tourner le lait. Sans hésiter, Hurlo sauta dans le lait empoisonné pour sauver son grand amour. Malgré le danger immense, il ne craignait pas pour sa vie. Quand la réflexion ne fait pas partie de vos points forts, cela peut aussi tourner à votre avantage.

Déployant toute sa force extraordinaire, Hurlo sortit sa bien-aimée du Lait. Il la traîna dans la forêt, inconsciente, et commença à la veiller. Pendant des jours, des semaines, des lunes. Lorsque enfin elle rouvrit les yeux, Hurlo promit à sa bien-aimée qu'il ne lui serait plus jamais infidèle. Alors, dans sa grande joie, Naïa se mit à lui lécher le museau. Pendant des jours, des semaines, des lunes.

Champion me parlait toujours doucement :

— Je me sens vraiment bien près de toi... Serais-tu par hasard... ?

— Serais-je quoi ? ai-je demandé plus doucement encore.

— Es-tu... ?

— Quoi... ? ai-je susurré.

— Ma sœur ?

Le dieu des idiots était de retour !

— Non, je ne suis pas ta sœur, ai-je répondu d'un ton glacial.

Nous ne ressemblions donc pas à Naïa et Hurlo, même si Champion se conduisait comme un abruti presque aussi souvent que le divin taureau.

C'est alors que nous avons entendu un bruit de pas. Nous nous sommes tus et, de frayeur, avons même cessé de respirer, car, à travers les têtes d'éponges, nous apercevions maintenant deux hommes au visage poilu à la porte du container. Un maigre et un gros.

— Encore cette fichue pluie ! pestait le gros. Ce n'est pourtant pas la saison. Saloperie de catastrophe climatique !

— Oui, on aurait bien envie de botter le derrière aux fabricants chinois, a grogné le maigre.

— Ou de leur gonfler le derrière avec leur CO_2, a renchéri le maigre.

Pendant ce temps, aplatis au fond de la caisse, nous ne faisions pas plus de bruit que des petites souris.

— On m'a fait ça une fois, pour une coloscopie, a raconté le gros.

— Content de le savoir ! a gémi le maigre.

Tandis qu'ils jacassaient tous deux, je me suis serrée inconsciemment contre Champion pour chercher protection, et ma toison a touché la sienne. Un frisson m'a parcourue, un peu comme lorsqu'on frôle du museau la clôture électrique, mais en bien plus agréable et excitant. Comme si c'était la première fois que cela nous arrivait. Et, d'une certaine manière, c'était bien cela : la première fois dans ce monde nouveau.

Le gros a poursuivi :

— J'aimerais pas être ce genre de médecin, à devoir gonfler des intestins toute la journée, et en plus regarder dedans après.

— Ouais, c'est pas un métier terrible, a approuvé le maigre. Mais quand c'est tout ce que tu sais faire, il faut bien continuer.

À ce moment-là, les deux humains ont fermé le container à grand fracas, et il s'est mis à faire si noir qu'on ne voyait même plus ses propres sabots. Mais nous entendions les pas des hommes s'éloigner. J'osais à peine respirer, d'abord parce que j'avais encore peur d'attirer leur attention, ensuite parce que le contact de Champion me bouleversait complètement. J'en avais les poils tout hérissés. Lui aussi, je le remarquais bien, et cela me mettait d'autant plus sens dessus dessous.

Soudain, un grand vacarme s'est déclenché au-dessus de nous. J'ai été si effrayée que j'ai poussé un mugissement. Couvert par celui de Champion. Et, par chance, nos deux mugissements ont été couverts par les grincements de la grue qui saisissait le container et l'enlevait dans les airs. Notre caisse avait quitté le sol, les éponges volaient dans tous les sens, et je me suis envolée aussi... pour atterrir juste sur Champion.

Je me suis retrouvée couchée sur lui, mufle contre mufle, poitrine contre poitrine, pis contre... enfin bref.

Je sentais son souffle chaud, lui le mien. Avant cela, mon corps était déjà tout frémissant, mais cette proximité nouvelle – dans le noir et avec un danger de mort – était la chose la plus stimulante qu'on puisse imaginer.

À présent, la caisse se balançait plus paisiblement dans les airs, et on recommençait à s'entendre meugler.

— Je suis content que tu ne sois pas ma sœur, m'a murmuré Champion.

— Pourquoi ? ai-je soufflé à mon tour.

— Parce que je ne suis pas trop pour l'union consanguine.

J'étais si troublée que je n'ai su que répondre. Il a poursuivi sa confession :

— Je... je me sens attiré vers toi, je ne sais pas pourquoi. D'une façon plaisante, comme si j'étais en confiance.

C'était agréable à entendre.

— Beaucoup plus qu'avec Susi, je m'en aperçois maintenant. Comme si nous étions faits l'un pour l'autre.

De mieux en mieux.

— Dis-moi, suis-je ton taureau ?

La minute de vérité était venue. Dans une caisse volante, au milieu de têtes d'éponges.

— Tu l'étais.

— Étais ? Qu'est-ce qui nous a séparés ? s'est-il étonné.

La caisse s'est mise à redescendre en se balançant très fort, et j'ai failli tomber de ma position sur Champion, mais il m'a retenue en me serrant contre lui de ses pattes puissantes.

— Une chose assez bête.

— C'est moi qui ai été bête ? a-t-il demandé avec précaution.

Comme je ne le contredisais pas, il a repris d'une voix douce :

— Je suis désolé.

— Pas tant que moi, ai-je répondu tristement.

— Quoi que je t'aie fait, peux-tu me pardonner ? a-t-il dit avec tendresse.

Si je lui pardonnais maintenant, j'étais sûre que nous allions aussitôt nous mettre à nous lécher passionnément. Tout serait réparé, je trouverais quand même le bonheur et je vivrais avec Champion comme Zoum l'éphémère avec Vroum.

D'un autre côté... qu'est-ce qui me garantissait que Champion n'allait pas recommencer à la première occasion avec Susi et me briser à nouveau le cœur ? Oui, mais... ne devais-je pas tout faire pour surmonter ma propre méfiance, non seulement parce que j'attendais un veau de lui, mais aussi parce que personne n'a jamais été heureux en étant jaloux en amour ? Oui, mais, d'un autre côté encore, comment Champion réagirait-il en apprenant qu'il allait être père ? Allait-il mugir de joie ? Ou fuir ses responsabilités ?

À cet instant, Champion s'est mis à me lécher tendrement. C'était si agréable que j'ai oublié tous les « oui, mais » pour presser mon mufle contre le sien et entortiller avec passion ma grande langue autour de la sienne. À son tour, il a entortillé sa langue autour de la mienne. Jamais encore nous ne nous étions entortillés avec autant de fougue et d'amour. Décidément, être en danger de mort pouvait rendre terriblement passionné. Si le danger de mort n'était pas aussi dangereux, on ne pourrait que le recommander aux couples en crise.

Oubliant temps, espace et têtes d'éponges, nous avons continué à nous faire des nœuds, des nœuds et des nœuds, jusqu'à ce qu'un tiraillement dans le bas-ventre vienne me rappeler le conseil de P'tit Radis : Champion devait savoir qu'il allait être papa.

Nous nous embrassions de si bon cœur qu'il allait certainement se réjouir. Du moins, je l'espérais. Et ensuite, nous nous jetterions l'un sur l'autre avec d'autant plus de passion. Tandis que nos langues étaient encore entortillées ensemble, j'ai donc commencé :

— Champfion. Ve dvois te dvire queufque fove.

— Qufoi donc ? a-t-il demandé sans se désentortiller.

— Ve vais apfoir un pfeau !

— Un pfeau ? De mfoi, pfeut-fêtre ?

— Non, ai-je répliqué avec un peu d'agacement. Du pfat !

— Du pfat ? Pf'est poffible, fa ?

— Épfidemment, de tfoi !

J'ai voulu dégager ma langue de la sienne, mais, avant que j'en aie eu le temps, il a fait :

— Oh.

Pas « Pfantaftique », pas « Fuper », ni « F'est le pflus bveau vour de ma pfie », non. Simplement : « Oh. »

Il ne se réjouissait donc pas que nous ayons un veau ensemble.

Mon cœur s'est serré très fort.

— Alors, tu ne dvois pas apfoir tes règpfles, a ajouté Champion du même ton hésitant.

Il a desserré son étreinte, et nos langues se sont dénouées. La caisse descendait en se balançant toujours plus fort. Comme Champion ne me tenait plus, j'ai glissé et me suis aplatie sur le plancher du container. Qui a lui-même atterri dans un grand bruit de ferraille sur le pont du bateau. Je suis allée heurter la paroi la tête la première, et ma dernière pensée avant de m'évanouir a été : « L'amour n'est pas seulement un salaud. C'est un vrai dégueulaffe ! »

31

J'ai fini par me réveiller, les quatre pattes étalées sur le sol, qui oscillait toujours. Cependant, quelque chose avait changé. La caisse n'était plus secouée, mais je sentais un léger mouvement de va-et-vient, sans pouvoir juger si cela venait de mon étourdissement ou de ce qui se trouvait au-dessous de nous. L'obscurité complète ne permettait guère de se repérer. Champion était toujours couché près de moi, du moins, il me semblait, même si sa voix m'a paru infiniment lointaine quand il m'a parlé :

— Je crois que nous naviguons sur la mer.

Je respirais enfin. Nous avions réussi à échapper à Old Dog ! Sur cette pensée rassurante, j'ai de nouveau sombré dans l'inconscience.

— *Tu ne m'échapperas jamais ! disait Old Dog en riant.*

Nous étions de nouveau perdus dans la neige, sur l'étroit sentier entre l'abîme et l'immense paroi qui s'élevait très haut dans le ciel.

Les rafales de neige me cinglaient le visage, j'étais bien trop désorientée pour pouvoir répondre.

— *Oh, mais qui vient donc là ? a ricané le chien en montrant de sa grosse patte le sentier derrière moi.*

Je me suis retournée, prenant garde à ne pas glisser pour ne pas tomber dans le précipice. Je m'attendais à voir Champion, peut-être venu à mon secours – bien que, contre Old Dog, il ait sans doute à peu près autant de chances qu'un lapin contre une audoo. Mais la créature qui montait vers moi sur le sentier tortueux était bien plus petite et plus tendre... c'était encore un petit veau. Un nouveau-né d'un jour à peine. Il était d'un blanc éclatant, mais la neige n'y était pour rien : son pelage n'avait pas la moindre tache. Le petit tremblait de tout son corps. C'était mon veau, aucun doute là-dessus. Je l'aimais plus que ma vie, je voulais le réchauffer tout de suite. Mais, après un bref sourire, Old Dog s'est élancé. Il a sauté au-dessus de moi et a couru. Droit sur le petit veau tremblant. Alors, j'ai crié... crié... crié...

Quand je me suis réveillée, il faisait toujours aussi noir, et je sentais un poids extraordinaire sur mon museau.

— Dis-moi, Champion, serait-ce toi qui me tiendrais le museau ? ai-je demandé d'une voix étouffée.

— Non, a répondu Champion à voix basse.

— Qu'est-ce que c'est, alors ?

J'avais même du mal à respirer.

— Je suis assis sur ton museau, a-t-il murmuré.

— Quooooiii ?

— Je suis assis dessus. Pour t'empêcher de crier. Sinon, les humains vont nous entendre.

Le premier moment de stupéfaction passé, j'ai repris :

— Pourquoi ne m'as-tu pas simplement maintenu la bouche fermée ?

— Oh ! Je n'y avais même pas pensé.

C'était inconcevable ! Mais je comprenais encore moins pourquoi il ne faisait toujours pas mine de se lever.

— Champion ?

— Oui ?

— TU VAS DESCENDRE DE LÀ, À LA FIN ?

— Pas si fort, m'a-t-il suppliée.

Avant que j'aie pu lui mordre le derrière, nous avons entendu une voix dehors. Celle du gros au visage poilu :

— Il y a quelque chose dans ce container.

Idiote que j'étais, j'avais trahi notre présence !

— Alors, il va falloir l'ouvrir, a répondu le maigre au visage poilu.

— C'est con, ça ressemble bien à du travail.

— Oui, mais si jamais il y a des rats, la cargaison sera foutue et le cap'tain nous engueulera.

— Bon, dans ce cas, ouvrons-le et jetons les rats à la mer, a soupiré le gros barbu.

— Je suis content de ne pas être un rat, a murmuré Champion en se laissant enfin glisser de mon museau.

— Malheureusement, je crains qu'ils ne fassent pas vraiment la différence, ai-je répondu tout bas.

Nous avons retenu notre souffle avec angoisse. Les portes du container se sont ouvertes à grand fracas, la lumière du soleil nous a aveuglés. Même un mince rayon filtrant à travers les éponges nous faisait mal aux yeux, après tout ce temps passé dans l'obscurité. Et, à en juger par les nombreuses flatulences de Champion, nous étions là depuis un bon moment.

Champion s'est blotti peureusement dans un coin, contre la cloison du fond, pour ne pas être découvert. Mais je savais déjà que c'était peine perdue. De par le vaste monde, il existe sans doute peu d'animaux moins aptes à se cacher qu'une vache.

En pénétrant dans le container, les deux visages poilus ont d'abord fait la grimace, à cause de l'odeur.

— Ça pue presque autant que dans les toilettes d'un train régional, a déclaré le gros.

— Ça aussi, plombier dans les chemins de fer, ce doit être un métier assez con, a répondu le maigre.

Ils approchaient. Champion a cessé de respirer et même rentré le ventre, mais cela ne le rendait guère plus invisible. Les hommes allaient nous découvrir d'un instant à l'autre

— Ces deux-là ne ressemblent pas à des Bob l'Éponge, s'est étonné le gros barbu.

— Je t'avais bien dit que j'avais entendu quelque chose !

— Le cap'tain va nous tuer.

— Aïe, c'est là que je préférerais quand même être plombier dans les chemins de fer.

Les humains nous ont fait sortir du container en jurant. Le soleil, à présent haut dans le ciel, était si aveuglant que je n'ai d'abord vu que des étoiles sous mes paupières serrées. Tandis que je m'accoutumais à la lumière en clignant des yeux, les hommes échangeaient des commentaires tels que : « Pourvu que le cap'tain ait pris ses antidépresseurs », « Et si oui, pas encore avec de la vodka », et « Dommage qu'il ne dépasse jamais la dose ».

Quand j'ai pu de nouveau ouvrir les yeux normalement, j'ai soudain cessé de m'intéresser à leur discussion, tant le spectacle qui m'entourait était bouleversant. Nous nous balancions légèrement sur un bateau gigantesque, avec au-dessus de nous un ciel radieux, d'un bleu sans nuages, et, tout autour de nous, une eau bleue magnifique sur laquelle la lumière scintillait en dansant. La mer ! Elle était si différente de ce que j'avais imaginé ! Pas du tout violente ni menaçante, seulement très belle. Parce qu'elle paraissait infinie.

Quand j'étais encore un petit veau, j'essayais souvent de me représenter les dimensions du Lait sans fin dont parlaient les légendes. Mais jamais, dans mon petit cerveau bovin, je n'aurais imaginé à quel point l'infini était impressionnant. Cette eau merveilleuse qui clapotait doucement s'étendait jusqu'à l'horizon, et peut-être se poursuivait-elle au-delà, comme nous l'avait chanté Giacomo. Devant ce spectacle, j'oubliai tout, le danger, les vaches dans l'autre container, même le fait que Champion n'était pas heureux de devenir papa. Mon cœur était empli de respect, car la terre était bien plus fascinante que tout ce que j'avais jamais osé espérer, et il m'était donné, à moi, une vache, de pouvoir la découvrir. En cet instant, je me sentais profondément reconnaissante envers la vie.

— Lolle, ai-je entendu Champion chuchoter.

Sa voix me semblait venir de très loin. Tous mes sens étaient concentrés sur la mer, son clapotis, son scintillement bleu…

— Lolle, je suis désolé de te déranger alors que tu contemples le paysage avec ravissement, mais il y a une petite chose qui devrait t'intéresser, je crois.

— Laquelle ? ai-je fait distraitement, tant j'étais captivée par le spectacle.

— NOUS SOMMES EN DANGER DE MORT, SACRÉ NOM D'UNE BOUSE !

Cette fois, malgré le panorama, je l'ai quand même écouté.

Je me suis tournée vers les deux hommes. Un troisième, plus âgé, venait de les rejoindre. Il n'avait pas de poils sur le visage, contrairement à eux, mais des yeux d'une tristesse infinie.

— Que faut-il faire de ces bestioles, cap'tain ? a demandé le gros barbu au vieil homme.

Au lieu de répondre, le vieux a avalé une minuscule boule en marmonnant :

— Des vaches à bord de mon bateau... Ah, si ma femme n'était pas toujours à la maison, je serais à la retraite depuis longtemps.

— Dois-je assommer ces humains ? m'a soufflé Champion.

— Je ne crois pas que ça leur donnerait envie de nous garder à bord, ai-je murmuré.

— Mais je n'ai pas d'autre idée.

— C'est normal, tu es un taureau. À part assommer les gens, vous n'avez jamais d'idées.

— Et toi qui es une vache, tu en as bien sûr une meilleure ? a-t-il rétorqué.

De fait, j'en avais une. J'admets qu'elle ne pouvait pas nous sauver, mais elle nous ferait au moins gagner du temps. Je me suis tournée vers le container qui abritait Hilde, P'tit Radis et Susi.

— Mugissez-moi quelque chose ! leur ai-je meuglé.

En guise de réponse, Susi s'est mise à râler :

— Il faut que nous sortions d'ici tout de suite. Avec ce qu'on a pété, quelqu'un pourrait se trouver mal !

— Il y a d'autres vaches ici ! a dit le maigre au visage poilu, pas qu'un peu étonné.

Quant au vieux, il a marmonné en avalant une autre petite boule :

— Il faut que j'augmente mes doses.

Les deux barbus ont ouvert le second container. Susi, Hilde et P'tit Radis se sont précipitées dehors.

— Maintenant, nous avons cinq vaches à bord ! s'est émerveillé le maigre.

— Quatre vaches et un taureau, a corrigé Champion, vexé.

Personne n'a fait attention à lui. Au lieu de cela, le vieil homme a soupiré :

— Ce n'est vraiment pas mon jour. En fait, ce n'est pas ma semaine non plus. Ni mon mois. À bien y réfléchir, ce n'est pas ma vie.

— Comment ces vaches ont-elles pu arriver là ? a demandé le gros barbu, tout déconcerté.

— Je n'en suis pas très sûr, a répondu le cap'tain. Mais, vu les circonstances, j'imagine qu'une énorme connerie de votre part n'est pas à exclure.

Les deux barbus ont regardé le sol d'un air confus. Puis le vieux a grommelé :

— Les douaniers de New York ne nous laisseront jamais entrer avec ces bêtes. Il faut les jeter par-dessus bord.

Les autres vaches se sont mises à trembler. De mon côté, je gambergeais tout en examinant de plus près le visage du cap'tain. Il n'avait pas envie de nous tuer, il ne voulait pas non plus nous manger. S'il voulait nous noyer, c'était simplement parce qu'il ne savait pas quoi faire de nous. Donc, notre seule chance de survivre était de le convaincre que nous serions utiles à bord. Mais comment ? Nous pouvions leur donner du lait, cependant, ces humains-là n'avaient pas vraiment une tête à s'en nourrir. La seule autre chose que nous savions vraiment bien produire, c'étaient les flatulences. Or, j'avais du mal à imaginer que cela puisse déclencher leur enthousiasme.

— Eh bien, moi, je suis pour les assommer ! écumait Champion.

— Non ! ai-je protesté avec véhémence.

Car j'étais convaincue que c'était le plus sûr moyen pour que ces hommes nous jettent à l'eau. Hilde était d'accord avec Champion :

— Je trouve que l'idiot a raison.

— Qui appelles-tu l'idiot ? a demandé celui-ci d'un ton aigre.

— C'est toi que j'appelle idiot, crétin.

— Malheur à toi si tu le répètes !

— Idiot, ou crétin ?

— Les deux.

— Je ne t'ai encore jamais appelé « les deux ».

— ARGHH ! a mugi Champion.

— Je suis toujours aussi fascinée de voir avec quel esprit les mâles s'expriment.

— Ces vaches n'ont pas l'air de très bien s'entendre, a constaté le barbu maigre.

Il avait raison, hélas ! En tant que meneuse, je n'avais toujours pas réussi à constituer un groupe uni, et si je n'avais pas une idée très vite, notre petit troupeau était condamné à mourir.

— Finalement, les vaches sont des gens comme les autres, a constaté le vieux. À la différence que ces pauvres bêtes ne se doutent pas du mauvais tour que leur joue le destin.

— Je m'inscris en faux ! a mugi Hilde.

Le vieux n'a pas compris, bien sûr. Il avait maintenant l'air encore plus déprimé qu'avant. Il me rappelait un peu notre fermier. Visiblement, les humains n'étaient pas capables d'être heureux.

— Le monde est trop triste, a-t-il marmonné. Savez-vous ce que je me dis parfois ? Que l'univers est né non dans une grande explosion, mais dans un petit soupir.

Il a sorti une autre petite boule de sa poche. Ce truc-là devait servir à le consoler. En tout cas, les visages poilus, eux, ne le consolaient pas. Soit parce qu'ils ne voulaient pas, soit – plus probablement – parce qu'ils ne savaient pas faire. À cet instant, j'ai compris que le cap'tain avait tort : les vaches n'étaient pas des humains ! Il y avait une énorme différence ! Quand l'une d'entre nous était triste, une autre venait la cajoler. Même Susi et moi l'avions fait lorsque nous pensions que Champion allait être abattu. Dès que j'ai réalisé cela, j'ai su ce que nous pouvions apporter aux humains, nous, les vaches : la consolation.

Je me suis approchée du vieux cap'tain. Il a interrompu son geste avec la petite boule et m'a regardée d'un air incertain.

— Que va encore faire cette folle ? a demandé Susi.

— Une folie, je suppose, a répondu Champion.

— Non, a dit P'tit Radis en souriant. Je crois qu'elle va faire quelque chose de très gentil.

M'arrêtant près du cap'tain, j'ai commencé à le cajoler tout doucement du museau.

— Elle n'est pas dégoûtée, a commenté Susi en faisant la grimace.

Non, je ne l'étais pas du tout. Il n'y a aucune raison, quand on peut faire plaisir à quelqu'un.

Bien que surpris de mon attitude, le vieux n'a pas bondi en arrière. Au bout d'un petit moment, comme je continuais, il a même souri.

— Tu as vu ? a murmuré le maigre au gros. Le cap'tain sourit. Ça fait cinq ans que ça ne lui était pas arrivé.

— Quand sa fille était encore en vie, a complété le gros.

Par Naïa, ce vieil humain avait perdu son veau !

Pas étonnant qu'il soit si triste. À présent, j'avais pitié de lui du fond du cœur. J'ai commencé à lui lécher le visage, et cela l'a fait rire.

— Toi, tu es vraiment un amour, hein ?

— Non, pas du tout, a protesté Susi.

Le vieux n'a pas compris, bien sûr. D'ailleurs, il ne faisait pas attention à elle, il était bien trop occupé à apprécier mes caresses. Il a rangé ses drôles de pilules dans la poche de sa veste et, tout en me cajolant, a annoncé aux deux autres :

— On va quand même garder ces vaches à bord.

— Et qu'est-ce qu'on fera avec la douane, à New York ? a demandé le maigre.

— On trouvera bien quelque chose le moment venu, a dit le vieux en souriant.

Mon troupeau a poussé un profond soupir. Les deux barbus aussi. Ils semblaient heureux de ne pas avoir eu à nous tuer. Ils ne l'auraient fait que sur ordre, ils n'étaient pas des assassins. D'un autre côté, ils l'auraient fait quand même et seraient devenus des assassins. Donc, c'était pour le moins des assassins potentiels.

J'aurais dû me sentir très soulagée qu'on ne nous ait pas jetés à la mer, mais, une fois le danger immédiat écarté, je me suis mise à penser à d'autres choses. D'abord, un problème essentiel n'était toujours pas résolu, le fait que Champion ne se réjouisse pas de l'arrivée du bébé. Ensuite, je me demandais bien ce que pouvait être ce Mouh York dont les humains avaient parlé. Par Naïa, pourquoi cela ne m'évoquait-il absolument pas l'Inde ?

32

Les visages poilus nous ont indiqué un coin où nous pouvions nous installer. Alors que les autres s'y couchaient déjà pour chauffer leur toison au soleil, et avant que j'aie eu le temps de me poser la question de ce que nous allions manger ici, car il n'y avait visiblement rien à brouter sur le sol nu du bateau, Giacomo a sauté sur mon dos du haut d'un container. Le chat était hilare.

— Qu'est-ce qué yé t'avais dit ? Vous êtes toujours vivantes !

Au lieu de me réjouir avec lui, j'ai aussitôt demandé :

— Pourquoi les humains ne disent-ils pas que le bateau va en Inde ?

Giacomo a rampé jusqu'à ma tête avant de répondre :

— Tou vas rire !

— Je n'en suis pas si sûre.

— Ma qué sì. Il s'agit d'ouné pétite confousione. Lé bateau il né va pas en Inde ! C'est seulement loui qu'il s'appelle *India* !

Je n'arrivais pas à le croire. Nous étions partis sur cette mer sans fin… vers une autre destination ???

— Tou né ris pas, a constaté le chat.

— Bien observé, ai-je répondu d'un ton aigre.

— Tou veux qué yé té raconte ouné blague ?

— Tu veux que je t'en colle une ?

— Ma yé connais ouné blague souper, a persisté Giacomo en sautant à terre. Oune lapine il va chez l'opticien et loui démande : « As-tou des carottes ? » « Sì », qu'il répond l'opticien, et lé lapine : « Il m'a fichou en l'air ma blague[1]. »

Je me suis contentée de le regarder fixement.

— Mainténant, c'est toi qui mé régardes d'oune air dé dire : Tou veux oune calotte ?

— De nouveau bien observé.

— Et tou né ris toujours pas.

— Tu peux y remédier en te jetant à la mer.

— Si tou y tiens, a répondu le chat avec son plus charmant sourire. Oune bonne comique est prêt à tout pour faire rire.

— Alors, sois un bon comique !

Giacomo avait beau me faire du charme, je ne décolérais pas. Pour jouer, il a sauté sur le muret dont j'ai appris plus tard pendant le voyage qu'on l'appelait « bastingage ». Il ne voulait pas sauter, bien sûr, mais il s'efforçait de calmer ma fureur en faisant des pitreries sur l'étroit rebord.

— Si tou veux vraiment, yé saute ! a-t-il affirmé.

— Je le veux !

Cette fois, il a arrêté les bêtises. Il a sauté à terre et déclaré avec un soupir :

_____

1. Il existe en allemand de nombreuses variantes de la blague du lapin qui entre dans un magasin. Dans celle-ci, l'opticien (ou le pharmacien) répond : « Non. » Le lapin revient plusieurs jours de suite poser la même question, jusqu'à ce que l'opticien, excédé, affiche sur sa porte : « Nous n'avons plus de carottes. » Alors, le lapin entre et dit avec colère : « Menteur ! Tu vois bien que tu en avais, des carottes ! »

— Yé souis désolé.

— Ce Mouh York est-il loin ? ai-je demandé sans accepter ses excuses.

— New York, a rectifié Giacomo.

— Réponds à ma question !

Après une petite hésitation, le chat s'est mis à rire.

— Non, non… cé n'est pas loin du tout… c'est praticamenté à côté.

J'aurais peut-être pu le croire s'il avait moins tardé à répondre. Remarquant mon scepticisme, il m'a regardée d'un air candide.

— Pourraient-ils ces yeux mentire ?

— Ces yeux, je ne sais pas, mais cette bouche, sûrement.

Giacomo a regagné le dessus du container pour s'y allonger au soleil.

— Né t'inquiète pas, Lolle. Fais commé moi, profite qué il fait beau… et bientôt, tou récommencéras à rire.

De toute évidence, je ne tirerais de lui aucune réponse claire pour le moment, même en insistant. Qui sait, il avait peut-être raison et je rirais peut-être un jour de sa méprise. Peut-être. Mais plus probablement pas.

Une chose était sûre, j'allais encore être obligée de cacher aux autres que le voyage ne se déroulait pas comme prévu. Et le premier à qui j'allais pouvoir le cacher, c'était Champion, qui s'approchait de moi à l'instant.

— J'ai réfléchi… a-t-il déclaré.

— Tu m'étonnes, ai-je rétorqué un tantinet trop agressivement.

Mon insolence était-elle si surprenante, après la façon dont il avait réagi à ma grossesse ?

— Quand nous serons parents, je dirai à notre veau que je suis son père.

Cela me paraissait la moindre des choses. Mais Champion me l'annonçait comme si c'était extraordinaire de sa part. Et, réaction typiquement mâle, comme s'il s'attendait à être félicité pour cela.

— As-tu entendu ce que j'ai dit ? m'a-t-il demandé après un moment de silence.

— Je suis enceinte, pas sourde.

Sur quoi nous nous sommes tus encore un petit moment, jusqu'à ce qu'il déclare :

— Je remarque que tu me regardes d'un air un peu fâché.

Je l'ai regardé d'un air encore plus fâché.

— Que suis-je censé te dire d'autre ? s'est-il inquiété.

J'avais un tas d'idées sur ce qu'il aurait pu me dire. Par exemple : Je t'aime, nous serons une famille heureuse. Nous mettrons au monde encore quelques veaux, et, plus tard, nous serons même grands-parents. De bien meilleurs grands-parents que les tiens, Lolle, qui t'avaient surnommée « Bouge-toi de là ».

Mais, comme rien de tel ne sortait de la bouche de Champion, je lui ai simplement répondu avec tristesse :

— Tu as tout dit.

33

Peu après, les humains nous ont apporté des carottes, du maïs et de la salade, tandis que le maigre au visage poilu nous disait :

— Allez-y, de toute façon, nous ne mangeons pas de légumes.

— Déjà, enfant, je trouvais ça con d'avoir du vert dans la bouffe, a renchéri le gros.

J'ai préféré ne pas imaginer ce que – ou plutôt qui – ils mangeaient à la place, et me concentrer sur l'aspect positif : au moins, la question de savoir de quoi mon troupeau allait se nourrir pendant le voyage était réglée.

Tandis que les autres grignotaient tranquillement, je n'avais déjà plus le cœur à manger après quelques carottes. Dans mon état, j'aurais pourtant dû avoir faim pour deux, mais, au lieu de cela, j'étais déprimée pour dix. Je me suis approchée du bastingage et j'ai regardé la mer. Des poissons bien plus grands que ceux de notre ruisseau à la ferme nageaient juste sous la surface, grouillant en bandes sans cesse renouvelées. Ils paraissaient aussi libres et insouciants que j'aurais aimé l'être. Ah, pourquoi étais-je née vache ?

J'aurais sans doute contemplé ces troupeaux de poissons jusqu'à la nuit tombée si Champion, en se levant, n'avait pas produit une flatulence impressionnante qui a envahi l'air marin. Le gros visage poilu, qui passait par là, s'est bouché le nez et a déclaré :

— Avec ça, l'Iran pourrait faire une arme biologique !

— Fabricant d'armes biologiques, ça aussi, c'est un métier à la con, a dit le maigre.

— Le stress total. J'aurais tout le temps la trouille de déchirer ma combinaison de protection.

Champion venait maintenant vers moi, et j'espérais vivement que ce n'était pas pour me parler avec fierté de son pet géant – car les taureaux adorent se vanter de ce genre de chose. Ils sont capables d'en faire un sujet de conversation pour la journée. Ça et leur puissance virile. Et savoir qui pisse le plus loin. Et surtout, sans s'atteindre lui-même. Les mâles possèdent une réelle faculté de faire des fonctions corporelles les plus tragiquement ordinaires un sujet de concours. Ce qu'ils ne possèdent pas, en revanche, c'est la faculté de comprendre pourquoi nous, femelles, sommes si peu impressionnées.

— J'ai quand même encore quelque chose à dire, a commencé Champion.

— Malheur à toi si c'est à propos de tes flatulences ! l'ai-je coupé.

— Tu me prends pour qui ? s'est-il indigné.

— Tu n'aimerais pas que je te réponde.

— Je le crains aussi, a-t-il soupiré.

Nous sommes restés tous deux à contempler la mer, que le soleil couchant teintait maintenant d'orange pourpre. J'en ai conclu que la mer n'avait pas de couleur à elle, mais qu'elle formait un tout avec le ciel.

Était-il possible qu'ils se confondent à l'horizon ? Une fois arrivé à l'extrémité de la mer, pouvait-on monter dans le ciel ?

Au bout d'un moment, Champion a repris la parole :

— Il reste vraiment quelque chose à dire.

Ma curiosité a été éveillée malgré tout, car je lui avais rarement vu la mine aussi grave. Allait-il me parler de notre veau ? Et si oui, pour dire quoi ? Il ne donnait pas l'impression de vouloir subitement se mettre à me lécher avec passion dans sa joie d'être père. Mais, comme j'espérais toujours, j'ai demandé :

— Oui, quoi ?

— Nous n'avons pas encore pensé à la mort de notre troupeau.

Là, il me surprenait. Et pas que moi, car les autres ont soudain levé la tête, attentives. Mes estomacs et ma panse se serraient à l'idée que, dans l'agitation et la panique, nous n'avions pas pris congé correctement de nos morts. Et, au moment où, pour la première fois, nous étions enfin tranquilles et en sûreté, que faisions-nous ? Nous bâfrions, nous faisions la sieste sans penser une seconde aux vaches défuntes. Il avait fallu que ce soit Champion qui nous le rappelle !

— Je voudrais dire quelques mots, a-t-il déclaré.

Les autres sont venues nous rejoindre, et, toutes ensemble, nous avons prêté l'oreille. C'était la première fois que notre petite troupe de fugitives écoutait de bonne grâce un taureau. Après avoir toussoté, il a commencé son discours :

— Il est vrai que je ne me souviens plus de mon troupeau, donc pas davantage des défunts. Je peux certes imaginer à quoi ressemblait Oncle Prout, et qu'il existait des compagnes plus gaies que Tristessa, Suicida et Accidentdechmindfère, mais je ne peux pas le savoir avec certitude. Je ne me souviens pas non plus – et ça, c'est très dur pour moi – de mes parents, mais ils devaient être vraiment merveilleux, pour avoir donné naissance à un fils tel que moi.

En temps normal, ç'aurait été le moment pour Hilde de placer un bon mot sur sa vanité, du genre : « Pour la modestie, le taureau ne craint personne ». Mais il s'agissait de nos morts, l'heure n'était pas aux commentaires impertinents.

D'une voix entrecoupée, Champion a poursuivi :

— Maintenant, mes parents ne connaîtront jamais leur petit-fils ou leur petite-fille.

Ma gorge s'est nouée. Nos parents n'avaient certes pas été parfaits, mais c'était triste qu'ils ne connaissent jamais notre enfant, qu'ils soient déjà morts depuis longtemps, comme les miens, ou qu'ils viennent seulement d'être abattus, comme ceux de Champion. C'était surtout terrible pour le petit lui-même, qui devrait grandir sans ses grands-parents. Tout ça parce que les humains nous mangeaient. Pourquoi ne pouvaient-ils pas être eux aussi des ruminants, des bêtes normales ?

Champion a levé les yeux vers le ciel, comme si les défunts pouvaient l'entendre de là-haut.

— Chers amis de notre ancien troupeau qui êtes morts, je ne peux pas me souvenir de vous, quelque désir que j'en aie, mais je peux vous le promettre du fond du cœur : nous ne vous oublierons jamais !

À présent, je luttais contre les larmes, Susi également, et celles de P'tit Radis coulaient déjà. Même Hilde avait la gorge nouée. D'une voix rauque, elle a déclaré à Champion :

— Finalement, tu n'es peut-être pas si crétin.

— Je ne comprends d'ailleurs pas pourquoi vous dites toujours ça, a-t-il répondu sans la moindre ironie.

Car c'était la pure vérité, il ne comprenait pas.

— Je suis pourtant un type remarquable.

Cette fois, nous n'avons pu nous empêcher de rire, Susi, Hilde et moi – moi avec les larmes aux yeux. C'était une sensation bizarre, pleurer et rire en même temps. Rien n'est plus déstabilisant. On se sent à la fois vivant et fragile.

— Qu'est-ce qu'il y a, qu'est-ce qu'il y a ? s'est étonné Champion.

— Tu es bien un crétin, a répondu Hilde en le poussant amicalement du museau. Mais quand même pas un mauvais bougre.

Devant l'air déconcerté de Champion, nous avons tellement ri que nous ne pouvions même plus pleurer, sauf P'tit Radis. Nous l'avons entouré toutes les quatre pour frotter nos museaux contre le sien, et il s'est mis à en faire autant avec nous, dans un rare moment d'empathie virile.

Du coin de l'œil, j'ai aperçu le vieux cap'tain qui, en nous regardant, se demandait : Pourquoi ne suis-je pas une vache ?

C'était dingue. Cet humain voulait être une vache, moi, je voulais être un poisson. Le comble aurait été que les poissons veuillent devenir des humains. Mais non, c'était trop absurde. Aucun animal ne pouvait être assez bête pour souhaiter cela.

— Nous avons une vie formidable, et nous n'en sommes pas assez reconnaissantes, a sangloté P'tit Radis.

— Pour ce qui est d'avoir une vie formidable, je trouve que c'est une question de point de vue, a dit Susi sans interrompre les cajoleries.

— Et il faut vraiment avoir un point de vue bizarre pour trouver génial d'être ici, a approuvé Hilde.

J'allais m'associer à ces plaintes quand P'tit Radis a sangloté :

— Oh, si, pour nous, c'est formidable ! Nous sommes en vie !

À ces mots, nous nous sommes toutes remises à pleurer, parce qu'elle avait tellement raison ! Même Champion en a eu les larmes aux yeux.

Au milieu des caresses et des sanglots, j'ai entendu le cap'tain marmonner :

— J'ai l'impression que les vaches aussi ont besoin d'antidépresseurs.

Tout à coup, P'tit Radis a cessé de pleurer. Après avoir reniflé, elle a déclaré d'un ton ferme :

— Nous avons de la chance, et nous devons en profiter.

Nous étions si surpris que nous avons nous aussi essuyé nos larmes.

C'était donc cela, le bonheur.

Être vivant.

C'était aussi simple que ça.

34

Le soleil a fini par plonger dans la mer. Moi qui m'étais toujours demandé où il passait la nuit, je le savais maintenant : il se couchait sous la surface de l'eau pour se reposer. Il devait s'enfoncer très, très profondément, puisqu'on ne voyait plus du tout sa lumière. La lune et les étoiles se reflétaient sur l'eau noire. Après tant de dures journées, contempler ce spectacle, écouter le clapotis des vagues contre la coque du bateau, sentir le léger balancement du pont sous mes sabots, la douce brise sur ma toison, l'air frais dans mes narines, me procurait un sentiment de paix. J'éprouvais un tel soulagement d'être sortie vivante de toutes ces aventures ! Et une profonde gratitude. Si ces sentiments étaient le bonheur, alors, j'étais vraiment heureuse.

Dommage que cela n'ait pas duré plus longtemps.

En moi, une petite partie ingrate a commencé à s'agiter, à protester que la vie devait tout de même être autre chose que la simple survie. Je me suis efforcée de faire taire ce côté sceptique, mais plus j'essayais, plus il élevait la voix. Il trouvait que ce que j'éprouvais ressemblait justement trop au simple soulagement, et pas assez au bonheur. Ce n'était pas la même chose, sans quoi le soulagement s'appellerait bonheur, et pas soulagement. Et il n'y aurait pas d'autre mot pour dire « soulagement », puisque ce mot serait alors superflu. J'ai répliqué au sceptique que sa position manquait de gratitude envers la vie. À quoi il a répondu que tout ça, c'était du blabla. Je lui ai fait observer que ce n'était pas une façon de discuter, il a rétorqué que mes arguments ne devaient pas être très impressionnants, puisque je n'avais toujours formulé aucune objection à son objection, et il soupçonnait fort que c'était parce que je n'avais rien trouvé. J'ai répondu qu'il existait certainement des arguments pour démontrer que ce que je ressentais était bien le vrai bonheur, et que je pourrais les lui fournir, s'il y tenait absolument. Il y tenait. J'ai hésité, parce que je n'en trouvais pas un seul, et le sceptique s'est mis à rire : c'était exactement ce à quoi il s'attendait. Je lui ai suggéré de bien vouloir s'occuper de ses affaires, il a répondu que ce dont nous parlions faisait justement partie de ses affaires. Je lui ai dit qu'il aille quand même se faire voir, merde, mais le sceptique a émis des doutes sur le fait que ce soit possible, puisque, en réalité, il était une partie de moi. Comprenant cela, j'ai cessé de me quereller avec moi-même et me suis posé directement la question : pourquoi n'avais-je pas le sentiment que ce bonheur était du bonheur ?

Parce qu'il n'en était pas vraiment ?

Ou parce que j'étais une pauvre conne, peut-être totalement incapable d'être heureuse ? Comme ces stupides humains ?

35

Entre-temps, mes camarades vaches, qui ne trouvaient pas le sommeil, s'étaient mises à papoter à tort et à travers, et elles commençaient à parler de sujets très personnels. Je les entendais de là où j'étais.

— Je suis encore vierge, a avoué P'tit Radis au milieu du bavardage.

Hilde s'est mise à rire.

— Ne t'en fais pas pour ça, petite. Moi aussi.

Ces deux confessions ne m'étonnaient pas, même si, pour Hilde, je n'en avais jamais été tout à fait sûre, car elle savait très bien cacher ses sentiments et ses secrets sous sa rude écorce.

— Et moi, j'aimerais bien l'être encore, a soupiré Susi.

Là, j'ai été nettement plus surprise. C'était tout de même elle qui se jetait à la tête des taureaux !

Sans se soucier de ses soupirs, Hilde a repris d'une voix ferme :

— En tout cas, je n'ai pas envie de mourir vierge !

Champion s'est raclé la gorge, puis a déclaré en arborant son plus charmant sourire :

— Si je peux te rendre ce service, je suis à ta disposition.

— Si je n'ai vraiment plus aucune solution, j'y penserai, a répondu Hilde en souriant.

— C'est vrai ? a demandé P'tit Radis, aussi étonnée que moi.

— C'est vrai ??? a demandé Champion, encore plus étonné que moi.

— Pas tout à fait, a répliqué Hilde d'un air amusé.

— Pas tout à fait, ça ne veut pas dire non ? a insisté Champion avec un sourire plein d'espoir.

— Ça veut dire que tu es un cas désespéré, a ricané Hilde.

Soupirant tristement, Champion a murmuré :

— C'est vrai, je suis un cas désespéré. Je ne me souviens plus de rien, je ne sers plus à rien. Si seulement je retrouvais la mémoire !

J'avais de nouveau pitié de lui, même si je souffrais toujours qu'il semble aussi peu se réjouir que nous ayons un veau ensemble.

— Moi, je perdrais bien une partie de ma mémoire, a encore soupiré Susi. Surtout quand je pense que j'ai même fait ça une fois avec Oncle Prout…

— Merci bien ! a gémi Hilde. Maintenant, je n'arriverai plus à me sortir cette image de la tête !

Susi paraissait vraiment très déprimée.

— Il y a tout de même eu des moments où j'aurais dû avoir une meilleure opinion de moi-même.

Champion s'est approché d'elle et lui a demandé avec précaution :

— Et moi… est-ce que j'ai déjà fait quelque chose avec toi ?

— Tu parles ! a-t-elle riposté. Au moins vingt fois !

— VINGT FOIS ??? ai-je mugi depuis le bastingage.

Moi qui avais toujours cru que c'était arrivé une seule fois, deux au plus ! Champion m'avait donc trompée longtemps, et souvent. J'aurais encore pu lui pardonner un faux pas, mais là... c'était de la tromperie préméditée, et répétée !

Champion m'a jeté un regard à la dérobée. Constatant que je tremblais de rage, il a dit aux autres d'une toute petite voix :

— Je commence à comprendre pourquoi Lolle est si fâchée contre moi.

— CE N'EST RIEN DE LE DIRE !

Il a hésité un moment, puis a proposé :

— Si nous changions de sujet ? Qu'est-ce que vous en pensez ?

— SUPER IDÉE ! ai-je lancé.

Après un petit silence, Hilde a déclaré :

— S'il n'y a pas de vaches à taches brunes en Inde, je continuerai toute seule jusqu'à ce que j'en trouve.

Elle avait un air si déterminé qu'elle m'a fait peur. Elle était prête à nous laisser tous tomber pour réaliser le rêve de sa vie. Quelles que soient les chances qu'il existe d'autres vaches à taches brunes sur cette terre.

— En Inde ou ailleurs, je ne permettrai plus jamais à un taureau de m'approcher, a murmuré Susi.

— Je croyais que tu voulais en avoir plein et leur briser le cœur ? s'est étonnée P'tit Radis.

— Oui, mais pour ça, il faudrait d'abord que je les laisse s'approcher de moi, a répondu Susi.

À la façon dont elle disait cela, on sentait qu'elle n'en avait plus la force. Les taureaux s'étaient servis de cette vache, il lui faudrait du temps pour pouvoir à nouveau ouvrir son cœur à l'un d'eux. Si elle y parvenait un jour. P'tit Radis l'a poussée amicalement du museau.

— Et si tu essayais avec une vache, pour changer un peu ? a-t-elle plaisanté.

Elle ne parlait pas sérieusement, bien sûr, mais elle avait dit cela avec une gentillesse si désarmante que même Susi n'a pu s'empêcher de sourire, oubliant son dégoût des vaches qui aimaient les vaches.

— Ça ne peut pas être pire qu'avec un taureau, a-t-elle répondu.

— Deux vaches qui veulent faire ça ensemble ?!? s'est écrié Champion, stupéfait.

Son cerveau avait du mal à le concevoir, en tout cas pas sans que sa langue se mette à pendre avec concupiscence et qu'il ajoute :

— Je ne sais pas pourquoi, ça me fait…

— NE LE DIS PAS ! avons-nous meuglé toutes les quatre à l'unisson.

Champion s'est empressé de rentrer sa langue.

— Nous ferions mieux de dormir, a dit Hilde.

Personne n'y a vu d'objection, car nous étions morts de fatigue après cette journée à bord. Pour la première fois, nous avons donc écouté tous ensemble une suggestion de Hilde et nous nous sommes couchés – moi un peu à l'écart des autres –, chacun perdu dans ses pensées. Y compris Champion. Au moment de fermer les yeux, je l'ai entendu murmurer :

— Deux vaches ensemble…

Sur quoi tout le troupeau s'est écrié en chœur :

— LA FERME, CHAMPION !

36

Le voyage s'est poursuivi pendant plusieurs jours sans aucun incident, et c'était bien ainsi. Nous, les vaches, nous étions vraiment faites pour mener une vie monotone. Par moments, j'aurais même voulu continuer à naviguer indéfiniment de cette façon. L'Inde pouvait-elle être plus paisible que ce balancement perpétuel sur une mer sans fin ? Nous parviendrions peut-être à convaincre les hommes de nous garder ici. Ils étaient toujours gentils avec nous et appréciaient visiblement notre présence. J'avais l'impression que nous donnions un sens nouveau à leur vie. Un jour où P'tit Radis le léchait pour le remercier de lui donner des carottes, le gros visage poilu a constaté :

— Gardien d'animaux, ce doit être un beau métier.

— Beaucoup plus gratifiant que de transporter des peluches, des fers à repasser et des bazookas d'un bord à l'autre de l'océan, a approuvé le maigre.

— En risquant de tomber sur des pirates somaliens.

— Ah oui, ça, c'est pas marrant.

— Ça doit arriver beaucoup moins souvent quand on soigne des animaux.

— À part si on est somalien, peut-être.

— On devrait se recycler.

— Oui, on devrait. Gardien d'animaux, c'est le premier métier auquel je ne trouve rien à redire.

Susi, qui remâchait deux ou trois carottes particulièrement savoureuses, a observé avec un faible sourire .

— Ces humains sont plus sympas que notre fermier.

— Tu es douée pour constater les évidences, s'est moquée Hilde.

— C'est toujours ça, puisque je ne sais même pas quoi faire de ma vie, a répondu tristement Susi.

Plus le voyage se prolongeait, plus nous nous éloignions de notre point de départ, et plus Susi semblait regretter son ancienne vie.

Même Hilde commençait à avoir pitié de cette vache qu'elle méprisait entre toutes. Et elle ne se retrouvait pas dans ce sentiment nouveau.

— Susi ?

— Oui ?

— Je ne sais pas pourquoi, mais je t'aimais mieux quand tu étais simplement conne.

— Très franchement, je ne me suis jamais vraiment aimée moi-même, a répondu Susi.

Elle paraissait si faible, si vulnérable, que Hilde a gardé le silence, ne lui lançant même pas une réplique ironique du genre : « Je comprends tout à fait ça. »

Le soir, quand les visages barbus ronflaient, le cap'tain osait enfin nous rendre visite. Il s'asseyait souvent près de moi et, appuyé contre mon dos, me gratouillait derrière l'oreille, restant des heures sans rien dire, à regarder le ciel étoilé. Une fois, pourtant, tard dans la nuit, il s'est mis à pleurer.

— Je n'aurais jamais dû partir en mer. Je serais resté auprès de ma fille. Toujours. Elle a si peu vécu, vingt-deux ans seulement, et la plupart du temps je n'étais pas là…

Il a pleuré, pleuré, pleuré dans ma toison. Cela ne m'ennuyait pas de le laisser s'épancher, parce que je comprenais désormais qu'on ne pouvait pas facilement faire durer le bonheur, mais que le malheur, lui, ne se gênait pas pour rester indéfiniment. Si l'amour était un vrai dégueulaffe, le malheur était un superdégueulaffe !

Après avoir pleuré, le vieil homme s'est senti mieux, et, curieusement, moi aussi. Pour être content soi-même, il semblait donc qu'il soit toujours bon d'avoir quelqu'un qui aille plus mal que soi – à quoi Naïa avait-elle bien pu penser en donnant aux vaches ce genre de sensibilité ? Voulait-elle nous enseigner l'humilité et la reconnaissance ? Nous donner la force d'aider les autres ? Ou alors, ne pensait-elle à rien, comme lorsqu'elle avait inventé ce stupide malheur ? Soit Naïa était une vache très, très sage dont la sagesse ne se dévoilait pas d'un coup, soit elle était complètement tapée.

En tout cas, je me sentais moins mal qu'au cours de nos premières heures à bord. Aussi parce que le veau grandissait en moi. Je commençais même à avoir un petit ventre. Je me surprenais maintenant à sourire quand il me tiraillait un peu. J'imaginais alors que le petit voulait me dire quelque chose, et je lui répondais. Je me laissais aller jusqu'à prononcer des phrases telles que : « Mon mimi, mon chouchou bichou, je suis sûre que tu seras un adorable choupignonnet. »

Cela a fait ricaner Hilde :

— Si tu continues à lui parler comme ça, ton choupignonnet va avoir des difficultés de langage.

À partir de ce moment, j'ai décidé de ne plus parler au petit qu'en pensée, afin que les autres ne m'entendent pas. À propos des autres, d'ailleurs, et tandis que nous nous reposions tranquillement sur le pont, je me sentais remplie de fierté d'avoir conduit si loin mon petit troupeau, sans qu'aucune d'entre nous ne soit seulement blessée. Finalement, je n'étais pas une si mauvaise meneuse, même si Hilde avait essayé de me persuader du contraire.

Les jours passant, ma bonne humeur revenait et je reprenais peu à peu espoir. Peut-être finirais-je par trouver le bonheur malgré tout ?

C'est alors que P'tit Radis s'est approchée de moi.

Et m'a avoué son amour.

37

J'étais en train de contempler un coucher de soleil particulièrement fantastique, avec des scintillements rouge feu, quand P'tit Radis s'est appuyée contre le bastingage à côté de moi et a commencé à bafouiller :

— Lolle… tu sais déjà que j'aime les vaches.

— C'est le genre de chose qu'on peut difficilement oublier, lui ai-je répondu en souriant.

— Oui, mais il y a autre chose que je n'ai encore dit à personne…

— Qu'est-ce que c'est ?

Avant même d'avoir fini de poser la question, je savais que j'allais la regretter.

— Je… j'aime une vache de notre troupeau.

— Oh, merde ! n'ai-je pu m'empêcher de m'écrier.

P'tit Radis m'a regardée d'un air si effrayé que je me suis empressée de mentir :

— Je voulais dire… oh, merde, je crois que le petit vient de me donner son premier coup de pied !

L'avantage d'avoir une amie aussi naïve que P'tit Radis, c'était qu'on pouvait assez facilement lui mentir, parce qu'elle croyait tout ce qu'on lui disait. L'inconvénient, c'était qu'on se sentait toujours plus ou moins nul de faire ça, parce qu'elle-même était beaucoup trop gentille pour mentir.

— Ce doit être formidable de pouvoir sentir cela dans ton corps, m'a-t-elle répondu. D'avoir un petit veau.

Comme je me forçais à sourire, elle a poursuivi :

— Tu sais, je me suis toujours cachée, je n'ai même pas commencé à essayer de montrer ce que je ressentais à celle que j'aimais, parce que je ne voulais pas perdre son amitié. Mais maintenant, après tout ce que nous avons vécu ensemble, et puisque nous serons bientôt en Inde, un bel endroit où on vénère les vaches et où, sûrement, personne ne trouve mal que deux vaches s'aiment, je me demande si je ne devrais pas avouer mon amour à cette vache…

— Aïe, la supermerde ! n'ai-je pu me retenir de m'écrier à nouveau.

— Encore un coup de pied ? a demandé la naïve P'tit Radis.

Je n'ai même pas eu le courage de hocher la tête, tant j'étais retournée. P'tit Radis voulait m'avouer son amour ! Si elle faisait ça, je serais obligée de lui expliquer que je ne répondais pas à ses sentiments. Et là, là, je lui ferais du mal ! Je ne voulais pas. Je l'aimais trop pour cela, même si c'était seulement comme amie et pas comme elle l'aurait souhaité. J'ai tenté une manœuvre prudente :

— Si… l'autre vache répondait à tes sentiments… tu t'en serais sans doute aperçue ?

— Oui, mais peut-être a-t-elle simplement caché son amour, comme moi, par peur ? a-t-elle suggéré d'un air plein d'espoir.

De son point de vue, cela paraissait logique. Elle espérait réellement que nous puissions former un couple. Elle était donc encore plus naïve que je l'avais cru, et ce n'était pas peu dire. D'un autre côté, j'étais bien placée pour savoir que là où il y avait de l'amour, il y avait de l'espoir. Même un espoir stupide. Car là où il y a de l'amour, il y a aussi de la bêtise…

J'ai encore essayé de la dissuader de m'avouer ses sentiments :

— Mais si cette vache n'est pas amoureuse de toi ?

— Au moins, j'aurai été honnête.

— Oh, tu sais, l'honnêteté est très surestimée.

— Comment ça ?

— Il y a d'autres qualités bien plus importantes…

— Lesquelles ?

— Euh… la tolérance, par exemple.

— Je trouve ça tout aussi important, mais pas plus.

— La propreté.

— Je la trouve sans importance, en comparaison.

— La ponctualité !

Je commençais à être à court d'idées.

— La ponctualité ? a répété P'tit Radis, incrédule.

— Oh, oui !

— Tu trouves la ponctualité plus importante que l'honnêteté ?

Avec ses yeux écarquillés de P'tit Radis, elle me regardait comme si j'étais un peu fêlée entre les cornes.

— Imagine donc que tu ne sois pas ponctuelle, qu'arriverait-il alors, hein ? Hein ?

— Je serais en retard ?

— VOILÀ ! ai-je approuvé avec une emphase peut-être légèrement exagérée.

P'tit Radis n'était pas du tout convaincue.

Désespérée, je me suis tournée vers la mer, sur laquelle scintillait un soleil rouge. Non, je ne voulais pas briser le cœur de ma meilleure amie ! Mieux valait ne rien dire, ne pas risquer de détruire notre amitié pour cette stupide vérité, vraiment beaucoup trop surestimée.

— Alors, qu'en penses-tu ? m'a demandé P'tit Radis avec précaution. Dois-je avouer mon amour à cette autre vache ?

Que fallait-il répondre à cela, à part : Non, non, non, surtout pas ! Parlons plutôt des avantages de la ponctualité. Ou alors, précipitons-nous tête baissée contre le bastingage jusqu'à ce que nous ayons oublié de quoi tu voulais parler !

Comme je ne souhaitais en aucun cas peiner ma chère P'tit Radis, j'ai gardé le silence. Que faire maintenant ? Prétendre que des contractions douloureuses m'obligeaient à me coucher et m'empêchaient de parler ? Cela aurait tout au plus repoussé la conversation au lendemain ou au surlendemain. Je pouvais seulement différer l'inévitable, pas l'éviter. Je devais donc dire à mon amie que je ne l'aimais pas. Et prier Naïa pour que notre amitié y survive.

— P'tit Radis ?

— Oui ?

— Je dois te dire la vérité.

— Je ne suis pas assez ponctuelle pour toi ?

— Non, autre chose.

— Quoi donc ?

Après une hésitation, j'ai rassemblé tout mon courage pour déclarer d'une voix brisée :

— Je ne suis pas amoureuse de toi.

Elle m'a regardée d'un air hébété, et son expression s'est figée pendant un long moment. Que se passerait-il quand elle se défigerait ? P'tit Radis allait-elle se mettre à pleurer ? C'était certain. S'effondrer complètement ? Probable. Reviendrait-elle vers moi un jour ? Sûrement pas. Oh, si seulement je n'avais rien dit !

Le visage de P'tit Radis reprenait vie. D'un instant à l'autre, elle allait fondre en larmes, et mon pauvre cœur ne le supporterait pas.

— Je t'en prie, P'tit Radis, ne pleure pas… l'ai-je suppliée.

Mais P'tit Radis ne pleurait absolument pas. Non, elle riait. Riait. Riait ! Tout son corps était agité de tressautements. Par Naïa, elle était en train de devenir folle !

— Tu… tu… a-t-elle fini par haleter entre deux convulsions.

— Oui ? ai-je fait, préoccupée par son état mental.

Elle s'est un peu calmée.

— Tu .. tu as vraiment cru que j'étais amoureuse de toi ?

Elle a été prise d'une nouvelle crise de fou rire, au point qu'elle se roulait par terre.

— Ben, oui, ai-je confessé d'une toute petite voix.

De honte, j'avais envie de sauter dans la mer. Enfin, P'tit Radis a pu s'arrêter de rire. Elle s'est relevée et m'a dit :

— Je suis désolée, mais tu n'es vraiment pas mon genre.

— Et pourquoi pas ? n'ai-je pu m'empêcher de rétorquer, un peu vexée tout de même.

— Eh bien, tu es un peu trop ronde.

— Je te remercie.

— Et puis, tu n'as pas de belles jambes, a-t-elle poursuivi avec un petit sourire.

— Oublie ma question.

— Et, quand tu nous regardes d'un air énervé, tu as tendance à loucher, ce qui te donne l'air un peu idiot.

— J'ai dit : Oublie ma question !

— Et puis, ça t'arrive parfois de sentir un peu fort de la gueule…

— P'TIT RADIS !

— Bon, bon…

Elle s'est tue, tout en continuant à pouffer discrètement pour elle-même. Pendant ce temps, je regardais la mer, d'abord agacée, puis pensive. À la fin, je me suis retournée vers P'tit Radis et lui ai posé la seule question qui s'imposait dans ces circonstances :

— Qui aimes-tu, alors ?

Elle a répondu tout bas, mais distinctement :

— Hilde.

Au moins, elle n'avait pas dit : Susi.

— Crois-tu qu'elle m'aime aussi ? a demandé P'tit Radis, à présent tout à fait sérieuse.

Franchement, je n'en avais aucune idée. Je n'avais vu aucun signe qui puisse l'indiquer. Mais je n'avais rien vu non plus en ce qui concernait l'amour de P'tit Radis pour Hilde. En amour, de toute évidence, on pouvait cacher énormément de choses.

En tant que meneuse, je devais maintenant réfléchir à la question de savoir quelles seraient les conséquences pour notre troupeau et pour notre voyage de New York à l'Inde si Hilde répondait à P'tit Radis : « Pas moi, hélas. » Ou même si elle répondait : « Moi aussi », d'ailleurs.

Que devais-je conseiller à P'tit Radis ? D'avouer ses sentiments à Hilde ? De se taire ? J'ai réfléchi tant et plus à cette question. Jusqu'à ce qu'un caca de mouette me tombe sur la tête.

J'ai regardé en l'air, et j'en ai aussitôt reçu un autre sur la figure. Une vache ne peut pas s'essuyer la figure.

Avec les sabots, impossible, on tombe. Avec la queue, on n'arrive pas jusque-là. Et avec la langue… berk !

— D'où viennent toutes ces mouettes ? m'a demandé P'tit Radis tout en me nettoyant gentiment le museau avec sa queue.

Des quantités de ces bestioles tournoyaient maintenant au-dessus de nous. C'étaient les premiers oiseaux que nous voyions depuis longtemps.

Giacomo est venu jusqu'à nous en sautillant sur le bastingage et nous a expliqué :

— Nous approchons dé la terre ferme, c'est la raison qué les mouettes elles sont là. Dans quelques heures, nous sérons à New York.

— Qu'est-ce que c'est, « Nouillorque » ? a demandé P'tit Radis.

Giacomo m'a jeté un regard étonné :

— Tou né leur as pas dit ?

— Tu ne nous as pas dit quoi ? s'est inquiétée P'tit Radis en m'examinant d'un air soupçonneux, la tête penchée sur le côté.

— Tu vas rire… ai-je fait d'une toute petite voix.

38

P'tit Radis n'a pas ri.

Hilde encore moins.

Susi, oui, mais sur le mode hystérique, hélas.

Quant à Champion, il avait l'air totalement dépassé.

Giacomo était le seul à me sourire.

— Tou aurais doû leur dire.

— Et j'aurais dû te flanquer à l'eau, ai-je sifflé entre mes dents.

— Et ce New York, il est loin de l'Inde ? a ronchonné Hilde.

Bien que je n'y croie pas moi-même, j'ai répondu ce que le chat m'avait déjà dit :

— Oh non, pas très loin…

— Tu es vraiment sûre ? a demandé Hilde avec méfiance.

Les autres aussi me regardaient comme si elles ne me croyaient pas du tout. J'ai appelé Giacomo à la rescousse :

— C'est vrai, non ?

— Loin, qu'est-ce qué ça veut dire ? a-t-il répondu en souriant. Lé soleil il est loin, en comparaison, tout lé reste il est près…

Hilde s'est avancée vers lui, les yeux étrécis par la colère.

— Je connais quelque chose que je vais t'arracher pour l'envoyer très loin, si tu ne nous donnes pas tout de suite une réponse claire ! a-t-elle sifflé.

— Signorina, yé né crois pas qué vous avez la faculté motrice pour faire ça avec vos sabots...

Les yeux de Hilde se sont encore rétrécis.

— ... ma yé crois qué yé préfère quand même vous donner ouné réponse claire.

— C'est un bon choix, a approuvé Hilde sans que ses yeux flamboyants cessent de menacer.

De la patte, Giacomo a dessiné une croix dans la poussière du pont :

— Ici est Cuxhave...

$$\times$$

Puis il a ajouté une petite étoile :

$$\times \qquad\qquad\qquad *$$

— Ici est l'Inde... et ici... New York, a-t-il conclu en dessinant un rond.

$$\times \qquad\qquad\quad \bigcirc\ *$$

Même P'tit Radis ne l'a pas cru.

— Tu te fous de nous, a grondé Hilde.

Un peu intimidé, Giacomo s'est corrigé en hâte :

— Bon, c'est peut-être oune peu plous par ici.

$$\times \qquad\quad \bigcirc \qquad\quad *$$

— Sérieusement, maintenant ! a exigé Hilde.

Giacomo a effacé le rond censé représenter New York et, cette fois, l'a dessiné à un tout autre endroit.

×

◯

*

Nous sommes tous restés sans voix.

Sauf Champion, qui a demandé :

— Euh… le rond, c'était quoi, déjà ?

Le chat a eu un sourire bizarre.

— En quelqué sorte, nous souivons la route des Indes dé Colombo.

— Je m'en fous de tes colombes ! a éclaté Hilde, très en colère. Combien de temps encore va durer ce voyage ?

— Signorina, yé né peux pas répondre aussi facilémente à céla, a tenté d'éluder le chat.

— Oh, que si, tu le peux !

Rapide comme l'éclair, Hilde a attrapé Giacomo par la peau du dos et l'a maintenu fermement, malgré ses miaulements et ses efforts désespérés pour se libérer. Puis elle l'a soulevé au bout de son museau et l'a porté jusqu'au bastingage, afin qu'il voie la mer au-dessous de lui. Si jamais Hilde ouvrait la bouche, il tomberait à l'eau, le bateau s'en irait sans lui et il se noierait à coup sûr, car, si les mouettes tournoyaient déjà autour de nous, aucune terre n'était encore en vue pour le sauver.

— Lé voyage est très long ! a crié le chat, pris de panique.

Je le trouvais courageux de dire la vérité, car il n'était pas tout à fait exclu que Hilde, dans sa colère, ouvre quand même la bouche juste à ce moment-là.

Mais elle a ramené sa tête en arrière du bastingage avant de lâcher Giacomo, qui est tombé sur le pont. Au lieu de continuer à l'engueuler et à lui faire des reproches, elle s'est tournée vers moi :

— Tu le savais, toi, que nous n'allions pas en Inde ?

— Eh bien… ai-je bafouillé.

— Et quand pensais-tu nous le dire, grande guide ? À moins que tu n'aies eu l'intention de nous susurrer : « Regardez comme l'Inde est belle ! » pendant tout le temps que nous passerions dans ce New York ?

La réponse honnête était que j'avais été bien trop lâche pour leur dire. Et que je n'aurais pas été capable de supporter les incertitudes et les angoisses des autres, parce que j'avais bien trop à faire avec mes propres problèmes.

— Je ne voulais pas vous accabler… ai-je répondu à voix basse.

— Que sommes-nous donc ? a repris Hilde d'un ton offensé. Des petits veaux irresponsables ?

Elle a approché son museau du mien de telle façon que j'ai fait un pas en arrière, effrayée. Pendant ce temps, les autres se taisaient, sans prendre parti pour elle. Ni pour moi, hélas.

Hilde a éloigné son museau et s'est mise à marcher de long en large sur le pont, tandis que nous la regardions sans oser moufter. C'était la première fois depuis le début du voyage que tout le monde attendait ce qu'allait dire Hilde, et non la solution que j'allais proposer. Il était bien trop évident que je n'en avais aucune. J'ai tout de même essayé de reprendre le contrôle à la fois de la situation et du troupeau en déclarant aussi bravement que possible :

— Nous y arriverons.

Hilde s'est arrêtée et m'a lancé un regard pénétrant. Très prolongé. Les autres attendaient sa réaction. Quant à moi, totalement déstabilisée, je ne savais pas ce que devait être la mienne. Mon amie – mais était-elle encore mon amie ? – ne m'avait jamais regardée ainsi. Au bout d'un moment, elle a déclaré d'une voix paisible :

— Tu as raison, nous y arriverons.

J'ai poussé un « ouf » de soulagement. Nous n'allions pas nous quereller.

— Mais tu ne seras plus la meneuse, a-t-elle aussitôt ajouté.

— Quoi ? ai-je balbutié.

— Tu es beaucoup trop préoccupée de toi-même, du bébé et de toutes ces choses-là.

J'aurais bien voulu la contredire, mais je ne pouvais pas. Même s'il était parfaitement injuste qu'une future maman soit perçue ainsi.

— Je prends la tête du troupeau, a annoncé sobrement Hilde.

Cette fois, non seulement j'ai voulu la contredire, mais je l'ai fait :

— Je ne suis pas de cet avis…

J'admets que l'argument n'était guère convaincant.

— Et vous, qu'en pensez-vous ? a demandé Hilde au reste du troupeau.

Les autres nous regardaient fixement, sans savoir de quel côté se mettre. Sauf une.

— Je pense que c'est Hilde qui devrait nous conduire, a répondu tout bas P'tit Radis.

J'aurais bien voulu meugler avec colère qu'elle disait cela uniquement parce qu'elle avait des sentiments pour Hilde, mais j'ai lu dans ses yeux suppliants : Sois gentille, ne le meugle pas publiquement ! Je me suis tue.

C'est Susi qui a ouvert la bouche ensuite :

— Je ne vous supporte ni l'une ni l'autre, mais je suis une faible vache et vous êtes plus fortes que moi, toutes les deux. Et Hilde est plus forte que Lolle.

Décidément, la pauvre Susi perdait de jour en jour un peu plus d'assurance. Et moi, c'était maintenant de minute en minute. Malgré moi, j'ai jeté un regard à Champion, espérant qu'il se rangerait tout de même de mon côté. Il a pris la parole :

— En fait, quelque chose en moi me dit que c'est moi qui devrais mener ce troupeau…

— Alors, ne l'écoute pas ! l'a coupé Hilde avec énergie.

Cela l'a tellement déstabilisé qu'il a effectivement cessé d'entendre ce « quelque chose en lui ». Il n'y avait plus rien à dire, c'était clair : j'avais perdu ma place à la tête du troupeau. Et, chose bien plus grave, j'avais perdu mon amie Hilde.

39

Après tout, si Hilde tenait absolument à tout régenter, quel besoin avais-je de me charger d'une telle responsabilité ? ai-je pensé, blottie dans mon coin. Dorénavant, je ne me soucierais plus que de moi-même et de mon bébé, oui, madame ! J'ai dit au petit veau dans mon ventre :

— Maman va s'occuper de toi, mon choupignonnet.

Ce que Susi a commenté ainsi :

— Si tu veux vraiment donner un surnom idiot à ton veau, tu n'as qu'à l'appeler Pipiprout.

Je l'ai foudroyée du regard, et elle a eu l'intelligence de la boucler. Alors, j'ai chanté doucement pour endormir mon petit veau :

— Bonsoir, bonne nuit, veillé par des roses, recouvert d'aiguilles, glisse sous la paille, si Naïa le veut, tu seras joyeux…

Évidemment, ce n'était pas un veau encore à naître – il ne m'entendait peut-être même pas – qu'il s'agissait d'endormir, mais plutôt moi-même, parce que j'étais bien trop bouleversée et que j'avais besoin de me calmer. En posant mes sabots contre mon ventre, j'ai soudain senti comme des petits coups à l'intérieur. Je me suis aussitôt arrêtée de chanter, à la grande satisfaction de Susi, qui a déclaré moqueusement :

— Encore un seul « bonsoir, bonne nuit » et j'allais prendre les aiguilles pour faire autre chose !

Mais je ne l'écoutais pas, parce que les petits coups que je sentais sans les entendre, c'était le battement du cœur de mon veau.

Cette fois, il était réellement vivant.

Une vague de bonheur a envahi mon corps.

Aussitôt suivie d'un grand frisson.

Car ce battement de cœur signifiait aussi que, bientôt, je rencontrerais à nouveau Old Dog.

40

Au lever du soleil, les mouettes étaient de plus en plus nombreuses à tourner autour du bateau. Le troupeau dormait encore, et je me suis demandé, comme je l'avais fait bien des fois au cours de cette nuit où je n'avais presque pas dormi, s'il ne me serait pas possible de rester pour toujours sur ce bateau, échappant ainsi à Old Dog. D'un autre côté, pourquoi avais-je si peur ? Le chien avait certes annoncé qu'il me tuerait quand mon veau serait vraiment vivant dans mon ventre, mais il n'allait tout de même pas traverser cette mer immense pour nous suivre ? Ou bien si ?

Tandis que je m'efforçais en vain de me calmer, Giacomo s'est approché en sautillant sur le bastingage et, une patte au-dessus des yeux, s'est écrié :

— Terra, terra !

Puis il s'est tourné vers moi et a déclaré d'un air ravi :

— Y'avais toujours rêvé dé crier ça...

Me voyant moins ravie que lui, il a constaté en souriant :

— Tou né parles pas beaucoup cé matin.

Je n'ai pas répondu.

— Yé prends ça pour oune sì.

Toujours pas de réponse.

— Et ça pour confirmatione qué yé peux lé prendre pour oune sì.

Malgré mon silence, j'étais contente d'avoir le chat avec moi. Après tout, la meilleure façon d'oublier sa peur est de se mettre en colère. Et, en cet instant, j'étais plus en colère contre Giacomo que contre n'importe qui d'autre – Hilde, P'tit Radis ou même Champion. Quant à Susi, elle n'était quasiment plus en lice dans la course à la colère – alors que, jusqu'à une date récente, j'aurais eu du mal à imaginer que les autres puissent la distancer. Finalement, c'était à cause de Giacomo que nous étions montés sur le mauvais bateau, et donc que je m'étais querellée avec le reste du troupeau. Or, le chat ne montrait pas la moindre trace de remords. Au contraire, il était tout excité, ne cessait d'aller et venir en courant sur le bastingage, comme s'il brûlait d'arriver enfin à New York. Comme si quelque chose l'attendait là-bas... et c'est alors qu'un affreux soupçon m'est venu :

— Dis-moi, Giacomo, se pourrait-il que nous ne soyons pas du tout partis pour New York par hasard ?

— Qu'est-ce qui té fait penser ça ? a-t-il demandé avec hésitation.

— Eh bien, je m'étonne de te voir si joyeux. Et que tu aies maintenant l'air d'avoir été pris sur le fait plaiderait plutôt en faveur de ma supposition.

Giacomo a eu encore un peu plus l'air de quelqu'un qu'on prend sur le fait.

— Et cet air-là confirme ma supposition.

— Tou as raison, a reconnu Giacomo avec un soupir. Y'ai fait esprès dé choisir cé bateau.

J'aurais pu en profiter pour piquer une crise qui m'aurait fait complètement oublier ma peur, mais j'étais bien trop étonnée de cette confirmation de mes soupçons. La stupéfaction et la colère se disputaient si violemment en moi que j'en suis tout d'abord restée muette, avant de ne retrouver la parole que pour bafouiller :

— Queument ?

— Yé né souis pas oune espécialiste dé votré langue, ma yé souis certaine qué lé mot « queument » n'esiste pas.

— Poirquou ?

— « Poirquou » non plous n'est pas lé mot corrette.

— Purqu ?

— Non plous, a commenté le chat.

— Tu sais très bien ce que je veux dire ! ai-je meuglé, la colère triomphant enfin de la stupeur.

— Oui, yé lé sais, a répondu humblement le chat. Yé t'ai parlé dé ma maîtresse, yé crois ?

— Celle qui aimait manger ces drôles de champignons ?

— Jousqu'à cé qué les yeux ils tournent, a confirmé Giacomo. Jousqu'à cé qué un jour ils né tournent plous, a-t-il conclu tristement.

Comme je ne comprenais pas bien ce qu'il voulait dire par là, le chat s'est mis à me raconter son existence avec sa maîtresse chérie. La maîtresse de Giacomo était une jeune femme qui aimait la vie, et ils avaient voyagé ensemble à travers le monde. Ils avaient observé de merveilleux oiseaux en Amazonie (Giacomo en avait mangé quelques-uns), dansé en Haïti avec des prêtres vaudous (et, pour des raisons que je n'ai pas tout à fait comprises, planté des aiguilles brûlantes dans des poupées représentant l'ex-amant de Maîtresse), appris en Colombie que ce n'était pas une très bonne idée de boire l'eau du robinet (en tout cas pas si on ne tenait pas à héberger dans ses intestins de minuscules formes de vie). Maîtresse et Giacomo pratiquaient l'amour libre (pas ensemble, naturalmente), et leur voyage les avait finalement conduits jusqu'à New York, plus précisément une partie de la ville appelée Chinatown, où ils avaient tous deux pris du plaisir avec des chattes asiatiques (car Maîtresse aimait les femelles autant que les mâles). Un soir, un vendeur de rue leur avait proposé « des herbes pour planer, les mêmes que fumaient autrefois les prêtres de Shaolin ». Mais ces herbes étaient un peu trop spéciales. Le visage de Maîtresse était devenu tout vert, ses yeux s'étaient mis à tourner, tourner, jusqu'à ce qu'elle s'effondre sur le sol. Et que ses yeux ne tournent plus du tout.

— Était-elle… était-elle… ai-je voulu demander.

Sans me laisser le temps de prononcer le mot « morte », le chat a brusquement miaulé :

— Yé né sais pas !

Puis, luttant contre les larmes, il m'a avoué que, pris d'une peur panique considérablement aggravée par l'effet des plantes fumées, il s'était enfui en courant. Jusqu'au port de New York, où il s'était caché à bord d'un bateau. Avant même de savoir ce qui lui arrivait, il s'était retrouvé en mer, voguant vers Cuxhave. Loin de sa chère maîtresse. À Cuxhave, il avait rencontré Old Dog par hasard et avait provoqué sa fureur – il ignorait alors ce qui était arrivé à sa dame caniche Tinka – en disant : « Avec ton air grognon, tu aurais bien besoin de passer une nuit avec une femelle. »

Après cela, le chien l'avait pourchassé pendant une journée entière, jusqu'à la ferme où nous l'avions pris sous notre protection.

Je comprenais maintenant ce que Giacomo venait faire à New York.

— Tu veux chercher ta maîtresse, au cas où ses yeux rouleraient encore ?

Il a hoché la tête et s'est mis à pleurer. Il s'en voulait tellement !

Comment aurais-je pu rester fâchée contre lui après ça ? J'ai préféré lui dire d'un ton encourageant :

— Je suis sûre que ses yeux roulent encore.

— Tou crois ça vraiment ? a-t-il reniflé dans ma toison.

La réponse honnête aurait été : « Je n'en sais fichtre rien. » Mais, comme ce n'était pas le moment d'être franche, j'ai affirmé en souriant :

— Je ne le crois pas, je le sais.

Le chat a essuyé une larme avec sa patte. Il avait retrouvé un peu d'espoir, et j'espérais seulement qu'il ne serait pas déçu.

À cet instant, j'ai aperçu dans le lointain une humaine géante debout sur la mer, un flambeau à la main. Pas une vraie femme, bien sûr, elle avait plutôt l'air d'être en pierre. Remarquant mon étonnement, Giacomo m'a expliqué :

— C'est la statoue dé la Liberté.

À ce mot, mon cœur s'est mis à battre plus vite. Que les humains aient pu construire quelque chose d'aussi grand en l'honneur de la liberté, je trouvais ça super. Je me suis imaginé à quel point ce serait formidable si, à la place d'une femme, c'était une vache géante qui éclairait le chemin avec un flambeau. Ah, si seulement nous pouvions, nous les vaches, produire autre chose que du fumier…

Tandis que je regardais la statue, fascinée, la voix du maigre au visage poilu s'est élevée derrière moi :

— Les douaniers ne laisseront pas les vaches entrer dans le pays.

— Ça sent l'euthanasie, a commenté tristement le gros.

J'ai commencé à paniquer, car j'avais l'impression que ce joli mot n'était pas aussi gentil qu'il le paraissait. Que devais-je faire ? Aussitôt après, je me suis souvenue que je ne conduisais plus le troupeau et que ce serait donc le problème de Hilde. Hélas, cela ne m'a pas rassurée pour autant.

— Ne vous inquiétez pas, a dit le cap'tain aux matelots. Il n'y a aucun problème au monde qu'on ne puisse résoudre avec de l'argent, et j'en ai assez pour graisser la patte aux douaniers. En fait, il était prévu pour les études de ma fille.

À cette pensée, les matelots ont eu la gorge serrée. Moi-même, j'aurais sans doute éprouvé davantage de compassion pour le cap'tain si je n'avais senti qu'il était question de notre survie.

— Je me suis déjà arrangé pour qu'on les envoie dans une de ces fermes de l'Iowa où on élève les Wagyu, a poursuivi le cap'tain. Ce sera un vrai paradis pour ces vaches. Elles auront la meilleure vie possible. J'aurais bien aimé avoir la même, a-t-il ajouté tristement.

Il parlait sérieusement, son regard douloureux en témoignait. Il nous avait choisi un paradis dans ce pays inconnu, et même si ce n'était pas l'Inde, j'étais soulagée. Un paradis était un paradis.

Dommage que Hilde se soit approchée à cet instant pour me dire :

— Dès que le bateau aura accosté, à mon commandement, nous nous mettrons tous à courir.

Encore plus dommage que je n'aie même pas eu le temps de lui répondre. Car à peine avais-je pris ma respiration pour le faire qu'elle me coupait la parole :

— Il va falloir t'y habituer, ce n'est plus toi qui diriges !

Là-dessus, elle a fait demi-tour et s'est éloignée au petit trot. Le plus dommage de tout, c'était le choix devant lequel je me trouvais à présent : aller toute seule au paradis que le cap'tain avait prévu pour nous, ou rester avec mon troupeau.

41

Quand nous avons touché terre, le cap'tain est descendu du bateau pour parler avec deux costauds portant dans une sorte de harnais des objets qui ressemblaient, en plus petit, à un bâton qui tonne. Il a donné à ces types inquiétants un tas de feuilles vertes qui ne devaient pas provenir d'un arbre ou d'une plante, car elles étaient toutes de la même taille, ce qui ne faisait pas très naturel. Les deux hommes se sont mis à rire d'un air gourmand, sur quoi le cap'tain leur a aussitôt donné d'autres feuilles vertes. J'ai demandé à Giacomo de quoi il s'agissait.

— Pour les houmains, l'argent est plous importante qué manger, boire, l'amour et lé sesse, a-t-il répondu.

— Mais pourquoi ? me suis-je étonnée.

— Parcé qué, avec ça, les houmains sé procourent à manger, à boire, dé l'amour et dou sesse.

— Cela ne me paraît pas très logique, ai-je observé.

— Un houmain logique, c'est ouné contradizzione en soi, a soupiré le chat.

Le cap'tain s'est tourné vers nous. Il allait certainement nous annoncer que nous étions sauvés, et qu'il allait nous conduire vers le paradis dont il avait parlé devant les matelots. Mais il n'a même pas pu ouvrir la bouche.

— FONCEZ ! a crié Hilde.

Notre meneuse s'est mise à courir. P'tit Radis lui a emboîté le pas, comme de juste, mais Susi et Champion ont obéi aussi. C'était maintenant que je devais choisir : le paradis ou mon troupeau. Pourtant, avais-je le choix ? Un paradis sans mon troupeau... ce n'était pas le paradis. Alors, j'ai couru.

Derrière nous, le cap'tain a crié avec désespoir :

— Où allez-vous ? Restez...

J'ai encore eu le temps d'entendre le visage poilu maigre déclarer :

— C'est là que ce serait bien d'être un cow-boy, pour les attraper au lasso.

— Cow-boy, ce doit être encore mieux que gardien d'animaux, a répondu le gros visage poilu. Quand je pense aux saloons, au whisky, aux barmaids... aux barmaids, surtout...

Toujours courant, nous sommes passés devant des quantités de bateaux et de grues, puis, en quittant la zone portuaire, nous avons rejoint une route beaucoup plus large que celle qui menait à Cuxhave. Des audoos énormes y roulaient, et nous avons couru sur la bordure. Même quand nous n'avions plus de souffle, Hilde nous poussait à continuer. C'était vraiment une meneuse énergique, qui n'acceptait ni les « Je n'en peux plus », ni les « J'ai mal aux sabots », ni même les « Je crois que je vais vomir » comme des arguments valables pour faire la pause. Même Champion avait du mal à la suivre. Tandis que les audoos géantes vrombissaient à côté de nous, il m'a chuchoté avec un tendre sourire :

— Je crois que j'aimerais mieux te suivre, toi, plutôt qu'elle.

Cela aurait peut-être pu me faire plaisir, mais, venant de Champion, je savais qu'après une phrase aussi gentille je n'aurais qu'à compter jusqu'à 3 pour qu'il dise une sottise. J'ai donc commencé à compter dans ma tête : 1... 2... 3...

— Si je te suivais, a-t-il poursuivi en souriant, je pourrais voir ton joli derrière.

Ah là là, il était tellement prévisible !

— Parce que je te trouve vraiment séduisante.

De nouveau un mot gentil, mais, là encore, j'en étais sûre : il me suffirait de compter jusqu'à 3 pour que la bêtise arrive. 1... 2...

— Ça vient peut-être de ce que la grossesse te gonfle le pis.

Cette fois, il avait même fait plus vite.

— Mais, sérieusement, a-t-il repris en cessant de sourire, je trouverais ça super si nous pouvions essayer de refaire connaissance tous les deux. À cause du veau, bien sûr, mais aussi juste pour nous.

Là, j'étais déstabilisée. Devions-nous vraiment essayer encore ? Plutôt que de réfléchir à la question, j'ai préféré me remettre à compter. S'il prononçait tout de suite une phrase débile, et j'étais sûre qu'il allait le faire, je n'aurais pas besoin de répondre à sa proposition. 1... 2... 3...

Rien ne venait.

... 4... 5... 6...

Il restait silencieux, me regardant avec espoir tout en galopant à côté de moi.

... 7... 8... 9...

Par Naïa, toujours pas de bêtise ! Autrement dit, j'allais être forcée de répondre. Mais quoi ? Devais-je reprendre l'aventure avec lui ? Au risque d'être de nouveau déçue ?

— C'est… c'est pas vrai ! s'est soudain écriée Hilde en s'arrêtant net sur le bas-côté.

Tandis que les autres se réjouissaient de pouvoir souffler un peu, je m'estimais surtout heureuse du changement de sujet. En suivant le regard de Hilde, j'ai vu un bâtiment au bord de la route. Des foules de gens entraient et sortaient, portant des choses à boire ou à manger. Au-dessus du bâtiment était accrochée une immense image représentant un petit pain avec de la chair à l'intérieur et, à côté, une vache géante à l'air follement gaie. J'ai additionné vache plus petit pain, ce qui a donné :

— OH, NON !!

Les yeux écarquillés, nous regardions fixement les gens occupés à mordre dans leurs petits pains à la vache. Savoir que les humains nous mangeaient était une chose, mais les voir le faire était bien différent. Nous éprouvions tous une forte envie d'aller planter nos cornes dans ces humains-là pour les balancer au loin, même si cela risquait de ne pas être facile, car la plupart d'entre eux étaient en net surpoids. Cependant, cette impulsion a été supplantée par un besoin bien plus pressant, que P'tit Radis et moi avions déjà connu la première fois que nous avions entendu parler des méfaits des humains, et nous avons tous vomi aux pieds de ces mangeurs de petits pains. Qui ont réagi en s'écriant avec dégoût : « *Oh my God !* » Ou : « *Oh my shoes !* » Ou encore : « *Oh my, why do I wear sandals ?* »

— Yé crois qué cé n'est plous lé *Happy Meal* pour eux, a ricané Giacomo. Il faut qué vous fichiez lé camp très vite ! a-t-il ajouté aussitôt après.

— Je ne pourrais pas faire un pas de plus, a dit Susi, les pattes tremblantes. Laissez-moi plutôt vomir.

— Si tou né marches pas, tou vas té rétrouver dans les panini.

— Les quoi ?

— Les pétits pains !

— Si, si, je peux bouger !

Susi s'est mise à courir. Les autres et moi avons jeté un dernier coup d'œil aux petits pains, et, comme nous n'avions pas plus envie que Susi de finir là-dedans, en compagnie d'oignons frits, dans un avenir proche, nous nous sommes mis à galoper à notre tour, tandis que l'un des gros mangeurs de vache pestait derrière nous :

— *Worst marketing gag ever !*

Mais personne ne nous a suivis. Ces gros humains étaient si mal fichus qu'ils se seraient écroulés en ahanant au bout de quelques mètres.

Nous avons atteint un immense pont au-dessus d'un grand fleuve. Il n'y passait aucune audoo, seulement des humains qui marchaient ou couraient, la plupart sans s'intéresser à nous, ou en nous jetant tout au plus un coup d'œil rapide. Rien de comparable avec ceux de Cuxhave.

— Il faut plous dé quelqués vaches pour étonner oune New-Yorkese, m'a expliqué le chat.

Comme les humains ne nous faisaient rien, nous avons pu ralentir l'allure et marcher presque tranquillement, tout en contemplant avec étonnement les maisons gigantesques de l'autre côté du pont. Elles montaient si haut dans le ciel qu'on n'en voyait pas le sommet sous le soleil aveuglant.

Si les humains ne nous regardaient pas, Hilde, elle, observait attentivement certains d'entre eux. Ceux qui avaient la peau d'une couleur que nous n'avions encore jamais vue, noire ou brune. Il n'était pas difficile de deviner ce qui se passait en elle : s'il y avait ici des humains à la peau différente, il pouvait aussi exister des vaches d'une autre couleur. Peut-être même avec des taches brunes comme elle ! Et s'il en était ainsi, elle n'aurait plus à se sentir seule au monde. On pouvait quasiment voir briller l'espoir dans ses grands yeux de vache.

Quand nous sommes descendus sur l'autre rive, Giacomo m'a susurré :

— Yé dois vous laisser mainténant.

— Pour aller chercher ta maîtresse ?

— Sì.

Il a aussitôt filé, sans même dire au revoir poliment. Et je n'avais pas eu le temps de le remercier d'avoir sauvé nos vies, ni de m'avoir montré que le monde ne s'arrêtait pas aux arbres du bout du pré. Qu'il était certes plus terrible, plus effrayant, mais aussi bien plus beau, plus fascinant, plus émouvant que je l'aurais jamais cru possible. Il était magique ! Pourtant, je comprenais que Giacomo ait besoin de nous quitter. Par sa propre faute, il avait perdu sa maîtresse, le bonheur de sa vie, et il brûlait d'envie de la retrouver. Je croisais les sabots de tout cœur pour qu'il y parvienne.

42

Bien trop impressionnés par le spectacle, les autres n'avaient pas remarqué que le chat était parti – peut-être pour toujours. Entre les maisons géantes, l'air brûlant et moite formait comme un mur. Le vacarme était extraordinaire, à cause des innombrables audoos. Elles avançaient si lentement que nous les dépassions facilement à pied. Comment les humains pouvaient-ils supporter de vivre dans un espace aussi étroit ? Cela ne devait pas être bon pour leur santé.

Conduits par Hilde, nous nous enfoncions toujours plus profondément dans cette forêt de bâtiments dont je craignais que nous ne trouvions jamais la sortie. Nous aurions dû laisser une bouse à chaque croisement, ai-je soudain pensé. Mais nous étions déjà trop loin pour que cette idée puisse encore nous servir.

Après avoir longtemps marché, nous avons atteint une grande place où des images multicolores clignotaient sur les maisons. Là, les gens ne se pressaient plus d'un air affairé. Ils tenaient à la main de petites boîtes qu'ils appelaient « portable » ou « appareil photo », et je les entendais aussi prononcer des mots comme « Times Square », « comédie musicale », ou encore : « Bientôt, tout ça appartiendra aux Chinois. »

C'est alors qu'une voix grave s'est élevée près de moi :

— Ah, tu as quand même fini par arriver ?

Lentement, très lentement, j'ai tourné la tête. Il était là, tranquillement assis au milieu des promeneurs humains. Old Dog.

43

— Excuse-moi, Lolle, j'ai eu une petite faim en t'attendant, a repris le chien de l'enfer en désignant de la patte un emballage vide à côté de lui.

Dans la boîte, j'ai aperçu les restes d'un petit pain à la vache. J'aurais aussitôt vomi si j'avais encore eu quelque chose dans la panse.

Old Dog a souri cruellement, et son œil valide s'est mis à flamboyer d'une lueur rouge, telle une étoile brûlante. Susi, qui voyait le chien pour la première fois de sa vie, s'est écriée :

— Oh, mon Dieu !

— Et le mien, donc ! a renchéri P'tit Radis, tremblante de peur.

— « Oh, mon Dieu » est encore une façon trop gentille de le dire, a observé Hilde.

— Oui, je trouve que « Oh, merde ! » rendrait mieux compte de la situation, a confirmé Champion.

Lui aussi rencontrait Old Dog pour la première fois. Il avait beau être un taureau fort et imposant, il était sérieusement intimidé.

— J'adopte ton « Oh, merde ! », et j'y ajoute même un « alors », a répondu Hilde.

— Oh, alors merde ? a demandé Champion, qui avait compris de travers.

Tandis que mon troupeau continuait à discuter pour savoir quelle était l'exclamation la plus appropriée à l'apparition du chien borgne (ils n'étaient pas loin de se mettre d'accord sur « Je veux maman ! »), Old Dog, toujours plus agacé, tapotait impatiemment de la patte le sol de pierre dure. À la fin, il a grondé :

— Dites, les vaches, vous pourriez faire attention à moi ?

Tous les regards se sont tournés vers lui, et j'ai balbutié :

— Ce… ce n'est pas possible que tu sois ici ?

— Et pourtant, j'y suis, a-t-il répondu, confirmant l'évidence.

Il s'est levé lentement. Debout, il était certes loin d'être aussi haut que nous, mais il n'en imposait pas moins le respect. Au point que les humains qui se baladaient sur la place, leur portable à la main, préféraient faire un grand détour pour l'éviter.

— Je… je ne comprends pas comment tu as pu, ai-je objecté.

— Je ne crois pas que ce monstre te laisse détourner la conversation par des arguments logiques, m'a chuchoté Hilde.

— Qui d'autre est pour foutre le camp ? a demandé Susi.

Sans surprise, nous étions tous d'accord.

Encore aurait-il fallu croire que nous pouvions échapper à Old Dog. Nous sentions d'instinct qu'il était plus rapide que nous, et que toute tentative de fuite reviendrait à l'inviter à nous déchiqueter sur-le-champ. Nous étions donc plutôt tentés de prendre racine sur cette place.

— Co… comment nous as-tu retrouvés ? ai-je voulu savoir.

— Ce n'était pas difficile de vous suivre, a ricané le chien d'un air supérieur. Vous aviez pris un bateau pour New York, j'en ai pris un autre. Plus rapide, évidemment.

— Et comment es-tu arrivé dans mes rêves ? ai-je encore demandé avec inquiétude.

— Tu as rêvé de moi ? a-t-il fait d'une voix moqueuse.

— Tu le sais très bien !

J'étais persuadée que, d'une façon ou d'une autre, il avait la faculté de se déplacer du monde éveillé à celui du rêve et de venir m'y persécuter. Au lieu de répondre à ma question, Old Dog s'est avancé lentement vers moi en ricanant :

— Je trouve particulièrement flatteur que tu rêves de moi.

À cet instant, pris d'un accès de courage, Champion lui a barré le passage.

— Si tu ne laisses pas Lolle tranquille, je vais te flatter la tête à ma façon !

Par Naïa, Champion voulait se battre pour moi ! De même que, dans la légende, le puissant Hurlo avait combattu l'ours Praxx pour sauver sa Naïa ! J'étais si fière de lui que j'aurais voulu le lécher.

Old Dog a adressé à mon héros un sourire cruel, si effrayant que mon sang s'est glacé dans mes veines.

— Tu me menaces ? Sérieusement ?

— Je… je crois, a répondu Champion d'un air hésitant en se mettant à trembler.

Malgré la chaleur moite qui régnait entre les maisons géantes de ce fichu New York, nous frissonnions comme au cœur du plus rude hiver.

— Je vous propose quelque chose, a annoncé le chien à tout le troupeau. Je veux seulement Lolle et son petit, les autres peuvent s'en aller.

— La suggestion me paraît excellente, a trouvé Susi.

J'avais bien envie de lui flanquer un coup de sabot. Quant à Hilde, P'tit Radis et Champion, ils gardaient le silence, ayant visiblement du mal à décider si, dans la proposition d'Old Dog, ils devaient choisir la solution égoïste ou celle de la mort par morsure de chien. Au bout d'un certain temps, Hilde a fini par répondre d'une voix aussi ferme que possible :

— Nous ne pouvons pas nous séparer !

— Très juste ! a déclaré P'tit Radis.

— Et comment ! a approuvé Champion.

Je me suis sentie très fière d'eux tous.

— Je trouve que chacun devrait donner son avis personnel, est intervenue Susi.

Enfin, de presque tous.

— Vous l'aurez voulu, a répondu Old Dog.

Soudain, sans autre avertissement, il a rejoint Champion d'un bond impressionnant et l'a mordu sauvagement au ventre. Champion a poussé un mugissement, Susi, prise de panique, a foncé à travers la foule en renversant quelques humains au passage, P'tit Radis s'est mise à pleurer, Hilde est restée figée d'horreur, et moi, j'ai crié :

— Champion, sauve-toi !

Old Dog a recraché sur le sol un bout de peau de Champion et lui a demandé d'un ton provocant :

— Alors, tu vas écouter ta femelle et décamper ?

Champion, en sang, titubait sur ses pattes pourtant si robustes, mais il ne s'est pas enfui. Au prix d'un violent effort, il a cessé de serrer les mâchoires de douleur pour haleter :

— Plutôt mourir que d'abandonner Lolle et mon veau !

— Tu sais ce qu'on dit des héros ? a déclaré Old Dog, son œil rouge si brillant qu'on se sentait comme aveuglé par un feu infernal.

— Ils ne reculent pas, a répondu Champion, en s'avançant vers le chien, malgré sa faiblesse.

— Ils n'ont pas une longue espérance de vie, a répliqué Old Dog avant de l'attaquer à nouveau.

Quand les dents du chien de l'enfer se sont plantées dans sa chair, Champion a mugi plus fort que la première fois. Il est tombé, et sa chute a littéralement fait vibrer le sol. Les crocs découverts, le chien de l'enfer s'est penché au-dessus de la gorge de Champion, tandis que les humains s'attroupaient avec curiosité autour de nous, tenant en l'air leur petite boîte.

— *Cool, they kill each other !* s'est écrié un jeune homme.

— *We will get a lot of YouTube clicks !* s'est réjoui un autre.

Old Dog ouvrait sa gueule pour planter ses crocs dans le cou de Champion. J'ai hurlé :

— NON !

Tournant brièvement la tête, Old Dog m'a répondu avec le calme froid d'un tueur :

— Si.

— Mais c'est moi que tu veux, pas lui ! ai-je protesté avec l'énergie du désespoir.

Le chien s'est détourné de Champion, qui gémissait, en sang et bien incapable maintenant de venir à mon secours. Dans la vie, contrairement aux fables, le héros ne pouvait pas terrasser un monstre pour sa bien-aimée.

Sans hâte, Old Dog s'est dirigé vers moi, tandis que P'tit Radis accourait auprès de Champion et lui disait :

— Je vais t'aider.

— Comment… ? a demandé le pauvre taureau, sur le point de s'évanouir tant il souffrait.

— Comme faisait ma mémé Toc-Toc.

Elle a pissé sur la blessure, et Champion a balbutié avec épouvante :

— Tu appelles ça de l'aide… ?

Puis il a perdu conscience. J'allais me précipiter vers lui, le lécher pour le ranimer, même si cela devenait un peu écœurant après les bons soins de P'tit Radis, mais Old Dog s'est alors planté devant moi et a déclaré :

— Tu as raison, je ne veux que toi et ton veau.

— Mais pourquoi ? n'a pu s'empêcher de demander Susi.

À peine avait-elle dit cela qu'elle s'est effrayée de sa propre curiosité. Le chien s'est tourné vers elle, et elle a haleté avec angoisse :

— Euh… je n'ai pas posé la question.

— Si, tu l'as posée, a sifflé le chien d'un ton glacial.

— Non… c'était… euh… c'était elle, a répondu Susi en désignant Hilde du sabot.

— Merci beaucoup, a marmonné l'intéressée.

Sans laisser le temps à Old Dog de menacer Hilde, j'ai déclaré courageusement :

— Moi aussi, je veux savoir. Qu'est-ce que j'ai de si spécial, pour que tu traverses le monde pour me tuer ?

Quelque part derrière moi, j'ai entendu une sorte de hululement absolument pas naturel. Les humains qui s'agitaient avec leurs petites boîtes se sont mis à crier des choses incompréhensibles telles que : *« Police is coming »*, *« The animals are dangerous »*, *« They should kill them ! »* et *« That will get us even more YouTube clicks »*.

Après une brève hésitation, le chien m'a répondu :

— Ça ne te regarde pas.

— JE DOIS MOURIR, ET ÇA NE ME REGARDE PAS DE SAVOIR POURQUOI ?

Je trouvais cela inconcevable. Mais le chien conservait son sinistre secret.

— J'ai mes raisons, cela suffit. As-tu d'autres questions ? a-t-il grondé.

Je n'en trouvais aucune, car sa folie me laissait sans voix. P'tit Radis m'a crié :

— Pose-lui des centaines de questions ! Comme ça, il devra te répondre et il n'aura plus le temps de te mettre en pièces !

Old Dog s'est contenté de lui jeter un bref regard.

— D'un autre côté, maintenant que je l'ai dit tout haut, il ne va peut-être plus tomber dans le piège, a-t-elle ajouté d'une toute petite voix.

Derrière moi, le hululement se rapprochait. Les gens s'écartaient en criant : *« Police is here ! »*, *« And they got guns »* et : *« YouTube, here we come ! »*

— Es-tu prête à mourir ? m'a demandé Old Dog, indifférent à cette agitation.

De toute façon, il s'en fichait que je dise oui ou non. J'allais mourir, sans avoir trouvé le bonheur.

Fermant les yeux, j'ai prié pour que la légende des gras pâturages de Naïa soit vraie.

Comment Naïa inventa le royaume des cieux

Naïa et Hurlo vivaient heureux ensemble, mais les animaux étaient mécontents, car une chose leur déplaisait fort au royaume de Naïa : la mort. Un jour que Naïa et Hurlo, comme si souvent, étaient très occupés aux jeux de l'amour, le ver de terre rampa jusqu'à eux, suivi des autres animaux, et se plaignit à voix très haute : « La mort nous fait souffrir. À quoi pensais-tu donc en la créant ? »

Interrompant ses jeux amoureux, Naïa regarda les bêtes avec étonnement et répondit : « Eh bien... euh... » Puis elle baissa les yeux vers ses sabots d'un air confus.

« Veux-tu dire que tu n'as pensé à rien ? » s'indigna le ver.

De nouveau, Naïa répondit : « Eh bien... euh... », et tous les animaux se mirent à l'invectiver. Cependant, Naïa avait vu dans leurs yeux la peur de la mort. Elle se retira et resta éveillée toute la nuit. À la fin, elle décida de créer un royaume encore plus beau que la terre, pour que les animaux y aillent le jour où il leur faudrait mourir. Un royaume des cieux où les prairies seraient toujours grasses pour les vaches, le sol toujours humide pour les vers de terre. Quand Naïa eut créé ce royaume, elle le fit savoir aux bêtes, qui poussèrent des cris de joie : « Maintenant, nous n'avons plus besoin d'avoir peur de la mort ! »

Satisfaite, Naïa se remit à faire l'amour avec Hurlo. Pendant des heures, des jours, des lunes. Jusqu'à ce qu'elle se demande sérieusement pourquoi les animaux étaient de moins en moins nombreux à folâtrer dans le monde. Laissant Hurlo reprendre des forces – il était beaucoup moins endurant qu'elle au jeu de l'amour –, elle demanda au ver de terre où étaient parties les bêtes. Le ver répondit d'une toute petite voix :

« Elles se sont suicidées.

— Mais pourquoi ? » voulut savoir Naïa, épouvantée.

Le ver de terre bafouilla jusqu'à ce que Naïa, furieuse, écume des naseaux. Alors, il se redressa en tremblant devant la Vache divine et expliqua : « Les

bêtes se sont dit : Si le royaume des cieux est tellement
plus beau que cette terre, pourquoi devrais-je perdre
mon temps ici ? »

Naïa en fut fort surprise, car ce n'était pas ainsi
qu'elle avait imaginé les choses. De nouveau, elle
réfléchit une nuit entière. Au petit matin, elle rassem-
bla tous les animaux encore vivants et leur annonça :
« Ce que je vous ai dit sur le royaume des cieux, peut-
être n'était-ce qu'une blague. »

Les animaux en conçurent une grande frayeur.

« Mais peut-être pas », reprit Naïa.

Cette fois, les animaux furent profondément déstabi-
lisés. Alors, la rusée Naïa leur donna ce conseil :
« Réfléchissez bien avant de décider de mettre fin à
votre vie avant son terme. »

Aucune bête ne s'y risqua plus désormais. Toutes
espéraient certes dans la bonté de Naïa, mais elles ne
pouvaient plus être absolument certaines que le
royaume des cieux existait vraiment.

Soudain, j'ai entendu le bruit des bâtons de tonnerre
et j'ai ouvert brusquement les yeux. À ma droite et à
ma gauche, mes amies sont tombées, visiblement
atteintes par les bâtons que des humains – vêtus un peu
comme les douaniers – dirigeaient vers nous. Old Dog
ne s'est pas laissé impressionner ni même distraire par
ces hommes à l'air décidé, que les humains aux por-
tables appelaient *« cops »*. Il s'est léché les babines et
s'est élancé vers moi d'un bond puissant pour me
déchiqueter.

Un bâton de tonnerre a alors retenti, le touchant en
plein vol. Il est tombé devant mes sabots. J'aurais pu
être très soulagée s'il n'y avait eu un nouveau coup,
cette fois tiré directement sur moi. Quelque chose m'a

touchée à l'encolure, j'ai éprouvé une douleur piquante, mais ma chair n'a pas été lacérée comme je l'avais craint. Je me suis seulement sentie fatiguée, très fatiguée. Ne tenant plus sur mes pattes, je me suis écroulée sur le sol dur. Mes yeux se sont fermés, et j'ai entendu quelqu'un dire :

— Waouh, ces flics savent vraiment bien tirer !

C'était la voix du maigre au visage poilu.

— Policier aussi, ce doit être un bon boulot, a répondu le gros. Si seulement il n'y avait pas les criminels…

L'avant-dernier dont les paroles me sont parvenues a été le cap'tain :

— J'espère seulement que ces flics ne vont pas me tirer dessus quand je leur offrirai de l'argent pour libérer les vaches.

Et le dernier a été Old Dog, qui m'a murmuré avec ce qui lui restait de force :

— Une autre fois, les humains ne te sauveront pas. Je te tuerai. Et je viendrai à toi quand tu connaîtras ton plus grand bonheur !

44

— Tchip, tchip…

… ai-je entendu quand je suis revenue à moi.

— Tchip, tchip…

J'étais encore bien trop sonnée pour ouvrir les yeux.

— Tchip, tchip…

Là, je me suis demandé : Tchip ? Comment ça, tchip ?

— Tchip, tchip, tchip…

C'était en quelque sorte une réponse à ma question informulée. De toute évidence, des oiseaux gazouillaient, ce qui me stupéfiait, parce que je n'en avais remarqué aucun avant qu'on me tire dessus – ou même qu'on m'abatte ? À l'inverse, je n'entendais à présent plus aucun de ces bruits humains qui grondaient auparavant à mes oreilles, ni audoos ni bâtons de tonnerre. Et je ne percevais plus l'air brûlant et moite de la grande ville. Une brise légère soufflait sur mon museau, juste ce qu'il fallait pour me rafraîchir.

Le pépiement des oiseaux – il me semblait qu'ils étaient deux, deux amoureux qui se tournaient autour – s'est alors transformé en un chant d'un genre inconnu. C'était tellement plus beau que tout ce que j'avais entendu dans mon ancienne vie !

— Heaven, I am in heaven, and my heart beats so that I can hardly speak, when I am flying with you, cheek to cheek...

Ouvrant enfin les yeux, je me suis aperçue que j'étais couchée dans un pré. L'herbe était si verte et si grasse qu'on aurait dit qu'elle n'était pas de ce monde. Devant une telle splendeur, je n'ai pas pu me mettre aussitôt à brouter. Je me suis levée et j'ai regardé au-dessus de moi les deux oiseaux chanteurs multicolores. Ils tournoyaient amoureusement ensemble, joue contre joue, dans le ciel sans nuages, d'un bleu à la fois plus clair et plus lumineux que celui dont j'avais l'habitude. Comme si c'était un autre ciel. Pouvait-il en exister deux ? Voire davantage ? Ah, je connaissais si peu le vaste monde !

Je me suis retournée. La prairie semblait s'étendre à l'infini de tous côtés, sans qu'on y aperçoive ni ferme, ni tracteur, ni rien que les humains aient construit. Je ne pouvais en tirer qu'une seule conclusion : « Le royaume des cieux de Naïa existe bel et bien... et moi, brave vache, j'y suis ! »

Stop, non, ce n'était pas la seule conclusion possible. Il y avait aussi : « Si le royaume des cieux existe vraiment, je n'avais pas besoin de tant me démener dans la vraie vie. Ou plutôt : de tant me démeuhner. »

Tandis que je me faisais ces réflexions, j'ai vu tout à coup, dans la lumière radieuse du soleil, s'avancer une vache. Par Naïa, c'était sûrement Naïa !

Mon cœur s'est mis à battre très fort dans ma poitrine. Que dis-je, il battait jusque dans mes cornes ! Comment devais-je me tenir devant la Vache divine ? Me jeter à ses sabots ? Ou lui meugler une bonne fois mon opinion sur toutes les absurdités que j'avais dû subir dans mon existence ?

Naïa se rapprochait de moi, mais, aveuglée par le soleil, je ne la distinguais pas bien. Mon agitation croissait. J'allais rencontrer la déesse vache ! Si je ne savais pas tenir ma langue, je risquais de la fâcher dès le début, ce qui n'était sans doute pas une très bonne idée lorsqu'on était fraîchement débarquée au ciel.

La vache n'était plus qu'à quelques mètres de moi, et je la distinguais plus nettement à chacun de ses pas… Ce n'était pas Naïa ? C'était… P'tit Radis ?!?

— Ah, tu es enfin réveillée ! a fait mon amie en riant.

— Sommes-nous tous au royaume des cieux ? ai-je demandé.

Au lieu de répondre, elle s'est remise à rire.

— Tu es trop mignonne, Lolle !

Et elle m'a léché le museau. C'était certes agréable, mais ne mettait pas fin à ma confusion.

— Sommes-nous au royaume des cieux, oui ou non ? ai-je insisté.

En même temps, je me disais que si P'tit Radis m'avait répondu de cette façon, cela pouvait signifier que quelque chose m'avait échappé.

— Nous sommes dans un paradis, mais pas au royaume des cieux, a-t-elle enfin déclaré.

Je ne comprenais toujours rien. En fait, je comprenais même beaucoup moins que rien, si une telle opération était mathématiquement possible.

— Viens, je vais te faire visiter, a dit P'tit Radis.

Et elle a enroulé sa queue à la mienne pour m'emmener sur l'herbe fraîche, incroyablement douce aux pattes et merveilleusement parfumée. Où que se trouve cette prairie, je savais en tout cas déjà que je ne voudrais plus jamais la quitter.

Bientôt, j'ai aperçu des vaches couchées dans l'herbe haute. Champion, Hilde et Susi étaient là, mais pas seuls. Un grand troupeau les entourait, peut-être d'une cinquantaine de vaches qui m'ont paru tout à fait étonnantes, fascinantes, presque sublimes. Elles étaient bien plus massives et plus fortes que nous, et leur toison noire luisait au soleil. En comparaison de telles créatures, nous étions vraiment de pauvres bêtes minables. Mais ces vaches bienheureuses ne semblaient pas se formaliser de notre apparence. Elles me souriaient toutes gentiment, bien que d'un air un peu distrait.

— Ce sont nos nouvelles amies, m'a expliqué P'tit Radis. Les Wagyu.

Wagyu ? N'était-ce pas le nom que le cap'tain avait mentionné ?

L'une de ces vaches superbes – elle devait me dépasser d'une tête – s'est levée pour me saluer aimablement :

— Je suis Maggie, la doyenne de notre petit troupeau. Bienvenue au pâturage de La Ponderosa.

Cette Maggie était absolument charmante. Pas du tout à la manière de P'tit Radis, par exemple, mais plutôt dans le genre apparition de rêve.

— Enchantée, Maggie, ai-je répondu.

Même si j'étais encore beaucoup trop bouleversée pour pouvoir réellement me réjouir.

— La nourriture est super ici ! s'est écrié Champion avec enthousiasme.

Sa blessure commençait déjà à se refermer. J'étais vraiment restée longtemps inconsciente.

— Et l'eau, donc ! s'est réjouie Susi.

— Sans compter le fait que personne ici ne cherche à nous abattre, a ajouté Hilde.

Elle se sentait visiblement à l'aise au milieu des vaches noires. Bien sûr, elles n'avaient pas ses taches brunes, mais du moins étaient-elles différentes de nous.

Tout était fantastique, la nourriture, l'eau, l'herbe. Et il n'y avait aucun danger. Pas étonnant que ces vaches aient tellement meilleure allure que nous. Mais les questions se bousculaient dans ma tête. Comment étions-nous arrivées ici ? Où se trouvait ce pâturage de La Ponderosa ? Dans ma confusion, je n'ai réussi qu'à meugler :

— Arghhh !

— Pardon ? a demandé P'tit Radis.

— Lolle voudrait savoir comment nous avons atterri ici, a traduit Hilde, amusée.

— Non, je voudrais savoir comment faire une belle parade nuptiale, ai-je rétorqué, vexée.

— Ah oui ? Mais pourquoi ? a demandé P'tit Radis, pour qui l'ironie était une langue étrangère.

— Parce que la parade nuptiale de Lolle ressemble plutôt à une crise de coliques, s'est moquée Susi.

De toute évidence, cette sale vache allait déjà beaucoup mieux.

— Ah, bon, a cru comprendre P'tit Radis. Eh bien, Lolle, moi, je ne trouve pas que ta parade nuptiale ressemble à une crise de coliques. C'est plutôt comme si tu avais des problèmes de vessie...

— BIEN SÛR QUE JE VEUX SAVOIR CE QUI SE PASSE, À LA FIN ! ai-je coupé.

Cette fois, P'tit Radis était vraiment perdue, mais, sans lui laisser le temps de sortir une nouvelle bêtise, Hilde a repris la parole pour me mettre au courant des derniers événements. Après avoir été touchés par les bâtons qui tonnent, nous avions tous dormi longtemps.

Peut-être une journée entière. Et moi quelques heures de plus, parce que j'avais reçu davantage de flèches. Entre-temps, le cap'tain semblait avoir négocié pour que les hommes aux bâtons ne nous tuent pas, mais nous envoient très, très loin de New York, donc sur cette prairie de La Ponderosa. Là, Maggie et les autres vaches nous avaient aimablement accueillis dans leur troupeau. Elles avaient raconté toutes sortes d'histoires incroyables sur la belle vie qu'elles menaient dans ce paradis et sur la gentillesse de ses humains, qui faisaient mille choses pour elles.

— Ils nous massent, a ajouté Maggie quand Hilde a achevé son récit.

À mon avis, cette vache avait mangé trop de raisins fermentés. Des humains qui massaient les vaches, c'était dingue. Il nous arrivait de nous masser entre nous avec nos museaux, et Champion avait déjà essayé de me le faire avec ses sabots, ce que j'avais trouvé aussi agréable qu'une inflammation des trayons. Cependant, comme il s'était donné beaucoup de mal, je n'avais pas eu le cœur de le lui dire. Mais les humains ? Jamais ils ne feraient une chose pareille !

— Tu es sûre que, dans le mot « masser », tu n'as pas oublié un « acr » ? ai-je demandé à cette aimable inconsciente de Maggie.

— Pardon ? a-t-elle répondu gentiment, sans comprendre ma question.

— Tu veux sans doute dire : massacrer ?

— Pourquoi les humains nous massacreraient-ils ? s'est étonnée Maggie, toujours souriante.

— Peut-être parce qu'ils voudraient nous manger ? ai-je suggéré non sans quelque impatience.

Elle a éclaté de rire.

— Tu dis n'importe quoi.

— Moi, je dis n'importe quoi ? Laquelle de nous deux a raconté que les humains nous massaient ? ai-je rétorqué.

Hilde est venue au secours de la grande vache noire.

— Elle dit la vérité. Nous aussi, ils nous l'ont déjà fait.

Elle m'a raconté que les humains vous brossaient, et qu'ils enduisaient même votre pelage d'un liquide sentant la rose, afin de le rendre luisant. Je continuais à considérer cela comme un pur délire, mais P'tit Radis a alors affirmé, la mine radieuse :

— Si Naïa a inventé les humains, c'était bien pour qu'ils nous rendent ces services !

Pourquoi Naïa créa les humains

Un jour que Naïa et Hurlo étaient encore occupés à leurs jeux amoureux, les vaches se présentèrent devant eux, en colère. « On ne peut jamais être tranquille ici ? » soupira Hurlo.

Naïa interrompit le jeu de l'amour et pria Hurlo de continuer sans elle. Sur quoi Hurlo prit un air contrarié, et les vaches commencèrent à se plaindre : des mouches qu'elles ne pouvaient pas chasser lorsqu'elles se posaient sur leur nez, de la saleté dans les oreilles, qu'elles ne pouvaient pas enlever avec leurs sabots, des bouses que personne n'enfouissait pour elles et qui, lentement mais sûrement, commençaient à puer, et de mille autres choses contre lesquelles leurs sabots ne pouvaient rien. Elles réclamaient de Naïa qu'elle crée un remède à tous ces inconvénients. Naïa réfléchit toute la nuit à ce qu'elle pourrait faire – au grand déplaisir de Hurlo, qui lui non plus, avec ses gros sabots, ne pouvait pas « continuer sans elle ». Enfin, au petit matin, Naïa eut une illumination : et si elle

270

créait un être pourvu de mains, qui serait pour tou-
jours au service des vaches et ferait pour elles tout ce
que leurs sabots ne leur permettaient pas ? La Vache
divine envoya alors les humains sur la terre, puis elle
courut vite rejoindre Hurlo, afin qu'il ne soit plus
obligé de continuer tout seul. Malheureusement, elle
oublia de dire aux humains dans quel but elle les avait
créés.

Mon cœur s'est gonflé de joie, car nous étions tombés sur un endroit où hommes et vaches vivaient ensemble comme Naïa l'avait voulu jadis. Puisque nous avions déjà atteint le paradis, plus rien ne forçait notre petit troupeau à aller jusqu'en Inde. Mon veau pouvait naître ici !

45

Plusieurs pleines lunes passèrent, et la vie était tout simplement merveilleuse.

Les journées étaient chaudes, les nuits tièdes. Et les humains nous traitaient comme des dieux.

En fait, tous nos serviteurs humains étaient des femmes. Elles se nommaient Jill, Jane, Mary et Poppins – ces deux dernières jumelles –, et se désignaient elles-mêmes comme des « cowgirls », sans que je sache ce que ce mot signifiait au juste. Elles avaient la peau bronzée et portaient des pantalons bleus, des chemises blanches, de grands chapeaux de paille. Elles riaient toute la journée et s'occupaient de nous avec amour. Pas seulement en nous massant, en nous frictionnant et en nous nourrissant de mets délicats : le matin, elles nous donnaient aussi à boire une gorgée de l'eau la plus délicieuse que nous ayons jamais goûtée, une eau rougeâtre qu'elles appelaient « chianti ». Après en avoir bu, on se sentait pris d'un vertige agréable, ou légèrement étourdi pendant un petit moment. Notre pelage embellissait, nous devenions toujours plus gros et notre chair plus tendre, d'une belle souplesse. J'étais si bien que j'avais oublié tous mes soucis. Je ne pensais plus à Old Dog – d'ailleurs, comment nous aurait-il retrouvés, alors que nous ne savions pas exactement nous-mêmes où nous étions ? Et cela m'était égal que Hilde m'ait enlevé la direction de notre petite troupe, puisque nous n'avions plus besoin de meneuse. J'étais même persuadée que Giacomo avait trouvé le bonheur et qu'il fumait gaiement avec sa maîtresse.

Mon ventre ne cessait de grossir, tant à cause de la bonne nourriture que parce que le veau grandissait. Je souriais parfois à Champion, dont la blessure au ventre était maintenant complètement guérie. Lorsque nous broutions, ses sabots touchaient souvent les miens – tout à fait par hasard, bien sûr. Je le laissais faire volontiers, et je me plaisais à nous imaginer commençant ici une nouvelle vie à deux. Il le voulait aussi, il me l'avait bien dit pendant notre voyage sur le bateau. Dans cet heureux paradis, j'oubliais enfin tout ce qu'il m'avait fait, et je souhaitais de plus en plus que nous redevenions un couple.

Champion et moi n'étions pas seuls à entretenir de telles pensées. Après bien des lunes, P'tit Radis s'était enfin résolue à tenter d'avouer son amour à Hilde. Malgré la grande peur qu'elle avait de perdre son amitié. En conséquence de quoi elle s'y est prise d'une manière un peu détournée, pour ne pas dire maladroite, un jour qu'elles étaient couchées côte à côte au soleil.

— Hilde ? a dit P'tit Radis.

— Oui ? a fait Hilde en entrouvrant une paupière.

— Quand une vache et une autre vache aiment bien jouer ensemble à « attrape-bouse », et que la première propose soudain un tout autre jeu, mais que la seconde ne veut absolument pas y jouer, penses-tu qu'elles pourront encore être amies toutes les deux ?

Un seul mot aurait pu rendre l'expression de Hilde, et c'était : « Hein ? »

— Crois-tu qu'une amitié puisse résister à cela ? a insisté P'tit Radis.

— Pourquoi pas ?

— Parce que... l'autre jeu s'appelle « touche-pis », a répondu P'tit Radis à voix basse.

— « Touche-pis » ?

— Oui, mémé Toc-Toc disait comme ça, quand on a envie de caresser le pis de quelqu'un...

— Ah, bon... a fait Hilde, vaguement inquiète.

— Inversement, quand on a envie de caresser quelque chose chez un taureau, mémé Toc-Toc appelait ça « touche-... »...

— Je ne veux pas savoir ! s'est écriée Hilde.

Et je n'aurais pas mieux dit.

P'tit Radis s'est tue quelques instants, la gorge nouée, puis elle a repris avec précaution :

— Tu n'as pas répondu à ma question.

Hilde l'a regardée, et elle a commencé à comprendre ce que signifiait ce jeu de « touche-pis ».

— Es-tu amoureuse d'une vache du troupeau ?

— Que... qu'est-ce qui te fait dire ça ? a balbutié P'tit Radis.

Hilde aurait facilement pu répondre : « Parce que tu as subitement le museau tout rouge », mais elle a préféré se taire. Elle devinait bien quel pis il s'agissait de toucher. Hilde aimait beaucoup P'tit Radis, mais pas de la façon que celle-ci aurait souhaitée. Et elle l'aimait tellement comme amie qu'elle ne supportait pas de lui faire de la peine. Alors, pour ne pas la laisser sur ce terrain glissant, Hilde s'est levée et a proposé gaiement :

— Au lieu de rester là à papoter, si nous jouions à attrape-bouse ?

Sans insister, P'tit Radis a acquiescé et s'est mise à donner de joyeux coups de sabots avec Hilde, faisant voler les bouses dans tous les sens, au grand déplaisir de Susi, qui, après en avoir reçu une en pleine figure, a ronchonné :

— Par moments, vous m'emmerdez sérieusement !

P'tit Radis paraissait soulagée de ne pas s'être fait rembarrer purement et simplement. Ainsi, elle pouvait continuer à entretenir l'illusion que, peut-être, Hilde l'aimait quand même. Les illusions procurent parfois plus de joie que la réalité.

46

Pendant ces quelques lunes, notre petit paradis a représenté pour moi la perfection. Mes amies non plus ne pensaient plus du tout à l'Inde. La seule à ne pas se sentir heureuse ici était Cassie, une petite vache Wagyu bizarre qui se tenait toujours à l'écart et mangeait beaucoup moins que les autres, parce que, pour je ne savais quelle raison, toute cette nourriture fantastique la dégoûtait. Un matin que je lapais une fois de plus la délectable eau de chianti en songeant que ce serait un bon jour pour me réconcilier avec Champion, la petite vache s'est approchée de moi et m'a dit :

— À ta place, je ne boirais pas de ça.

— Pourquoi donc ?

— Pour éviter que mon veau ne vienne au monde avec deux têtes.

J'ai avalé ma salive.

— Deux têtes dont aucune ne saurait dire grand-chose de sensé.

J'ai frissonné. Cette Cassie avait vraiment une imagination morbide.

— Cassie, il y a chez toi quelque chose de déplaisant, me suis-je insurgée sans chercher à la ménager.

Après tout, elle aussi s'en fichait que ses discours vous portent sur la panse.

— Ce n'est pas moi qui suis déplaisante. Tu ne crois quand même pas que les humains d'ici font toutes ces choses pour nous par gentillesse ?

Pour la première fois, je la voyais esquisser un sourire, mais un sourire tordu, amer.

— Pour quelle autre raison le feraient-ils, alors ? ai-je demandé.

— Pour que notre viande soit plus tendre et que les humains lui trouvent meilleur goût, a répondu la petite Wagyu avant de s'éloigner en trottinant.

Je me suis sentie toute molle. Se pouvait-il que les chères cowgirls soient aussi méchantes que notre fermier ? Non, ces femmes étaient différentes ! Aimables, de bonne humeur, et elles sentaient bon. Alors que le fermier était grossier, toujours de mauvais poil, et son odeur, certains jours, aurait pu anesthésier un verrat.

Maggie s'est approchée de moi et a déclaré en souriant :

— Ne prends pas au sérieux ce que dit Cassie. Petite, elle est tombée par accident dans un abreuvoir rempli d'eau de chianti.

À cet instant, j'ai décidé, pour le bien de mon veau, de ne plus boire de cette merveilleuse eau rouge. Mon enfant ne devait pas ressembler à la petite Wagyu mal lunée.

Pourtant, tandis que Maggie se recouchait sur l'herbe moelleuse, je suis restée debout, en proie au doute. C'était la première fois qu'une faille se manifestait dans ce paradis.

Pour la réparer, ce soir-là, j'ai eu envie de me réconcilier avec Champion. Le soleil allait se coucher – et, meuh !, dans cet endroit que les cowgirls appelaient

« le cœur des USA », les couchers de soleil étaient encore plus colorés et sensationnels que sur la mer.

Champion avait un joli rituel : tous les soirs, il faisait un petit tour de pâturage, seul, sans le troupeau. Pour être tranquille avec lui, je me suis éloignée des autres et l'ai suivi. En marchant dans l'herbe tendre, je nous imaginais déjà, Champion et moi, folâtrant sur cette prairie avec notre petit veau. Un couple d'heureux parents qui seraient parvenus à oublier toutes les erreurs du passé. Moi parce que j'aurais pardonné à Champion, et lui… enfin, il avait déjà oublié de toute façon.

En montant sur une petite hauteur, j'ai vu Champion, un peu plus bas, qui regardait le coucher du soleil, avec à côté de lui… Susi ?!?

J'ai soudain eu le pressentiment qu'il ne me serait pas aussi facile d'oublier que je l'avais espéré.

Leurs deux arrière-trains étaient tournés vers moi, si bien qu'ils ne se sont pas du tout aperçus de ma présence. Alors que j'entendais parfaitement ce que Susi disait à mon taureau bien-aimé :

— Allons, tu le veux aussi.

Je craignais fort que ce « le » ne signifie pas « jouer à attrape-bouse », mais plutôt « jouer à touche-pis », voire à « touche-moi d'autres choses encore ».

— Non… je ne veux pas, a répondu Champion.

Brave garçon.

Dommage que le léger trémolo de doute dans sa voix ait rendu la phrase moins convaincante que je ne l'aurais souhaité.

— Tu ne veux vraiment pas le faire avec moi, sans fausse pudeur ? a repris Susi avec un sourire qu'elle voulait certainement tentateur, mais que j'aurais plutôt décrit comme celui d'une belle salope.

— N… n… non… a-t-il murmuré faiblement.

J'aurais souhaité quelque chose d'un peu plus déterminé que ce faible « N… n… non… ».

— Quand as-tu fait ça pour la dernière fois avec quelqu'un ? a demandé Susi.

Une question particulièrement intéressante, et dont la réponse m'intéressait d'autant plus que Champion hésitait à la donner. Par Naïa, aurait-il fait l'amour avec une de ces Wagyu sans que je m'en sois aperçue ?

— Je n'arrive pas à m'en souvenir…

Cherchait-il seulement à esquiver plus ou moins habilement ?

— … ce devait être avant que je perde la mémoire.

Non, il paraissait sincère. Brave Champion.

— Alors, la dernière fois, c'était avec moi, a constaté Susi.

Pas si brave que ça tout de même.

— Il y a des lunes et des lunes ! a-t-elle ajouté en riant.

Cette fois, Champion non plus n'était pas très content.

— Et pourquoi ne veux-tu plus le faire avec moi, maintenant ?

Elle ne lâchait pas le morceau. Visiblement, ce paradis lui avait fait beaucoup trop de bien. Toute la lucidité qu'elle avait acquise dans ses moments de faiblesse semblait l'avoir à nouveau désertée.

— À cause de Lolle.

Ces mot m'ont fait tellement plaisir que j'étais de nouveau prête à lui lécher le museau.

— À cause d'une vache pleine qui ne te laisse même pas l'approcher ?

— Hmm… a confirmé Champion dans un bredouillis confus.

— Qui ne te laissera peut-être plus jamais l'approcher ?

— Hmm… a-t-il marmonné encore plus bas.

— Et c'est pour elle que tu acceptes de vivre comme un bœuf ?

— Hmm… a-t-il répondu de façon presque inaudible.

— Alors qu'un beau taureau comme toi pourrait m'avoir tout de suite ?

— De la façon dont tu le présentes, je me fais un peu l'effet d'être un idiot.

JE NE TROUVE PAS ! ai-je pensé.

— Sûrement parce que tu es effectivement un idiot, a répondu Susi en souriant. Réfléchis donc. Depuis le temps que tu te retiens, tu aurais bien le droit de prendre enfin un peu de plaisir.

J'ai entendu Champion déglutir tandis que Susi balançait un pis tentateur.

— Tu veux vraiment renoncer à ça ?

— Fblmf… a balbutié Champion.

— Que veut dire « fblmf », oui, ou non ?

C'était justement ce que j'avais envie de savoir moi aussi.

— Fblmf…

— Donc, ça veut dire oui, a souri Susi.

— Fblmf, a fait Champion d'une voix faible, mais approbatrice.

Susi a souri malicieusement.

— Lolle ne saura rien.

— À TA PLACE, JE N'EN SERAIS PAS SI SÛRE ! me suis-je écriée derrière eux.

Ils se sont retournés en sursaut.

— Lolle ? a dit Susi, effrayée.

— Fblmf ? a dit Champion, encore plus effrayé.

— Arrête avec tes fblmf ! ai-je crié avec colère, les larmes aux yeux.

— Froudoulou ? a-t-il tenté de m'attendrir.

— Et ton froudoulou, tu peux te le mettre là où le soleil ne brille jamais !

— Dans une taupinière ? a-t-il demandé timidement.

J'ai levé les yeux au ciel.

— Écoute, je ne trouve pas ton attitude très réaliste, a observé Susi d'un ton pincé.

— Et moi, je trouve la tienne franchement dégueulasse !

— Si tu ne le laisses pas s'approcher de toi, il ne faut pas t'étonner que quelqu'un d'autre le fasse ! a-t-elle rétorqué.

— Fblmf, a approuvé Champion.

— Ta gueule ! l'ai-je engueulé.

— De plus en plus réaliste, s'est moquée Susi.

— Froudoulou ! a approuvé Champion d'une voix soudain un peu plus assurée.

Il me faisait maintenant face avec un air de défi, comme pour m'accuser de le traiter injustement. Quelques minutes plus tôt, je voulais encore reformer un couple avec lui et j'étais même prête à passer à l'acte, mais à présent… ?

Je lui ai lancé un regard furieux, il m'en a lancé un autre et a déclaré d'un ton ferme :

— Je t'ai attendue pendant des lunes. Cette fois, réponds-moi enfin : sommes-nous ensemble, oui ou non ?

En dépit de tout, j'aurais peut-être encore pu dire « oui » si, à cet instant, Susi n'avait pas souri perfidement et affirmé avec arrogance :

— Elle va sûrement te faire encore attendre la réponse quelques centaines de lunes !

Sur quoi Champion m'a regardée en soufflant rageusement par les naseaux.

Sans cela, en tout cas, je n'aurais certainement pas braillé comme je l'ai fait alors : « Je ne veux plus jamais te voir de ma vie ! », et je ne me serais pas non plus éloignée à grands pas.

La dernière chose que j'ai entendue en partant a été Susi disant tranquillement à Champion :

— Eh bien, plus rien ne nous empêche de faire ça ensemble, maintenant.

Je me sentais trop faible et trop humiliée pour protester. Et je n'ai pas davantage osé me retourner pour voir si Champion allait vraiment fblmfer avec elle ou pas.

47

Il a recommencé ! Il a recommencé !

Une fois de plus, je me retrouvais au bord de l'eau avec une forte envie de pleurer à cause de Champion. Sauf que les choses avaient bien changé depuis la première fois où je l'avais surpris avec Susi, et aussi depuis celle où je m'étais blottie seule sous la grue, à Cuxhave. Au moment où j'allais me mettre à pleurer, le petit dans mon ventre a donné un coup de pied, comme pour me dire : « Hé, il y a d'autres amours au monde, et d'autres bonheurs ! »

Mon veau avait grandi. Il avait désormais non seulement ses propres battements de cœur, mais aussi sa petite âme bien à lui, je m'en apercevais clairement en cet instant. Je me suis soudain sentie profondément heureuse. Alors, j'ai entonné très doucement une vieille chanson que chantaient toutes les vaches de notre troupeau à l'approche du terme de leur grossesse :

> *Can you feel your veau tonight[1] ?*
> *Sens-tu battre son cœur ?*

_____

1. Sur l'air de *Can you feel the love tonight,* d'Elton John !

Avec lui s'en va ta douleur.
Tu n'as plus besoin d'un taureau.

Dans mon ventre, le veau a donné un coup de pied approbateur. J'ai poursuivi :

Can you feel your veau tonight ?
Son p'tit cœur qui bat ?
Avec lui tu deviens une vache
qui ne craint plus rien...

Oui, j'avais la force de mettre ce veau au monde. J'en étais sûre à présent.

Avec lui tu deviens une vache
qui a enfin sa vie...

Tout en chantant, j'ai compris que, dorénavant, je ne verserais plus une seule larme à cause de Champion. Non par fierté ou pour je ne sais quelle raison de ce genre. Mais parce que j'en avais enfin terminé avec lui !

L'amour pour le petit être que je portais dans mon ventre était si grand qu'il m'emplissait d'une profonde paix.

Comment aurais-je pu imaginer que nous passions notre dernière soirée sur ce gras pâturage ? Que, dès le lendemain, nous prendrions le chemin d'un lieu que les humains appelaient « restaurant gastronomique » ?

Elles avaient dû mettre ça dans les carottes. Ou dans l'eau de chianti. Ou encore, dans cette boisson qui chatouillait la langue et que les cowgirls nous donnaient parfois, exceptionnellement, lorsque nous allions nous coucher – elles la nommaient « dom pérignon ». En tout cas, elles nous avaient tous endormis. Hilde, P'tit Radis, Susi, Champion, moi, les Wagyu… enfin, tous. Vraiment, il n'y a pas au monde de créatures plus traîtres que les humains.

À notre réveil, nous roulions dans ce que Maggie, la doyenne du troupeau, a qualifié de « wagon de train ». Comme c'était un véhicule semblable qui l'avait autrefois amenée sur la prairie paradisiaque, elle supposait qu'on nous transportait tous à présent vers un nouveau pâturage encore plus fantastique. Entendant cela, Hilde a marmonné d'un ton dédaigneux :

— Trop d'eau de chianti semble avoir une influence déplorable sur le jugement.

Encore étourdie, j'ai cherché à me rendre compte de l'endroit où nous étions. Le wagon produisait un grand vacarme métallique, et on entendait siffler le vent de la course. Cette étable roulante devait avancer très vite, peut-être même plus vite qu'une audoo. Le sol sous nos sabots était un plancher de bois dur recouvert d'une mince couche de paille. Une faible clarté filtrait de petites fenêtres à barreaux, si hautes que nous ne pouvions pas regarder dehors. À la vue de cette pâle lumière, j'ai compris que je ne reverrais plus jamais le ciel radieux de La Ponderosa. Et que nous n'étions certainement pas en route vers un paradis, mais vers un lieu maudit.

Cassie, la petite Wagyu à la mine sinistre, m'a jeté un regard qui signifiait : « Qu'est-ce que je t'avais dit ? »

Je lui ai répondu en prenant mon air « personne n'aime les redresseurs de torts ».

Sur quoi elle m'a fait sa grimace « personne n'aime les mauvais perdants ».

À laquelle j'ai tristement répondu tout haut :

— Apparemment, il n'y a ici que des perdants.

— Je ne me faisais aucune illusion là-dessus, a répliqué Cassie.

— Mais, contrairement à nous, tu as gâché tes dernières lunes sur terre à cause de ça, ai-je rétorqué.

Son air de Madame Je-Sais-Tout me tapait vraiment sur les nerfs.

— Alors, je n'étais finalement pas si sage que je le croyais.

Je n'ai pas eu envie de confirmer. J'avais soudain pitié d'elle, parce qu'elle avait passé toute sa vie dans l'attente de la trahison des cowgirls, sans jamais profiter de rien. Connaître son destin pouvait aussi être une malédiction.

— Je suis sûrement le redresseur de torts le plus stupide de la terre, a reniflé Cassie.

Hilde, qui avait tout entendu, a regardé la petite Wagyu. Au lieu de manifester sa sympathie comme je l'espérais, elle lui a simplement lancé :

— Vas-y, pleure !

Il y avait plus sympathique.

— Sois un peu aimable avec elle ! ai-je reproché à Hilde.

Je sentais remonter en moi toute la rage réprimée depuis des lunes. Au fond de moi, devais-je constater, je lui en voulais toujours de m'avoir enlevé la direction du troupeau.

— Retiens ton souffle et compte jusqu'à 400 000, a suggéré Hilde à la Wagyu.

— Je ne trouve pas ça très aimable, ai-je ronchonné.

Elle commençait à m'énerver sérieusement.

— Et si elle ne comptait que jusqu'à 399 999 ? a répondu Hilde avec une ironie mordante.

Déjà, les larmes coulaient sur les joues de Cassie.

— Démolir des petites vaches sans défense ne nous aidera pas, grande guide. Sans toi et tes décisions, nous ne serions pas ici ! ai-je mugi, en colère.

Piquée dans son honneur, Hilde a répliqué d'un ton venimeux :

— Ah oui ? Et où serions-nous, alors ?

Je me suis mise à réfléchir. Si j'avais conduit le troupeau, au lieu de courir vers New York, nous serions demeurés auprès du cap'tain... qui nous aurait aussitôt livrés aux cowgirls. Ce serait donc revenu au même. Gênée, j'ai baissé les yeux vers le sol devant mon gros ventre. Nous sommes restées silencieuses un moment, puis Hilde a déclaré d'une voix un peu plus conciliante :

— Comme meneuses, nous ne sommes finalement pas si géniales, toi et moi.

— Oui, je suppose qu'il y en a de meilleures, ai-je répondu avec un sourire mi-figue mi-raisin.

Nous avons regardé autour de nous : Champion, Susi, P'tit Radis, les Wagyu plus ou moins bouleversées...

— Il y en a peut-être de meilleures... a constaté Hilde.

— ... mais pas dans ce wagon, ai-je achevé.

Cette fois, nous étions deux à arborer un sourire mi-figue mi-raisin.

— On fait la paix ? ai-je proposé.

— Nous n'y arriverons qu'en restant solidaires, toi et moi, a acquiescé Hilde.

Nous avons conclu l'accord en entrechoquant nos cornes, et, un court instant, je me suis sentie si bien que j'ai un peu repris espoir.

Un court instant seulement.

Car, aussitôt après, j'ai recommencé à voir autour de moi les parois grinçantes du wagon.

— Ce serait pas mal d'avoir une idée sur la façon de sortir d'ici, a dit Hilde.

— Et encore mieux si l'idée était bonne, ai-je renchéri.

— Je n'en ai même pas une mauvaise, a-t-elle soupiré.

— À qui le dis-tu...

— Tu n'en as même pas une mauvaise ?

— Non, aucune, ai-je reconnu.

Nous sommes retombées dans le silence, jusqu'à ce que je soupire :

— Si Naïa existe vraiment, elle ne nous aime pas.

— Si elle existe, elle doit même carrément nous prendre pour de la merde, a ajouté mon amie.

— Allora, c'est bien qué moi yé vous aime ! a soudain fait une voix venue d'en haut.

Nous avons vivement levé les yeux. Et là, entre les barreaux d'une lucarne, était assis Giacomo, un large sourire sur son visage de chat.

49

— Giacomo ! Qu'est-ce que tu fais ici ? me suis-je écriée joyeusement.

— Yé souis assis entre les barreaux d'oune pétite fénêtre et yé vous fais oune grande sourire, a-t-il répondu en souriant encore plus largement.

— Et tu dis des bêtises, a soupiré Hilde en levant les yeux au ciel.

Pourtant, elle se réjouissait tout autant que nous de l'apparition-surprise de Giacomo. Sa vue nous redonnait de l'espoir. Un espoir certes totalement absurde – car comment un petit matou nous aurait-il délivrés d'une aussi terrible situation ? –, mais un espoir quand même.

Sautant sur mon dos, Giacomo a regardé autour de lui.

— Mamma mia, vous êtes dévénoues encore plous grasses qu'avant !

— Et toi encore plus charmant, a rétorqué Hilde.

— Maintenant, je sais ce qui ne m'a pas manqué pendant toutes ces lunes, a soupiré Susi.

— Et vous, signorina, vous êtes dévénoue la plous grasse dé toutes.

Susi s'est mise à écumer, mais, sans lui laisser le temps de répliquer, P'tit Radis s'est frayé un passage entre les Wagyu pour nous rejoindre et a souri au chat.

— Je trouve ça super que tu sois revenu !

— Et moi, je trouve que nous devrions parler de la façon de sortir d'ici, est intervenu Champion.

Il se sentait très mal à l'aise dans ce wagon étroit. Dans l'audoo du fermier, il avait déjà connu l'expérience de l'enfermement, et, même si sa mémoire l'avait oublié, quelque chose dans son corps devait s'en souvenir, car il jetait de tous côtés des regards éperdus et son front était en sueur. Giacomo s'est mis à rire.

— Ah, Cretino est là aussi !

— Qui appelles-tu Cretino ? a fulminé Champion.

— Seul oune cretino peut poser cetté question, a répliqué le chat en riant de plus belle.

J'ai eu l'impression qu'il se forçait un peu. Giacomo devait nous cacher quelque chose. Ce n'était d'ailleurs pas difficile à deviner, car il était bien loin de sa maîtresse. L'avait-il seulement retrouvée ? Quoi qu'il en soit, me suis-je dit, Cretino… euh, Champion avait raison : nous avions des problèmes plus pressants que l'étrange comportement du matou. Aussi l'ai-je questionné :

— Peux-tu nous aider à sortir d'ici ?

Il a regardé autour de lui, et sa mine s'est assombrie quand il a vu toutes ces vaches dans le wagon.

— Sì, ma no, a-t-il répondu avec une gravité particulière.

— Peux-tu être un peu plus clair ? a demandé Hilde.

— Oui, mais non, a répété le chat.

— C'est ce que tu appelles être plus clair ?

Il a alors murmuré tout bas :

— Yé peux vous sortir dé là, mais pas tous.

— Là, je l'ai trouvé un peu trop clair, a balbutié P'tit Radis.

— Comment ça, pas tous ? ai-je demandé, comprenant moins vite que mon amie.

— La ploupart dévront rester.

Susi a été la première à réagir :

— Si je ne fais pas partie de « la plupart », ça me va parfaitement !

Voilà comment était cette Susi. Toujours pleine de compassion envers ses frères bovins.

Mais pour nous, ce n'était pas si facile. Avions-nous le droit de sauver nos vies en laissant tous les autres mourir ? À supposer, d'ailleurs, que nous soyons parmi ceux qui réussiraient à s'enfuir ?

J'ai mis provisoirement cette question de côté pour poser celle qui me paraissait la plus urgente :

— Et comment sortirons-nous d'ici, au fait ?

Giacomo s'est dirigé en sautillant vers une grande porte en bois, sans doute celle par laquelle les cowgirls nous avaient transportés dans le wagon pendant que nous étions inconscients. Il nous a montré une toute petite barre de fer fixée sur cette porte et qu'il a appelée « loquet ».

— C'est toute simple, a-t-il déclaré avec un grand sourire. Vous n'avez qu'à lé souléver avec votre mouseau.

Je me suis précipitée vers la porte. Dès que j'ai levé le loquet, elle a glissé sans peine sur le côté, et un vent violent s'est mis à souffler par l'étroite ouverture. Les humains avaient dû se dire que des vaches ne seraient jamais assez intelligentes pour comprendre comment fonctionnait ce machin, ce loquet, et, de fait, ils avaient raison, hélas ! Sans l'intervention du chat, nous n'aurions jamais su débloquer la porte. Je m'apprêtais à l'ouvrir en grand, quand Giacomo m'a crié :

— Attenti !

Entre-temps, j'avais appris ce que signifiait ce mot : que nous devions nous préparer à affronter un danger quelconque d'une nature encore inconnue.

J'ai donc poussé la porte avec précaution. Le vent m'a giflée violemment tout en grondant à mes oreilles, et j'ai failli être projetée dehors. Mais ce n'était pas le pire, loin de là. Les arbres défilaient devant moi à une vitesse si extraordinaire que j'ai été saisie de vertige. Instinctivement, j'ai baissé les yeux, et là, à mes pieds, j'ai vu des cailloux filer à une vitesse tout aussi extra-ordinaire, ce qui a aggravé mon vertige. Je commen-çais à ne plus rien voir du tout quand j'ai enfin compris. Ce n'étaient pas les arbres et les cailloux qui fonçaient ainsi… mais le wagon qui nous emportait à toute allure sur ces cailloux et le long de ces arbres ! Aussitôt après, j'ai eu une révélation encore plus essentielle : si je tombais de la voiture, je serais aplatie sur les pierres comme un scarabée prononçant ces der-niers mots : « Cette ombre au-dessus de nous, n'est-ce pas un sabot de vache… ? »

J'ai reculé de quelques pas et me suis tournée vers le reste de mon petit troupeau, qui regardait en silence le défilé des arbres tandis que les Wagyu se pressaient avec inquiétude contre les parois, le plus loin possible de la porte. Tout le monde était bien trop angoissé pour mugir. La première à retrouver la parole a été Hilde :

— Nous ne pouvons pas sauter.

La voix de Giacomo s'est élevée par-dessus le vacarme du vent :

— Oh, qué si, vous pouvez.

— Soit le chat a une araignée au plafond, soit c'est moi, a déclaré Susi.

— Pourquoi faut-il que ce soit l'un ou l'autre ? a observé Hilde.

— Dans quelqués minutes, lé traine passéra sour ouné ponte très grande, et là, vous pourrez sauter, a repris le chat.

— En tout cas, le chat au moins a une araignée au plafond, a estimé Champion.

Hilde était du même avis :

— Si nous sautons d'un pont, nous tomberons d'encore plus haut sur les pierres.

— Vous tombérez dans l'eau. La ponte elle passe sour lé Mississippi.

— Le pont passe sur du pipi ? s'est étonnée P'tit Radis.

— Ça aurait plu à ta mémé Zinzin, a dit Susi.

— Arrête de l'appeler Zinzin !

— Timbrée-Timbrée ?

— Non plus !

— Qui en tient une couche-Qui en tient une couche ?

Avant que P'tit Radis, furieuse, ait eu le temps de répondre, le chat nous a expliqué :

— Lé Mississippi est oune fleuve.

Nous avons tous poussé un profond soupir. Comment pourrions-nous sauter d'un pont dans un fleuve, et depuis un wagon en marche ? Cette fois, c'était certain : le chat avait une araignée au plafond.

— Qué avez-vous à perdre ? a-t-il demandé.

— La vie ? a ironisé Susi.

— Cellé-là vous pouvez seulement sauver.

— Il n'a pas tort, ai-je dû reconnaître.

Puisque nous étions déjà en route vers la mort, nous n'avions le choix qu'entre la peste bovine et la fièvre aphteuse.

Cependant, au cas où nous survivrions à la chute, nous aurions nos chances, parce que les vaches savent nager. Je disais bien : au cas où nous survivrions à la chute. C'était le détail idiot.

— Ma la ponte elle n'est pas très longue, nous a avertis Giacomo. Vous dévrez être plous rapides qué les autres vaches et laisser elles en arrière.

— Que vont-elles devenir ? a demandé P'tit Radis.

— Les Wagyu vont dans les assiettes dé les gourmets, a soupiré le chat d'une voix à peine audible dans le sifflement du vent.

Si ces « gourmets » étaient des gens capables d'accepter de telles horreurs – qu'on cajole et qu'on gâte les vaches jusqu'à ce qu'elles soient bien grasses et leur chair bien tendre –, alors, je les aimais encore moins que les autres humains !

— Nous devons emmener avec nous autant de Wagyu que possible ! ai-je crié aux autres.

— Le devons-nous vraiment ? a dit Susi, qui ne se souciait que de sa propre peau.

Je l'ai regardée d'un air mauvais et elle a repris tout doucement :

— C'est quand même permis de poser des questions…

— Tou as peu dé chances avec les Wagyu, m'a dit Giacomo. Elles né connaissent pas la vie commé vous. Elles auront plous d'espoir qué dé peur, allora, elles restéront dans lé wagon en espérant lé happy end.

— Qu'est-ce que ça veut dire, « happy end » ? a demandé P'tit Radis. Ça a l'air joli.

— C'est quelqué chose qui n'esiste qué dans l'ima-ginatione, a soupiré le chat.

À en juger par la tristesse de son regard, il ne pensait pas du tout aux Wagyu, mais plus probablement à sa maîtresse. Puis il s'est ressaisi. Il a regardé par la porte ouverte et s'est écrié :

— La ponte arrive ! Préparez-vous à sauter !

Nous – c'est-à-dire ceux d'entre nous qui n'étaient pas des Wagyu – nous sommes approchés de la porte et avons tendu le cou avec précaution vers l'extérieur, car le vent nous arrachait presque la tête. Le pont était bien là, après une courbe. Il était d'une hauteur extra-ordinaire. Au moins cinquante longueurs de vache.

— Je ne peux pas sauter de là ! a mugi Susi.

— Pense à l'alternative ! a répondu Hilde.

— Je préférerais penser à un gras pâturage !

— Je te comprends, a reconnu Hilde.

Champion, qui transpirait et tremblait maintenant de tout son corps, a déclaré :

— Tout vaut mieux que de rester dans ce wagon.

Pour échapper à l'étroitesse angoissante de notre prison, il aurait sans doute accepté de sauter dans une immense bouse brûlante.

Le pont se rapprochait toujours. Hilde a tourné son museau vers le mien pour me demander :

— Laquelle de nous deux doit maintenant sauter la première pour entraîner les autres ?

— Fais-le, toi, ai-je mugi au-dessus du vacarme. Je sauterai la dernière, en essayant d'en emmener le plus possible avec nous.

Hilde m'a regardée comme elle ne l'avait encore jamais fait, avant de répondre, avec une nuance de pro-fond respect dans la voix :

— Tu penses aux autres jusqu'au bout, et moi seulement à les conduire. C'est toi qui es la seule vraie meneuse !

Ma gorge s'est serrée, car je comprenais qu'en disant cela elle me rendait la responsabilité du troupeau. Parce qu'elle me considérait comme la meilleure. J'ai espéré ne pas la décevoir, ni elle ni les autres.

Quand le train a atteint le pont, Hilde a respiré un bon coup et, d'un immense bond de vache, s'est élancée hors du wagon. Elle est tombée… tombée… en criant « AHHH ! », et elle a continué à tomber et à crier jusqu'à ce qu'elle fasse « plouf »… et elle n'est pas ressortie de l'eau.

— Je ne suis plus très sûre que ce soit une si bonne idée de sauter, a fait P'tit Radis d'une voix étranglée.

— Moi, j'ai toujours trouvé cette idée débile, a approuvé Susi.

C'est alors que Hilde a subitement émergé de l'eau, luttant pour reprendre son souffle.

— Bon ! a dit Champion.

Et, sans plus hésiter, il a courageusement sauté à son tour en criant comme un gamin :

— LA BOOOMBE !

Déjà, nous étions au milieu du pont. C'était au tour de P'tit Radis. Elle a marmonné pour elle-même, d'une voix à peine audible :

— Cette fois, j'ai hâte de savoir si je pourrai goûter cet instant-là aussi…

Elle s'est forcée à sourire, puis elle a sauté.

Pendant que P'tit Radis s'écrasait sur l'eau, j'ai regardé Susi, qui se tenait à côté de moi sur le pas de la porte, les pupilles dilatées par la peur. Le temps n'était plus aux discours. J'ai reculé de quelques pas… et j'ai planté mes cornes dans son derrière – devenu réellement très plantureux, grâce à la bonne nourriture des lunes passées. Elle a trébuché en poussant une exclamation et est tombée du train lancé à toute allure en criant :

— Je te déteste, Lolle !

Sans attendre de la voir arriver en bas, je me suis tournée en hâte vers les Wagyu à présent complètement paralysées.

— Il faut que vous sautiez vous aussi ! les ai-je suppliées.

— Vous êtes folles, a répondu leur doyenne, Maggie.

Le reste du troupeau a hoché la tête pour approuver.

— Mais pas si folles que vous, si vous restez !

— Je fais confiance aux cowgirls, a repris Maggie d'une voix tremblante.

Il m'était difficile de savoir si elle disait la vérité. En tout cas, elle n'avait pas assez totalement perdu confiance pour commander à son troupeau de se jeter à l'eau.

J'ai regardé Cassie, la petite Wagyu. Elle au moins se laisserait sûrement persuader.

— Qu'en penses-tu ? Toi qui t'es toujours méfiée des humains ?

Elle hésitait à répondre. Pendant ce temps, Hilde, P'tit Radis, Champion et Susi nageaient dans le fleuve, la tête levée pour voir ce que je fabriquais. Et le bout de ce sacré pont qui se rapprochait ! Nous y serions dans moins de trente secondes, ensuite, je ne pourrais plus que rouler vers la mort avec les Wagyu.

Je voulais au moins convaincre Cassie.

— Nous n'avons plus beaucoup de temps ! lui ai-je crié.

— Ma place est avec mon troupeau, a-t-elle répondu d'une voix à peine audible.

C'était une position respectable. Et stupide. Les deux à la fois. Ce qui posait la question de savoir si respectable et stupide n'étaient pas bien souvent étroitement liés.

Si j'avais eu davantage de temps, j'aurais peut-être encore pu convaincre la petite. Mais peut-être pas. D'ailleurs, cela n'avait plus de sens d'y penser, puisque je n'avais plus le temps. Je l'ai saluée d'un bref signe de tête et me suis postée devant la porte. Plus que cinq secondes avant le bout du pont, ensuite, il serait trop tard pour sauter et je serais bonne pour devenir une nourriture de choix. Cinq…

Waouh, c'était vraiment haut…

Quatre…

Et l'eau devait être vachement froide…

Trois…

Et si je m'écrasais sur le ventre, cela pourrait faire du mal à mon veau…

Deux…

Il ne me restait donc qu'une solution…

Un…

— LA BOOOOMBE !!!!!!!!!

50

Vous qui écoutez mon histoire, qui que vous soyez, vache, cochon, humain, hamster ou pou vagabond, je vous donne un bon conseil pour la vie. Si vous avez moyen d'éviter cela, ne plongez jamais, mais alors jamais, d'une hauteur de cinquante longueurs de vache en faisant la bombe !

Quand mon arrière-train est entré brutalement en contact avec l'eau, j'ai seulement ressenti une vive douleur, aussitôt remplacée par un problème bien plus urgent : un extraordinaire manque d'air. Je m'enfonçais toujours davantage dans les profondeurs du Mississippi, et que l'eau froide ait momentanément soulagé la sensation cuisante à mon derrière n'était qu'une maigre consolation. Je voyais mes bulles d'air remonter vers les arrière-trains de mes compagnons, qui nageaient à la surface illuminée par les rayons du soleil. J'essayais frénétiquement de les rejoindre en battant l'eau comme une folle, mais j'avais beau agiter mes quatre pattes, l'élan de la chute m'entraînait toujours plus bas. Mes poumons me brûlaient et les dernières petites bulles sortaient de ma bouche, quand mes efforts ont enfin produit un résultat. J'ai cessé de couler, et même commencé à remonter un peu.

Partagée entre le désespoir et la panique, je me suis mise à gigoter de plus belle. Mes poumons semblaient près d'éclater. Pourtant, je me rapprochais de la surface. Mes muscles me faisaient toujours plus mal, je me sentais sur le point de perdre connaissance, mais l'air salvateur était trop proche, à peine à une longueur de vache, pour que j'abandonne. Je devais tenir le coup. Il le fallait ! Pour mon veau !

Mes pattes ne s'agitaient plus que faiblement et de manière désordonnée, mais je remontais toujours. Jusqu'à ce que ma tête heurte quelque chose. À travers l'eau, j'ai entendu, venant de la surface, la voix étouffée de Susi :

— C'est mon derrière, idiote !

Il serait trop bête, me suis-je dit, que ce popotin doive être ma dernière vision de ce monde.

Cette pensée terrifiante m'a donné la force de contourner l'arrière-train de Susi, ce qui a demandé un peu de temps, car il avait acquis des proportions gigantesques au cours de ces dernières lunes. Ma tête a enfin émergé à la surface, j'ai recraché de l'eau, prenant sans déplaisir le risque d'atteindre Susi, puis j'ai aspiré l'air à grands traits dans mes poumons en feu. Quand j'ai commencé à retrouver un peu de souffle, j'ai d'abord jeté un coup d'œil aux vaches mouillées qui pataugeaient autour de moi, puis j'ai levé les yeux vers le pont. Il n'y avait plus rien à voir. Le train était passé – emportant toutes les Wagyu. On l'entendait encore rouler, mais le bruit s'amenuisait peu à peu, jusqu'à disparaître à son tour dans le lointain. Une pensée intolérable m'est venue : cette fois encore, nous avions réussi a sauver nos vies, mais, une fois de plus, d'autres vaches roulaient vers la mort.

— Que faisons-nous maintenant ? m'a demandé Hilde.

Tous les autres me regardaient aussi, ayant compris à l'attitude de Hilde que j'étais redevenue la meneuse. Je devais donc me comporter comme telle, si difficile que cela me soit en cet instant, aussi ai-je répondu :

— Nous nageons vers la rive.

— Ça, j'y aurais pensé toute seule, a commenté Susi d'un ton plus las que mordant.

Tous ensemble, nous avons nagé jusqu'au rivage rocailleux, puis, nous hissant sur la berge, nous nous sommes laissés tomber à terre pour nous sécher au soleil de midi.

— Aïe, mon derrière ! a gémi Champion, qui regrettait d'avoir sauté en faisant la bombe.

Cela m'a rappelé le mien, tout aussi cuisant.

— Vos popotins sont joliment rouges, a observé P'tit Radis. Ma mémé Toc-Toc avait une recette secrète pour soigner ça, voulez-vous l'entendre ?

— Non !!! avons-nous crié en chœur, Champion et moi.

Qui aurait cru que nous retrouverions un jour une telle unanimité ?

— Que veux-tu faire maintenant ? m'a alors demandé Hilde.

J'aurais bien répondu : « Me procurer un nouveau derrière », mais, à part cela, une seule idée m'est venue, celle de mon plan d'origine :

— Il faut que nous allions en Inde.

— Et comment comptes-tu y arriver ? a fait Susi avec mépris. Tu ne sais même pas où nous sommes actuellement !

Elle avait raison, je n'en avais pas la moindre idée. Mais je n'allais pas l'admettre dans un moment pareil, ma petite troupe était bien trop épuisée par ce que nous venions de vivre. C'est alors que nous avons entendu la voix moqueuse du chat :

— Ah, lé sport, c'est la morte !

Il arrivait en bondissant sur les cailloux de la rive. De toute évidence, il avait sauté du train un peu après nous. Avec ses pattes agiles, il pouvait atterrir n'importe où sans avoir besoin de prendre des risques pour se jeter à l'eau du haut d'un pont – oui, il valait beaucoup mieux être un chat (quoique… dans ce cas, on avait encore le problème de la moustache qui trempe dans la nourriture).

— Lé voyage est très, très longue jousqu'en Inde…

Giacomo confirmait ce que j'avais craint sans oser le dire tout haut.

— … ma yé joure dé vous y emméner.

Il disait cela avec une gravité que je ne lui connaissais pas. Quelque chose avait dû changer en lui pendant les lunes qu'il avait passées loin de nous.

— Et yé sais aussi comment, a-t-il achevé en nous faisant signe avec sa patte de le suivre.

Nous nous sommes relevés péniblement et nous sommes mis à trotter sans enthousiasme le long du rivage. Pour tout dire, Champion et moi étions à la traîne. Chaque pas nous faisait mal à l'arrière-train, occasion pour moi de constater que la douleur était bien l'invention la plus stupide de Naïa.

— Veux-tu que je te souffle dessus ? m'a proposé P'tit Radis.

— Comment ? ai-je demandé sans comprendre.

— Pour soulager ton derrière, a-t-elle expliqué.

— Il est trop gros, tu n'auras jamais assez d'air, s'est moquée Susi.

De son côté, elle était plutôt essoufflée. Les autres également. Notre excès de poids rendait la marche pénible pour tous, et plus encore pour moi, avec mon gros ventre. J'ai essayé d'oublier ma douleur et ma respiration difficile en rejoignant le fringant Giacomo et en le questionnant :

— Comment nous as-tu retrouvés ?

— Après quelqués sémaines dans la New Yorke, y'ai entendou des autres chats dire qu'on avait captouré des vaches. Ça né pouvait être qué vous. Y'ai appris qu'on vous avait emménées au ranch des Wagyu, et allora, yé souis parti vous réjoindre et yé souis arrivé jouste commé les gens ils vous emménaient dans lé train.

— Et pourquoi n'es-tu pas avec ta maîtresse ? ai-je fait prudemment.

Au lieu de me répondre, il a continué à marcher en regardant ses pattes.

Tandis que je me demandais encore si je devais insister ou, par politesse, le laisser tranquille et aller plutôt me faire souffler sur le derrière par P'tit Radis, il m'a dit tout bas :

— Yé né l'ai pas trouvée.

— Je suis vraiment désolée…

J'en oubliais complètement ma brûlure à l'arrière-train. Giacomo avait cherché sa maîtresse pour retrouver le bonheur, et maintenant, il semblait l'avoir perdu pour toujours.

— Né lé sois pas, m'a répondu le chat. Ça finira par aller mieux.

— Ah bon ?

Je n'étais pas très sûre de ce qu'il voulait dire par là.

— Dans la vie, il y a des choses qué on né peut pas réparer direttamente. Ma yé peux réparer d'oune autre façon. Yé peux vous emméner en Inde. Y'ai laissé tomber ma maîtresse, ma vous autres, yé né veux pas vous décevoir !

Je comprenais mieux maintenant ce qu'espérait Giacomo. D'une certaine manière, s'il parvenait à nous aider, si nous réussissions à atteindre l'Inde, cela lui ôterait une partie de sa culpabilité envers sa maîtresse. Il pourrait se pardonner à lui-même, redevenir enfin heureux. Il avait lié son bonheur de chat au nôtre.

Quant à savoir si c'était une sage décision, je me permettais d'en douter.

J'ai regardé mon petit troupeau. Tous avaient les yeux vides, comme si le feu de la passion s'était éteint en eux. Nous étions tous trop gros et, ce qui était plus grave, découragés. Parce qu'on nous avait chassés d'un faux paradis, nous avions perdu notre foi dans la possibilité d'en découvrir un vrai. Une chose était certaine : si notre état d'esprit ne changeait pas rapidement, nous n'atteindrions jamais l'Inde.

51

En sueur et le souffle court, nous marchions au soleil le long du Mississippi, impressionnés par les immenses arbres majestueusement dressés vers le ciel. Ma douleur à l'arrière-train n'était plus aussi cuisante. Mais, comme d'habitude, P'tit Radis paraissait être la seule à voir le côté positif de la situation :

— Au moins, à force de transpirer, nous allons maigrir un peu.

— C'est parfait pour celles d'entre nous qui en ont besoin, a ronchonné Susi.

Malgré ses moqueries, elle semblait à la peine. Depuis que nous étions repartis à l'aventure et que nous n'étions plus protégés, elle devait recommencer à affronter ses doutes sur elle-même.

Cependant, il y a des jours où, tout en comprenant la mauvaise humeur des autres, on a quand même envie de leur coller une bouse sur le mufle pour les faire taire.

Nous avons marché deux heures en nous traînant péniblement, jusqu'à atteindre un endroit où il n'y avait tout à coup plus un seul arbre. En escaladant la berge, nous avons découvert une immense prairie. J'ai proposé de brouter un peu, car le ventre de Champion gargouillait si fort que les écureuils s'enfuyaient à son approche. L'herbe était loin d'être aussi grasse que sur notre pâturage précédent, mais c'était mieux que rien, et surtout, nous la mangions en liberté. Peut-être devrions-nous nous en contenter et rester là, ai-je pensé avec lassitude. Si l'endroit n'était pas paradisiaque, il ne manquait pas d'eau et la nourriture y était acceptable.

— Là ! s'est soudain exclamée Susi, m'arrachant à mes pensées.

Tout agitée, elle désignait du museau un taureau qui s'avançait vers nous. Grand, massif, bien plus imposant que Champion et que tous les taureaux que nous avions pu voir au cours de notre vie. Cependant, ce n'était pas sa beauté ni son allure qui nous impressionnaient le plus. Non, ce qui nous étonnait vraiment chez lui, c'était sa couleur.

— Brun ! s'est écriée Hilde.

Pour la première fois de sa vie, elle voyait quelqu'un qui avait les mêmes taches brunes qu'elle. Qui plus est, un taureau, du premier coup !

— Brun... brun... brun... continuait-elle à balbutier.

Je ne l'avais jamais vue aussi bouleversée, aussi retournée.

Le taureau s'est approché de nous d'un pas élégant, presque distingué. Il a examiné nos taches noires avec curiosité. Et un peu de condescendance, m'a-t-il semblé.

— Tu n'es pas d'ici, baby, a-t-il déclaré en s'adressant directement à Hilde.

Elle n'était absolument pas en état de lui répondre. C'était son rêve secret, rencontrer un taureau qui aurait la même robe qu'elle. Un taureau dont elle pourrait tomber amoureuse !

— Je m'appelle Boss, et toi, baby ?

— Brun, a balbutié Hilde.

— Ravi de te connaître, Brun.

— Brun.

— Sais-tu dire autre chose que « brun », Brun ?

— Voulu avoir.

— Voulu avoir ? a répété Boss d'une voix amusée. Veux-tu dire : moi ?

— Brun.

Aïe ! Il allait falloir venir au secours de Hilde avant qu'elle ne dise trop de sottises. Je me suis avancée vers le taureau et ai déclaré :

— Mon amie est un peu troublée pour le moment...

— Ah, baby, c'est tout à fait normal qu'une vache réagisse ainsi en me voyant, a répondu le beau Boss en souriant.

— Il né souffre pas d'oune complesse d'infériorité, a constaté Giacomo.

— Pourquoi le devrait-il ? a observé Susi, visiblement emballée par sa musculature.

— Oui, pourquoi ? a répété le taureau, toujours souriant.

— Brun, a approuvé Hilde.

— Pourquoi parle-t-elle ainsi ? nous a demandé Boss. Ses parents étaient-ils frère et sœur ?

— Non, mais c'est la première fois qu'elle voit un taureau à taches brunes, ai-je expliqué.

— Alors, il est grand temps qu'elle en connaisse un pour de bon, a conclu Boss avec un sourire indubitablement douteux, et d'un air très sûr de lui.

Car ce taureau était décidément incapable de douter de lui-même.

Pendant ce temps, Hilde baissait les yeux, si gênée qu'elle ne parvenait même pas à le regarder en face. Incroyable ! Ce type avait gagné son cœur à la vitesse de l'éclair. Si je m'étais attendue à la voir un jour changée à ce point !

— Je ne le trouve vraiment pas si formidable que ça, a marmonné P'tit Radis, jalouse.

— Moi non plus, a renâclé Champion, qui avait perdu l'habitude d'être en concurrence avec un autre taureau, surtout tellement plus grand que lui. Il est bien trop vaniteux.

— Et c'est toi qui dis ça ? n'ai-je pu m'empêcher d'observer.

Champion m'a lancé un regard furieux. Pas seulement à cause de ma remarque, non. Il avait des raisons bien plus sérieuses d'être en colère contre moi. Mais je m'en fichais, j'en avais fini avec lui.

— Que faites-vous par ici ? a demandé Boss. À part lorgner mon organe avec envie ? a-t-il ajouté avec un regard en biais vers Champion.

— Je ne lorgne pas avec envie !!! a protesté l'intéressé.

— Ce serait pourtant compréhensible. On doit pouvoir abattre des arbres avec ce truc, a déclaré Susi, impressionnée.

— Brun, a approuvé Hilde, qui ne s'était jamais sentie concernée par la question jusque-là.

Au moins, elle n'avait pas répété « voulu avoir ».

Champion écumait de rage, il était prêt à affronter l'autre taureau avec ses cornes pour affirmer sa virilité. Mais je suis intervenue sans lui laisser le temps d'en arriver là, au risque d'être blessé par ce mastard.

— Nous cherchons un nouvel endroit pour y vivre, ai-je déclaré.

— Tiens, tiens… a répondu Boss en nous regardant fixement, surtout nous, les femelles. Nous n'avons encore personne avec des taches noires ici, seulement des vaches à taches brunes. Et encore, elles n'ont pas d'aussi belles rondeurs que vous. Mes amis seront contents...

Il a souri d'un air aguicheur, et je me suis sentie réduite à mon apparence extérieure.

— Il y a donc d'autres taureaux ici ? a demandé Susi avec espoir.

Une fois de plus, cela ne la dérangeait pas d'être réduite à des apparences.

— Oh oui, baby ! Nous sommes dix en tout.

— Waouh ! s'est exclamée Susi.

— Brun-brun-brun ! s'est réjouie Hilde.

— Si vous voulez vous joindre à notre troupeau, vous êtes les bienvenus, a proposé le taureau en indiquant la direction avec son museau.

Au loin, dans le soleil couchant, on apercevait plusieurs vaches à taches brunes. À ce spectacle, le cœur de Hilde a bondi de joie.

— Nous vivons en liberté sur la prairie, sans humains, a expliqué Boss.

Sans humains ? Si c'était vrai, nous ne serions pas forcés d'entreprendre le pénible voyage vers l'Inde pour lequel le courage et la volonté nous manquaient déjà.

— Nous restons ici ! s'est écriée Susi.

Champion était moins enthousiaste. La perspective que d'autres taureaux plus grands et surtout mieux pourvus que lui vivent sur cette prairie ne lui souriait guère. Quant à P'tit Radis, la façon dont Hilde admirait ce taureau lui déplaisait fortement. Mon petit troupeau était donc loin d'être unanime sur la question de savoir si nous devions rester ou pas. En tant que meneuse, c'était à moi de trancher. Même si je rêvais de l'Inde depuis le début, peut-être valait-il mieux vivre en

liberté ici, sur un vrai pâturage, protégées par des taureaux costauds. Qui savait quels dangers nous attendaient encore, et si nous atteindrions jamais l'Inde ?

— Pour rester avec nous, il suffit de vous confor-
mer à quelques règles simples.

— Pas de problème, ai-je répondu d'un ton décidé,
malgré l'air fâché de P'tit Radis et de Champion.

Je venais de choisir pour nous tous : nous resterions
ici.

— Vous devez respecter les anciens, a exigé Boss.

— Cela va de soi, ai-je acquiescé.

— Vous ne devez pas vous quereller avec les autres
vaches sur le pâturage.

— Cela aussi, bien entendu.

— Et les vaches doivent nous obéir, à nous, les taureaux.

— Hein, comment, quoi ? me suis-je étonnée.

— Vous devez faire tout ce que vous disent les
mâles.

— BRUUUUUN ??? s'est écriée Hilde.

— Euh… Et en quel honneur, s'il te plaît ? me
suis-je indignée.

— Parce que nous sommes les mâles et vous les
femelles, a répondu Boss comme s'il énonçait une loi
naturelle.

— L'argument est franchement comique, a estimé
P'tit Radis.

— Et c'est le dire encore trop aimablement, a
déclaré Champion.

— Es-tu un mâle ou une génisse ? lui a demandé
Boss d'un ton provocant.

— Ces dernières lunes, j'ai appris de quoi les
vaches étaient capables, a-t-il répliqué. Les femelles
sont parfois bizarres, certes… en fait, plus souvent que

parfois… beaucoup plus souvent… mais elles réalisent des choses que nous ne saurions jamais faire, nous autres taureaux.

J'étais de nouveau fière de Champion. C'est drôle, ai-je pensé, maintenant que j'en avais fini avec lui pour de bon, il recommençait à m'étonner.

— Si vous vous soumettez, ce sera le paradis pour vous, les vaches, a dit Boss. Vous verrez, vous apprendrez à nous aimer, a-t-il ajouté avec un sourire d'une obscénité incroyable.

C'était le sourire le plus répugnant que j'aie jamais vu à un taureau.

— Cela gêne-t-il quelqu'un si je vomis ? a soudain explosé Susi.

Apparemment, elle ne voulait plus mener une vie où elle ne ferait qu'être utilisée par des taureaux.

— Ne te retiens surtout pas pour moi, a répondu P'tit Radis avec dégoût.

— Si possible sur ses sabots, l'ai-je priée.

— Dans sa figure, ce serait pas mal non plus, a ajouté Champion.

Nous étions tous d'accord : cet endroit ne pouvait pas être notre nouveau chez-nous. Ce serait encore pire qu'à la ferme ou avec les cowgirls, car ici, ce ne seraient pas les humains qui feraient de notre vie un enfer, mais nos semblables !

La seule à n'avoir encore rien dit était Hilde. Après nous avoir anéantis du regard, Boss s'est tourné vers elle :

— Et toi, Brun ? Veux-tu renoncer à la belle vie avec de vrais mecs, comme tes idiotes de copines ?

Hilde se taisait toujours.

Oh, non, elle n'allait tout de même pas rester avec lui pour une simple histoire de taches ? Elle n'avait pas le droit !

Silence.

Que devais-je faire, si Hilde ne voulait pas quitter ces taureaux monstrueux ? Je n'aurais le choix qu'entre laisser mon amie en arrière ou la forcer à nous suivre. Mais était-ce possible ? D'ailleurs, en avais-je le droit ? Un troupeau comme celui-là n'était-il pas le rêve de sa vie ?

— Alors, Brun, qu'en penses-tu ? Tu restes avec nous ?

Hilde a ouvert la bouche pour répondre, et j'ai retenu mon souffle. Pourvu qu'elle ne dise pas « brun » !

— Rouge, a-t-elle meuglé.

— Tu t'appelles Rouge ? a demandé Boss, étonné.

Toujours aussi sûr de lui, mais étonné.

— Non, ce n'est pas mon nom, mais la façon dont je vois ! a soufflé Hilde avec colère en lançant un coup de sabot juste à l'endroit de son corps dont il était si fier.

Champion a vite fermé les yeux.

— Ssss… Ça me fait mal rien qu'à regarder !

— Cetté broute a mainténant ouné floûte, a renchéri Giacomo.

Boss a poussé un mugissement et s'est mis à courir vers son troupeau, la queue entre les pattes (et je n'entends pas par là celle qui lui servait à chasser les mouches). De loin, il nous a encore couiné :

— Tant pis pour vous, vous n'avez qu'à crever tout seuls !

— Et toi, tu ne seras jamais heureux avec une vache ! lui a crié Champion à son tour.

Il me surprenait encore.

Inversement, je n'attachais aucune importance aux menaces de Boss. J'étais bien trop soulagée que Hilde reste avec nous. Cela m'a d'ailleurs rappelé une chose que Giacomo m'avait racontée sur ce lointain pays.

— Dis-moi, Giacomo, en Inde, les taureaux et les vaches sont bien égaux, n'est-ce pas ?

— Sì ! a-t-il affirmé.

— Alors, tous en Inde ! ai-je crié aux autres. Même si ça doit prendre du temps !

— Oui, même si ça doit prendre du temps ! ont répété les autres en chœur.

La flamme brillait de nouveau dans nos yeux !

— Viva la emancipazione ! a crié Giacomo.

Nous l'avons regardé sans comprendre, tandis que lui-même s'étonnait :

— Yé n'aurais jamais crou qué yé crierais ça un jour.

Alors, nous avons crié en chœur, plus fort encore :

— TOUS EN INDE !

52

Le soir même, de grands oiseaux argentés volaient au-dessus de nos têtes.

Giacomo nous avait conduits à travers des prairies, sur des chemins de terre et de petites routes, jusqu'à un endroit appelé « Minneapolis International Airport ». Là, du haut d'une colline, nous avons observé à distance prudente les oiseaux géants qui s'envolaient et se posaient. Nous en avions déjà vu de notre ancienne ferme, très haut dans le ciel. Comme ils faisaient beaucoup de bruit, nous avions toujours pensé qu'ils digéraient encore plus mal qu'Oncle Prout. Mais, de près, nous constatons que ces bestioles avaient réellement quelque chose d'anormal.

— Ils mangent des humains ! s'est écriée P'tit Radis avec épouvante en voyant des hommes, des femmes et des enfants disparaître dans le gosier de l'un des oiseaux.

Il était tout de même étonnant que ces humains semblent accepter leur sort aussi tranquillement. Les oiseaux avaient-ils des ruses pour les capturer comme eux-mêmes en avaient avec nous, les vaches ?

— Ça leur apprendra ! a déclaré Hilde.

Entre-temps, les humains en étaient venus à se situer

pour nous, dans l'échelle des êtres, quelque part entre la tique et le ver solitaire.

— Mais il y en a aussi qui les recrachent, a observé Champion en indiquant du museau un autre oiseau d'où les humains sortaient en flot continu.

— Ils doivent avoir un goût horrible, a frissonné P'tit Radis.

Giacomo a éclaté de rire, puis il nous a expliqué que ces oiseaux géants n'étaient pas des êtres vivants, mais des machines, un peu comme les audoos. Les humains s'en servaient pour voler à travers le monde entier. Et nous allions voler nous aussi. Nous avons répondu que dix chevaux ne nous feraient pas entrer dans un truc pareil, à plus forte raison un matou, sur quoi il nous a demandé si nous voulions aller en Inde, oui ou non, et, comme nous ne trouvions rien à répliquer, il a déclaré en riant qu'il nous ferait monter cette nuit à bord de l'un de ces oiseaux, ce qui a amené Hilde à observer que la vie avait le don de devenir encore plus absurde au moment même où on croyait qu'il n'était pas possible d'aller plus loin dans le genre.

Giacomo nous a demandé d'attendre sur la colline pendant qu'il passerait les prochaines heures à explorer l'aéroport. La nuit venue, nous nous sommes glissés dans un fourré à une trentaine de longueurs de vache d'une barrière. Celle-ci était surveillée par deux hommes qui, armés de bâtons tonnants, luttaient contre le sommeil.

Derrière la barrière, le chat nous a montré un oiseau vraiment gigantesque, qu'il a désigné sous le nom d'« avion de fret ». Le gosier du monstre était grand ouvert.

— C'est là qué nous dévons entrer, nous a susurré Giacomo. Ma d'abord, il faut passer dévant les deux gardes.

— Et comment allons-nous nous y prendre ? ai-je demandé à voix basse.

— Vous allez devoir foncer déssus et les renverser.

— Un plan vraiment très rusé, a commenté ironiquement Susi.

Une phrase que Hilde aurait pu prononcer, mais, depuis sa rencontre avec le taureau à taches brunes, elle n'avait plus dit un mot, et je commençais à me faire du souci pour elle.

— Ce plan est à mon goût, a soufflé Champion. Vous, restez cachées ici, a-t-il ajouté en se tournant vers nous.

Avant que qui que ce soit ait pu réagir, il est sorti du fourré au galop. Champion se jetait seul au-devant du danger pour tout le troupeau. Il voulait sans doute se prouver sa virilité à lui-même – et à nous, bien sûr.

Les gardes se sont mis à crier. Ils ont levé leurs bâtons qui tonnent en essayant de les braquer sur Champion, mais il a été le plus rapide. Ils ont tous deux volé dans les airs et sont retombés à terre, assommés. Nous avons cassé la barrière et couru aussi vite que possible – ce qui n'était pas très vite, à cause de nos ventres qui ballottaient – pour traverser le terrain jusqu'à une rampe qui montait vers le ventre de l'oiseau géant. Là, nous nous sommes enfin arrêtés, hors d'haleine, au milieu d'une quantité de caisses. Quand nous avons recommencé à respirer à peu près normalement, P'tit Radis s'est étonnée :

— Pourquoi toutes les caisses sont-elles attachées ?

— Vous lé verrez bientôt, a répondu le chat d'un ton qui permettait de supposer que cela ne nous ferait peut-être pas vraiment plaisir.

Très peu de temps après, nous avons entendu un grand fracas, et le gosier de l'oiseau géant s'est refermé. Cependant, il ne faisait pas tout à fait noir à l'intérieur, parce qu'il y avait des fenêtres par où les lanternes de l'aéroport nous éclairaient un peu. Soudain, le gros oiseau s'est mis à bourdonner, et j'ai senti mes estomacs vibrer. Nous étions tous bien trop anxieux pour aller aux fenêtres voir ce qui se passait. Le fait que Giacomo se soit mis à chanter gaiement : « Cetté fois on s'en va ! » ne contribuait guère à nous encourager. L'oiseau de fret a commencé à se déplacer lentement, puis de plus en plus rapidement, jusqu'à foncer à toute vitesse sur le terrain.

— Ténez-vous bien ! nous a crié Giacomo en accrochant ses pattes à l'une des courroies qui retenaient les caisses.

— Pourquoi ? ai-je voulu savoir.

L'oiseau s'est dressé en position oblique, nous projetant contre les caisses.

— Pour ça, a répondu Giacomo tandis que l'oiseau s'élevait au-dessus du sol.

À force de dégringoler dans son ventre, nous nous sommes tous retrouvés en tas dans un coin, contre la paroi. Paralysés de terreur, nous avons regardé par les fenêtres et constaté que nous nous éloignions de plus en plus de la terre. D'innombrables lumières brillaient au-dessous de nous dans la nuit, et j'ai même cru reconnaître le Mississippi, le long duquel nous avions marché durant cette journée.

L'oiseau de fret montait toujours, se dirigeant vers un brouillard blanc qui semblait s'épaissir de minute en minute. P'tit Radis a été la première à comprendre de quoi il s'agissait :

— Ce... ce sont les nuages...

Les oiseaux ordinaires ne volaient pas si haut, mais le nôtre traversait les nuages. Sans compter le vacarme qu'il produisait. Au bout d'un petit moment, il s'est remis à plat ventre pour voler plus tranquillement. La vue qui s'offrait à présent à nous était à couper le souffle. Le soleil se levait sur les nuages, les illuminant de rouge sous nos yeux. Par Naïa, nous étions réellement au-dessus d'eux !

— Ce n'est pas la place d'une vache... a fait Susi d'une voix étranglée.

— D'un humain non plus... a ajouté Champion.

— Et pourtant, nous sommes là... me suis-je émerveillée.

— Et c'est formidable, a conclu P'tit Radis d'un ton plein de respect.

Oui, c'était formidable.

Nous étions des vaches volantes.

Tout près du ciel.

53

À travers les nuages, le soleil, maintenant haut dans le ciel, illuminait la mer bleue infinie que survolait l'oiseau. Quand j'ai enfin pu m'arracher au spectacle et détourner les yeux de la fenêtre, c'était uniquement parce que Susi grommelait :

— Au bout d'un moment, ça devient tout de même ennuyeux.

Elle est allée se coucher dans un coin, rejointe par P'tit Radis, fatiguée elle aussi. De son côté, Champion continuait à regarder fixement dehors. Il paraissait perdu dans ses pensées. Je l'ai laissé tranquille et me suis approchée de Hilde, qui contemplait la mer d'un air songeur.

— Ça va ? lui ai-je demandé, soucieuse de savoir si l'affaire de l'abominable taureau à taches brunes ne l'avait pas laissée profondément traumatisée.

— Mieux que jamais ! m'a-t-elle répondu avec un sourire radieux.

— Vraiment ? ai-je fait, surprise.

— Toute ma vie, j'ai cru que je n'avais ma place nulle part, parce que j'étais différente de vous, du reste du troupeau. À cause de cela, j'avais dressé une clôture autour de mon cœur, et je ne m'ouvrais jamais complètement à personne. J'avais bâti ma propre prison.

— Et maintenant ?

Je ne comprenais pas très bien. J'avais plutôt craint qu'elle ne se sente bien plus seule qu'avant.

— Maintenant, je sais que mon rêve n'était pas le bon. Je n'ai plus besoin de clôturer mon cœur. Mon troupeau, c'est vous ! Ma place est avec vous !

Elle s'est alors mise à frotter son museau contre le mien, avec une tendresse que je ne lui avais jamais connue et dont je ne l'aurais pas crue capable. Elle me cajolait comme seule peut le faire une vache heureuse de tout son cœur.

On pouvait donc aussi trouver le bonheur quand le rêve de votre vie se brisait. Et que cela vous permettait de comprendre ce que vous aviez déjà dans la vie.

Sur cette pensée étonnante, je me suis allongée à mon tour dans le coin, et Hilde est venue se blottir près de nous. Après toutes les fatigues de cette journée, mes yeux n'ont pas tardé à se fermer et je me suis endormie. En rêvant, je me suis aperçue à mon grand regret que, si la liberté était sans limites au-dessus des nuages, les peurs et les soucis n'en disparaissaient pas pour autant, et les questions essentielles ne perdaient rien de leur acuité. Hélas, non, elles vous suivaient au-dessus des nuages. Et pouvaient même se rapprocher. Se rapprocher énormément.

Old Dog avait maintenant le museau couvert de sang, le rouge se mêlait dans son pelage à la blancheur de la neige. Je regardais autour de moi, affolée. Mon petit veau blanc n'était visible nulle part.

Je ne l'ai pas cherché plus longtemps, car j'étais fermement décidée à reprendre le contrôle de ce rêve, si horrible qu'il soit. J'ai lancé à Old Dog :

— *Tu ne peux pas nous suivre. Tu es resté à New York. Et nous sommes dans un oiseau de fret dont tu ne peux absolument pas connaître l'existence, puisque nous ne savions pas nous-mêmes à l'avance que nous y monterions...*

— *J'ai bien été capable de te suivre jusqu'à New York. Et jusque dans tes rêves. Qu'est-ce qui te permet de croire que je ne peux pas te suivre n'importe où dans le monde ?*

L'objection était valable, hélas.

— *Toi et ton petit, je vous tuerai ici, dans l'Himalaya...*

En d'autres circonstances, j'aurais peut-être demandé ce qu'était au juste cet Himalaya et où il se trouvait, mais j'étais bien trop occupée à pisser de peur contre ma patte. Ce qui semblait pouvoir indiquer que je n'avais finalement pas pris le contrôle de ce rêve.

Old Dog s'est mis à rire.

— *Et je le ferai au moment où tu connaîtras ton plus grand bonheur !*

En disant cela, il avait appuyé son museau contre le mien et il poussait, poussait, poussait !

Que voulait-il encore ? Il a continué, continué...

... jusqu'à ce que je me réveille, pour constater que c'était Champion, en réalité, qui me poussait du museau.

— Pourrions-nous parler ensemble ? m'a-t-il demandé.

À voix basse, mais d'un ton qui n'admettait pas le refus. De plus, j'étais encore trop retournée par mon affreux cauchemar pour pouvoir résister. Afin de ne pas réveiller les autres, Champion m'a proposé de le suivre à l'autre bout du ventre de l'oiseau de fret. Au passage, j'ai vu par les fenêtres que la mer avait fait place à la terre ferme, et que nous approchions de gigantesques collines de pierre. Nous nous sommes arrêtés près de la cloison opposée, et Champion a déclaré :

— Ce serait vraiment bien si tu pouvais un peu voir la vie avec d'autres yeux.

— D'autres yeux ? Lesquels ?

— Les miens, par exemple.

— Avec les tiens, je lorgnerais le derrière de Susi.

J'étais encore toute transie de peur à cause de mon rêve, mais la colère la reléguait au second plan quand je pensais à tout le mal que m'avait fait Champion.

— Non, pas cela, a-t-il affirmé.

— Son pis ?

— Tu ne verrais rien de Susi. Je ne la lorgne absolument pas.

— Tu fermes les yeux quand tu fblmfes avec elle ?

— Quand je fais quoi ? a-t-il demandé d'un air étonné.

— Oh, laisse tomber, ai-je soupiré.

— Volontiers, a-t-il répondu gravement. Je ne fais rien avec Susi. Et je n'ai rien fait, ni avec elle ni avec qui que ce soit d'autre, depuis que j'ai perdu la mémoire. Veux-tu savoir pourquoi ?

Il avait l'air si déterminé que je n'étais soudain plus du tout sûre de moi.

— Oui, ai-je dit.

— Parce que, au fond de moi, je crois que nous pouvons être heureux ensemble. Et par « nous », j'entends bien : toi aussi. Mais c'est toi qui empêches que cela arrive, parce que tu cherches toujours la perfection. Le paradis parfait, le taureau parfait – que je ne suis visiblement pas…

— Visiblement… ai-je répété avec encore une certaine réticence.

— Ce n'est pas le bien qui est l'ennemi du mieux, mais le mieux qui est l'ennemi du bien.

Je ne sais pas pourquoi, je n'aimais pas trop quand il disait des choses intelligentes. Et en même temps…

— Quand on cherche toujours mieux, on ne profite pas du bien qu'on a.

C'était logique.

— Donne-nous une chance, m'a-t-il implorée avec ferveur, d'une voix pénétrante.

Profondément troublée, j'ai détourné les yeux pour contempler le paysage par la fenêtre. L'oiseau de fret volait maintenant au-dessus des collines géantes. Elles étaient couvertes de neige. Si je n'avais pas été aussi bouleversée, j'aurais certainement fait le rapprochement avec mon rêve terrifiant. J'ai regardé les autres : Hilde avait trouvé le bonheur, P'tit Radis le portait déjà dans son cœur, Giacomo avait au moins une idée de la façon de le retrouver, Susi le trouverait à coup sûr quand elle saurait vraiment qui elle était. Pourquoi était-ce toujours plus facile de voir de quoi les autres avaient besoin pour être heureux ? Quant à Champion… il luttait réellement pour son bonheur. Sérieusement. Quitte à m'affronter. Il était devenu adulte au cours de notre voyage.

Par Hurlo, quand cela s'était-il passé ?

Je connaissais la réponse : lors de tous ces instants où il avait dit des choses émouvantes et vraies, ou accompli des actes courageux. Par exemple, quand il avait pensé à notre troupeau mort, quand il avait contredit Boss, quand il s'était jeté sur Old Dog à New York, ou lorsque, prenant la responsabilité du troupeau, il avait renversé à lui seul les gardes pour que nous ne soyons pas exposées à leurs bâtons qui tonnent.

Des instants que je n'avais pas appréciés à leur juste valeur.

Il était peut-être temps que je me mette à devenir adulte moi aussi.

Mais je n'en ai pas eu l'occasion…

… car c'est alors que ce foutu oiseau de fret s'est mis à tomber.

54

La première fois, cela n'a duré que quelques secondes.

Champion et moi nous sommes retrouvés le museau par terre.

En face, les autres aussi ont fait la culbute et se sont réveillés pêle-mêle.

Puis l'oiseau s'est redressé.

— Alors, on ne peut jamais être tranquille ? a crié Susi.

Non, on ne pouvait pas. Deux hommes sont entrés en courant.

— Cap'tain, ce sont bien des vaches ! s'est écrié le premier.

— Ah bon ? Je croyais que c'étaient des hamsters !

— Sérieusement ?

— NON !

— Ah, d'accord.

— Pas étonnant que nous n'ayons plus de carburant, avec un tel excédent de poids !

— Mais comment ces bestioles sont-elles arrivées ici ?

— Qu'est-ce que ça peut faire maintenant ?

— Vous avez raison, si on pense qu'il ne nous reste que quelques minutes !

Les deux hommes sont repartis, affolés.

— Qu'est-ce qui se passe ? ai-je demandé à Giacomo.

Pour toute réponse, il a joint ses pattes et a commencé à marmonner :

— Dio mio, pardonné-moi mes péchés…

— Mais pourquoi sa réaction ne me plaît-elle pas du tout ? s'est demandé Hilde.

L'oiseau a de nouveau piqué vers le bas, plus vite que la première fois. Pendant quelques instants, nous sommes restés comme suspendus entre sol et plafond.

Cette fois, nous étions réellement des vaches volantes.

Et c'était vraiment…

… une sensation de merde !

Certains d'entre nous tournoyaient sur le dos sans pouvoir s'arrêter.

D'autres faisaient pipi de peur.

Dommage pour ceux qui flottaient juste au-dessous.

Avec la tête tournée vers le haut.

Pas étonnant que nous mugissions de panique.

Et certains aussi de dégoût.

Puis l'oiseau géant s'est de nouveau repris.

Mais cela ne nous a pas calmés.

Pas du tout.

Probablement parce qu'une aile de l'oiseau venait de prendre feu.

— Ça ne doit pas être très bon signe, a fait Champion d'une voix blanche.

— Tu comprends vite, lui a crié Hilde.

— Je l'avais bien dit, a sangloté P'tit Radis. Ce n'est pas la place d'une vache d'être en l'air.

— Et les humains sont partis ! s'est exclamée Susi en désignant du museau une fenêtre.

À côté de l'avion, les deux hommes planaient, accrochés à des objets qui ressemblaient à des parapluies.

— Je crains que ça non plus ne soit pas bon signe, a déclaré Champion.

— Mais comment sont-ils sortis d'ici ? a demandé Susi.

— Et à quoi sont-ils accrochés ? a voulu savoir P'tit Radis.

— Aucune idée, a dit Hilde. Mais, quoi que ce soit, j'en veux un moi aussi !

L'oiseau piquait lentement du nez, se rapprochant peu à peu de la verticale.

— Ça, ce n'est sûrement pas un bon signe, a commenté Champion.

— Tu ne peux pas arrêter de nous répéter ce que nous savons déjà ? a ronchonné Hilde, agacée.

L'oiseau s'inclinait de plus en plus. Les flammes qui montaient de l'aile claquaient maintenant contre la fenêtre.

— Dio mio, pardonné-moi d'avoir entraîné ces vaches dans la morte…

C'est alors que l'oiseau s'est mis à foncer verticalement vers la terre.

Nous sommes tous tombés à travers son ventre.

En criant.

Criant.

Jusqu'à ce que plus personne ne crie.

Je me suis écrasé le museau contre une caisse et tout est devenu noir.

J'ai encore eu le temps d'entendre Susi s'exclamer :

— Je ne sais pas qui est ce « dio mio », mais moi, en tout cas, je ne te pardonne pas !

55

Quelque chose me mordait la queue. Ça faisait très mal, presque aussi mal que la chaleur qui me brûlait le visage. Lentement, j'ai ouvert les yeux. Devant moi, à moins d'une dizaine de longueurs de vache, l'oiseau géant détruit brûlait avec de hautes flammes. Heureusement que ce n'était pas un être vivant, sans quoi il aurait drôlement souffert. Et dommage que j'en sois un, parce que les flammes dardaient dangereusement leur langue dans ma direction, alors que j'étais bien trop faible pour bouger, sans même parler de m'enfuir en courant. Les étincelles qui jaillissaient de l'oiseau me roussissaient le poil, mais ce n'était rien en comparaison de la douleur à ma queue. Qu'est-ce qui me mordait donc aussi fermement ?

En tout cas, la chose, quelle qu'elle soit, se mettait maintenant à me tirer par la queue, avec une force quasi surbovine. Couchée sur le côté, j'ai été peu à peu éloignée des flammes. On me traînait sur des pierres dont certaines étaient pointues, et d'autres sacrément pointues, mais je supportais cette douleur-là presque avec plaisir, car je commençais à comprendre que quelqu'un était en train d'essayer de me sauver la vie, et avec elle celle de mon petit veau. C'était sûrement Champion !

Ce n'est que lorsque j'ai été à une distance suffisante de l'oiseau qu'on m'a enfin lâchée. Tous les autres étaient couchés là, inconscients, les yeux clos : Hilde, P'tit Radis, même le chat Giacomo. Et même… Champion ? Cela signifiait… cela signifiait… que c'était Susi qui m'avait sauvée ?

— Merde alors, l'ai-je entendue jurer. Tu es tellement grosse que j'ai failli me déboîter la mâchoire !

J'ai levé les yeux, et c'était bien Susi, occupée à tordre le museau dans tous les sens pour remettre ses mandibules en ordre de marche.

J'ai essayé de me lever, mais à peine avais-je commencé à tendre mes pattes arrière qu'une explosion assourdissante a retenti. L'oiseau géant a bondi vers le ciel en une gigantesque boule de feu, et une violente bouffée d'air chaud m'a rejetée au sol. Le vacarme était tel que j'ai cru que mes oreilles éclataient, ou était-ce vraiment le cas ? Je n'entendais plus qu'une sorte de sifflement, tandis que des morceaux brûlants de l'oiseau s'écrasaient tout près de nous.

Quand la pluie de morceaux a enfin cessé et que nous n'avons plus vu que les restes fumants de l'oiseau, j'ai compris que moi aussi, sans Susi, je n'aurais plus été que des restes fumants.

De nouveau, j'ai rassemblé mes forces pour me lever, et les autres m'ont imitée. Ils avaient des égratignures, des coupures qui saignaient, et leur pelage était un peu roussi. Mais personne n'était gravement blessé. Le sifflement diminuait peu à peu à mes oreilles. Alors, comme venue de très loin, j'ai entendu la voix de Susi :

— Je n'aurais jamais cru que je vous sortirais tous de là.

Un instant ! ai-je pensé tout à coup. Si elle n'était pas sûre de nous sauver tous et qu'elle avait décidé de me garder pour la fin, cela signifiait que... que j'étais bien ingrate de penser à une chose pareille. Susi avait risqué sa vie pour nous, y compris pour moi, alors qu'elle aurait très bien pu s'enfuir seule.

Susi rayonnait littéralement, tant elle était fière de ce qu'elle avait fait. Vraiment fière, pour la première fois de sa vie. Et cela n'avait absolument rien à voir avec le fait qu'elle soit ou non désirable pour un taureau. Dans un moment de nécessité vitale, elle s'était surpassée et avait découvert en elle une force que ni elle ni nous n'aurions imaginée : le courage d'agir lorsqu'elle était livrée à elle-même. Le courage qui ne se découvre que dans les plus grandes crises, celui qui fait des lâches des héros, et des héros des lâches. Cette révélation donnait à Susi une réelle assurance, elle en était radieuse, heureuse du fond du cœur.

Le bonheur, c'était donc aussi de savoir tout ce qu'on avait en soi.

— Comment allons-nous partir d'ici ? a demandé Hilde au chat. Il n'y a pas d'autre oiseau en vue.

— Et même s'il y en avait un, jamais je ne remonterais dans un truc pareil ! a dit Champion.

Giacomo a levé la patte pour tortiller sa moustache brûlée et a déclaré :

— Yé n'ai pas la moindre idée dé l'endroit où nous sommes.

J'ai regardé autour de moi, et j'ai vu de tous côtés d'immenses collines de pierre recouvertes de neige. À cause de l'incendie, je n'avais pas remarqué plus tôt le froid qui régnait ici, mais je commençais à frissonner. Devant nous s'étirait l'étroit sentier rocailleux de mes rêves. À cet instant, j'aurais vraiment préféré n'avoir aucune idée de l'endroit où nous étions, mais je le reconnaissais, bien sûr. C'était celui qu'Old Dog, dans mon dernier cauchemar, avait appelé « Himalaya ». Et je savais aussi, hélas, où nous devions aller. Du sabot, j'ai montré le chemin enneigé qui semblait monter jusqu'au ciel et j'ai déclaré :

— Il faut aller par là.

Je m'attendais à ce que les autres me disent que j'avais le crâne fêlé. Mais Susi était désormais si pleine d'énergie qu'elle a aussitôt répondu :

— Nous y arriverons !

— Notre troupeau est capable de tout ! a affirmé Hilde.

— J'apprécie chaque instant que je passe avec vous ! a ajouté P'tit Radis en riant.

Et Giacomo, bien décidé à nous emmener jusqu'en Inde, s'est écrié :

— Ouné pour touté, touté pour ouné !

Les trois autres ont mugi :

— TOUTES POUR UNE, UNE POUR TOUTES !

Seul Champion restait silencieux, se contentant de me regarder intensément, et j'ai compris. C'était ici, dans l'Himalaya, que se déciderait le bonheur ou le malheur de toute notre vie.

56

La marche devenait de plus en plus pénible à mesure que nous montions. D'une simple pellicule humide recouvrant les cailloux, la neige s'était transformée en une couche épaisse et lourde dans laquelle nos sabots s'enfonçaient. De plus, le sentier se rétrécissait sans cesse. Alors qu'au début nous pouvions encore marcher à plusieurs de front, nous devions maintenant avancer deux par deux. Les nuages s'amoncelaient au-dessus de nous. La neige que j'avais vue dans mon rêve allait-elle bientôt tomber ? Pourtant, mon veau n'était pas encore né – il s'en fallait de deux ou trois semaines –, et il était là dans le rêve. Je pouvais donc espérer qu'il ne s'agissait pas d'une prémonition, que nous n'allions pas devoir affronter Old Dog, que je pourrais mettre mon petit au monde sous le chaud soleil de l'Inde.

Nous avancions tous vaillamment dans la neige profonde. Susi, qui semblait réellement transformée, faisait des commentaires désinvoltes sur la température :

— Heureusement que nous sommes bien grasses, ainsi, nous avons moins froid !

Hilde s'est mise à rire.

— Méfie-toi, si tu continues, je vais finir par t'aimer !

Heureuses toutes deux, elles avaient cessé de se lancer des piques. Si elles se querellaient avant, ce n'était donc pas à cause de leurs différences, mais parce que chacune était insatisfaite de son côté et appréciait de pouvoir se défouler de temps en temps sur l'autre.

P'tit Radis observait Hilde et me murmurait :

— C'est formidable de voir Hilde rire comme ça, sans retenue.

De fait, alors que nous nous trouvions dans une contrée inhospitalière où aucune vache n'était sans doute jamais venue, Hilde riait. La clôture dressée autour de son cœur pendant toutes ces années était définitivement tombée.

P'tit Radis, qui l'aimait de façon désintéressée, se réjouissait de voir Hilde heureuse, qu'elle réponde ou non à ses sentiments. P'tit Radis ne cherchait pas la perfection, elle se contentait de ce qui était bon.

Susi a ralenti le pas pour que je la rejoigne et m'a dit d'un air satisfait :

— Je vous ai sauvés.

— Merci, ai-je répondu avec sincérité.

— Sans moi, vous y seriez restés.

— Merci, ai-je répété.

— Et toi aussi.

— Je sais, ai-je répondu en essayant de lutter contre la tentation ingrate de la trouver un peu trop insistante.

— Sans moi, tu aurais été complètement grillée, s'est-elle esclaffée.

— Ça se pourrait bien, ai-je marmonné en m'efforçant de combattre l'idée que je la trouvais plus sympa avec moins d'assurance.

— On peut vraiment dire que je suis plus gonflée que toi, a-t-elle repris en riant très fort.

— Hmm... ai-je simplement fait en me mordant la langue pour ne pas répondre.

— Allons, allons, reconnais-le !

J'ai continué à me taire, tout en me défendant de penser qu'il aurait peut-être mieux valu qu'elle ne me sauve pas. Ou alors, qu'elle souffre d'une inflammation subite des cordes vocales.

À cet instant, quelque chose a fait : *Pan !*

— Pan ? s'est interrogée Susi.

— Pan ? me suis-je demandé en m'immobilisant.

Qu'est-ce que c'était que ce bruit ?

Et qu'est-ce que c'était que ce liquide que je sentais couler le long de ma patte jusque dans la neige ?

Les autres se sont arrêtés aussi, mais P'tit Radis riait.

— Je sais ce que c'est !

— Ah oui ? Quoi ? ai-je demandé, tout à coup pas très sûre de vouloir vraiment le savoir.

— Ma mémé Toc-Toc connaissait une chanson sur ce qui vient de t'arriver. Voudrais-tu l'entendre ?

— Non !

— La voici, a annoncé P'tit Radis, imperturbable, avant de se mettre à chanter[1] :

> *La poche des eaux has broken,*
> *like the first poche des eaux...*
> *The veau has spoken,*
> *like the first veau...*

Oh, merde, se pouvait-il que j'en sois vraiment là ?

> *Louez l'col de l'utérus,*
> *louez les douleurs...*

---

1. Sur l'air de *Morning has broken,* célèbre chanson de Cat Stevens (1971) reprenant les paroles d'un hymne chrétien de 1931.

Les douleurs ???

> *Louez la naissance*
> *du petit veau.*

J'ai senti les premières douleurs. Par Naïa, j'en étais donc vraiment là !

> *Douce la vie nouvelle*
> *qui rencontre le monde*
> *à l'instant où*
> *elle touche le sol.*

Mon veau allait naître en avance.

> *Louez le veau,*
> *le ciel l'illumine.*
> *Ou ce sera une fille,*
> *ou il aura un...*

Au moins, P'tit Radis n'avait pas chanté la fin du vers.

> *Tu verras, les douleurs,*
> *ce n'est paaaas*
> *une partie d'plaisir,*
> *aucune vache n'aime ça.*

Je n'allais sans doute pas aimer ça moi non plus.

> *Loue les douleurs,*
> *montre tout ton cœur.*
> *Jouis de cette vie,*
> *car c'est un grand jour !*

En tout cas, ça allait être un jour particulièrement intéressant.

57

J'avais trop mal !

Mais pourquoi, pourquoi fallait-il que cela fasse si mal ?

Nous, les vaches, nous donnons naissance à nos petits debout, mais je souffrais tellement que j'aurais voulu me laisser tomber dans la neige et y rester couchée pour toujours.

Les autres étaient autour de moi, me soutenant au plein sens du mot.

— Tu vas y arriver ! m'exhortait Hilde.

Je la croyais difficilement.

— Nous sommes avec toi ! me disait gentiment P'tit Radis.

Je n'étais pas tout à fait certaine d'apprécier de devoir mettre bas devant tant de témoins. Je n'aimais pas trop qu'on me regarde perdre, lentement mais sûrement, le contrôle de moi-même.

— Quand on voit ça, on n'a pas très envie d'avoir des veaux, a déclaré Susi.

Dans son cas, j'étais tout à fait certaine que j'aurais préféré la savoir ailleurs.

— Et moi, yé souis content d'être oune mâle, a dit Giacomo.

Une contraction particulièrement violente m'a fait meugler de douleur.

— Veux-tu que je te chante quelque chose pour t'apaiser ? m'a demandé aimablement P'tit Radis.

— Surtout pas !

— Mais je connais une chanson spécialement encourageante pour ce cas-là.

— NON !!!

— Elle fait comme ça : *Here comes my baby*...

Entre deux contractions, j'ai hurlé :

— SI TU CHANTES ENCORE UNE SEULE SYLLABE, JE TE TUE !

Cela l'a réduite au silence pour une seconde. Puis elle a repris :

— Je connais aussi un poème...

Je l'ai regardée d'un air mauvais, et elle a avalé sa salive avant d'achever :

— ... que tu ne voudras peut-être pas entendre, je crois.

— Tou es pleine dé tact, a commenté ironiquement Giacomo.

— Merci, a répondu P'tit Radis, qui ne comprenait toujours pas l'ironie.

Le seul à avoir l'obligeance de la boucler pendant tout ce temps était Champion.

Les contractions ne cessaient d'empirer, j'avais l'impression que tout le bas de mon corps se déchirait. Et je me demandais pour quelle raison nous devions surmonter des épreuves aussi surbovines, nous les vaches, pour pouvoir mettre bas.

Pourquoi Naïa inventa
les douleurs de l'accouchement

Pendant que Naïa broutait au soleil, le ver de terre vint la trouver. S'étonnant de voir le visage du ver tout vert, la Vache divine lui demanda ce qui lui arrivait. « Ce qui m'arrive, ce sont tes vaches ! » répondit-il.

Comme Naïa ne comprenait pas sa réponse, le ver commença à se lamenter : « Naïa, tes vaches te vénèrent et prennent exemple sur toi. Elles font l'amour tout le temps, comme toi avec Hurlo. »

Naïa ne put s'empêcher de rire.

« C'est merveilleux ! Ainsi, elles ont malgré tout de la joie !

— Oh oui, elles en ont, mais pas nous ! répliqua aigrement le ver de terre. Les vaches se reproduisent plus vite que les lapins. Maintenant, il y en a davantage que de toutes les autres créatures. Elles mangent toute la nourriture, mais ce n'est pas encore le pire.

— Ah ? Et qu'est-ce donc qui est le pire ? demanda Naïa, inquiète.

— Les gaz.

— Les gaz ? fit Naïa, perplexe.

— Tes vaches sont si nombreuses que leur digestion nous ôte l'air que nous respirons. »

Cette fois, Naïa comprit pourquoi le ver était vert. Tout à coup, elle entendit au loin un bruit d'explosion et elle vit une boule de feu. Elle pria le ver de lui expliquer ce qui s'était passé, et le ver répondit : « C'est encore un ver luisant qui est passé dans un nuage de gaz. »

Comme Naïa restait muette d'horreur, le ver ajouta : « De tous les animaux, ce sont les vers lui-

sants qui haïssent le plus ces vaches trop nom-
breuses. »

Naïa le comprenait aisément. Elle demanda au ver
de terre ce qu'elle devait faire. Mais le conseil qu'il lui
donna la laissa littéralement sans voix : « Le mieux
serait que Hurlo et toi ne fassiez plus l'amour. »

Naïa ne pouvait le concevoir. Aussi préféra-t-elle
inventer un mécanisme interne qui ôterait aux vaches
l'envie d'avoir trop souvent des veaux : les douleurs
de l'accouchement. Et, bien que ces contractions
soient si importantes pour le bien du monde, à cause
de ce qu'elle avait créé là, Naïa ne pouvait plus se
souffrir elle-même.

Souffrir était vraiment le mot. La douleur devenait
intolérable. Et je pouvais encore moins souffrir Naïa
qu'elle ne se souffrait elle-même. Cette idiote n'aurait-
elle pas pu simplement inventer une plante quelconque
que les vaches auraient broutée pour éviter de concevoir ?

Je meuglais, meuglais, meuglais, plus fort que
jamais de ma vie, si bien que Giacomo a dit en regardant les montagnes enneigées :

— Espérons qué tous ces meuglements né vont pas
déclencher oune avalanche.

— Qu'est-ce qu'une avalanche ? lui a demandé
Hilde.

— Oune gelato qui fait tout lé monde piatto !

Les contractions se succédaient à intervalles de plus
en plus rapprochés, et je braillais toujours plus fort.
Hilde a répondu au chat :

— Je crains que Lolle ne fasse pas moins de bruit
dans les prochaines minutes.

Je criais maintenant à pleins poumons, j'en devenais presque folle. C'est alors que Champion m'a dit tout bas, et pourtant d'une voix ferme :

— Je suis avec toi, pour toujours.

Une petite phrase.

Juste une toute petite phrase.

Mais, d'un seul coup, toutes les douleurs sont devenues supportables.

58

Le veau est tombé sous moi dans la neige en faisant *floc*. L'instant d'après, il s'est mis à meugler afin que ses petits poumons s'emplissent d'air pour la première fois. Ainsi, j'ai entendu mon enfant avant de le voir. À peine ce faible et doux mugissement avait-il atteint mes oreilles que j'ai oublié jusqu'aux pires douleurs.

J'ai fait un pas de côté pour contempler mon petit. Il s'est dressé sur ses fines pattes vacillantes et a de nouveau meuglé de sa petite voix. Il était encore tout collant et cela l'empêchait d'ouvrir complètement les yeux, mais je l'ai trouvé magnifique. Très vite, je me suis mise à le lécher, et il s'est aussitôt calmé. Il aimait ma présence, me donnait dès les premières secondes son amour inconditionnel. Et je lui donnais le mien !

Tandis que je lui nettoyais les yeux, Giacomo a commenté à voix basse :

— Tout cé léchage est quand même oune peu écœurante...

Quant à Susi, elle n'a pas pris la peine de parler à voix basse pour donner son avis d'un air dégoûté :

— Cette fois, je suis bien certaine de ne pas vouloir d'enfants.

Mais même Susi n'était pas capable de gâcher ce moment merveilleux.

— C'est une fille, a dit Hilde en riant.

Oui, c'était une fille. Une magnifique petite fille au pelage tout blanc, sans la moindre tache noire, comme faite de neige. Ce veau était vraiment spécial, et pas seulement parce que c'était le mien.

— Une fille, a répété doucement Champion, la voix emplie d'amour et de respect devant cette vie nouvelle.

Fier et heureux, il s'est approché de nous précautionneusement. Quand j'ai achevé de nettoyer la petite, il m'a léché le museau. Avec amour et beaucoup d'égards. Jamais je ne l'aurais cru capable de tant de douceur.

— Céla dévient dé plous en plous écœurante, a commenté Giacomo.

Les premiers flocons de neige tournoyaient autour de nous, et le vent faisait trembler la petite. D'instinct, en sautillant gauchement, elle est venue se placer sous mon ventre pour se protéger du froid.

— Comme elle est mignonne ! a roucoulé gaiement P'tit Radis. S'il te plaît, je peux être sa tante ? Même si je ne suis pas sa vraie tante ? S'il te plaît, s'il te plaît !

En disant cela, elle bondissait autour du veau et de moi, tout excitée, et me regardait avec ses grands yeux, si bien que je n'ai pu m'empêcher de rire.

— D'accord. Tu seras la meilleure tante du monde !

— Oui, oui, c'est sûr !

— Et comment s'appellera la pétite ? a demandé Giacomo.

Avec tout ce qui s'était passé, je n'avais pas eu le temps d'y penser, sans compter qu'elle était née plus tôt que prévu. Malgré moi, j'ai regardé Champion, mais il n'a pu que sourire d'un air embarrassé. Lui non plus n'avait visiblement pas encore réfléchi à la question.

Remarquant que la neige commençait à tomber dru, Hilde a déclaré :

— Désolée d'interrompre votre recherche de noms, mais, avant de vous y mettre pour de bon, il vaudrait mieux trouver un abri pour la nuit.

— Sans cela, la petite n'aura plus besoin d'un nom, a ajouté Susi.

C'était dit un peu brutalement, mais elle était sincèrement préoccupée. Si nous pouvions supporter le froid, nous, les vaches grasses, ce n'était pas le cas de mon frêle nouveau-né. J'apprenais la première des lois de la maternité : plus on aime son veau, plus on se fait de souci pour lui.

— Il est peu probable que nous trouvions un bon endroit pour dormir dans ces parages, a repris Susi.

— Pourtant, il faut en chercher un, a déclaré Champion d'un air décidé.

Personne ne l'a contredit, et le troupeau s'est remis en route, Champion et moi de chaque côté de la petite afin de la protéger autant que possible du vent, et marchant lentement pour ne pas trop la fatiguer. Elle était toute frissonnante, mais elle se sentait en sécurité entre papa et maman.

Papa et maman…

… cela sonnait si bien !

Tandis que nous progressions à pas lents vers le sommet de la montagne sous la neige qui tombait toujours plus fort, je priais en silence : « Chère Naïa, ces dernières lunes, tu m'as donné de moins en moins d'occasions de croire à ta bonté, sans parler de ton intelligence. Ni même de ta simple existence. J'étais de plus en plus fâchée contre toi, et, très franchement, tu

343

peux t'estimer heureuse de ne pas m'avoir rencontrée en pleine nuit dans cette période. Mais je me tourne maintenant vers toi pour te supplier : Je t'en prie, je t'en prie, fais que mon petit ne meure pas de froid ! Permets-nous de trouver un refuge ! D'ailleurs, si tu n'exauces pas cette prière, cette fois, je te le jure, je ne croirai plus jamais en toi ! Je ne perdrai même pas une minute à penser encore à toi. »

C'est alors que Hilde s'est écriée :

— Là ! Une grotte !

J'ai levé les yeux vers le ciel, là où je supposais qu'était Naïa, et je lui ai souri avec gratitude. Finalement, j'aurais peut-être dû la menacer plus tôt.

Champion et moi, nous avons conduit notre veau vers l'entrée de la grotte, qui s'enfonçait très loin sous le rocher. Une fois à l'intérieur, nous avons commencé à nous réchauffer, heureux d'échapper aux tourbillons de neige. La petite avait encore froid, mais elle survivrait à la nuit. Elle s'est approchée de mon pis et j'ai aussitôt su qu'elle voulait téter – cela n'avait rien à voir avec la trayeuse, c'était formidable de nourrir mon petit, de lui dispenser force et vie, tout en éprouvant une tendresse, une proximité que je n'avais encore jamais ressenties avec personne.

Quand elle a été rassasiée, nous nous sommes couchées toutes les deux sur le sol rocailleux et elle s'est blottie contre moi. Mais elle tremblait toujours et ne trouvait pas le sommeil. Ma chaleur ne lui suffisait pas pour se sentir bien. Alors, j'ai regardé Champion. Dans un moment pareil, ce veau nouveau-né avait aussi besoin d'un père. Champion a compris tout de suite. Il s'est couché de l'autre côté et, à nous deux, nous avons réchauffé la petite, qui a cessé de trembler et s'est endormie entre nous.

Le reste du troupeau ronflait déjà. Dehors, il faisait nuit et la neige ne tombait plus. À la faible clarté des étoiles, nous, les parents, nous contemplions toujours notre petit veau blanc endormi, sans pouvoir nous lasser de sa vue.

— Je l'aime, ai-je dit à Champion à voix basse pour ne pas réveiller la petite.

— Moi aussi, a-t-il répondu. Si fort que ça fait même mal.

— Mais d'une façon extraordinairement belle, ai-je renchéri.

— Et je t'aime aussi, a murmuré Champion.

Un instant, j'en suis restée sans voix. Jamais il ne m'avait dit cela, même quand nous étions à la ferme et qu'il n'avait pas encore perdu la mémoire.

Mais nous avions changé.

Il n'était plus le taureau impétueux qui ne pensait qu'à lui-même. Et je n'étais plus l'idiote qui passait ses journées à rêvasser et, à sa manière, avec son grand rêve d'une famille pour la vie, ne pensait finalement elle aussi qu'à elle-même.

Alors, j'ai répondu :

— Moi aussi, je t'aime.

Nous nous sommes regardés dans les yeux avec amour, notre petit veau couché entre nous. Je n'avais jamais été aussi heureuse.

59

— *Tu te souviens certainement de ce que je t'avais dit ? a ricané Old Dog, le museau couvert de sang.*

Il se tenait face à moi sur l'étroit sentier, tout près d'une fleur gelée. Ici, dans l'Himalaya. La neige me fouettait le visage.

— *Que je devrais monter une comédie meuh-sicale ? ai-je répondu faiblement.*

Ma tentative d'esquive l'a fait rire.

— *Tu vois que tu t'en souviens ! a-t-il constaté.*

— *Tu as dit que tu viendrais quand je connaîtrais mon plus grand bonheur... ai-je confirmé à voix basse.*

Cette fois, je ne me suis pas réveillée en criant, mais en tremblant. De peur, pas de froid, même si la neige avait recommencé à tomber. J'étais certaine que j'allais rencontrer Old Dog, dès ce jour. Il savait où j'étais, parce qu'il pouvait se promener dans mes rêves. J'en étais enfin convaincue. Et il avait largement eu le temps de venir jusqu'ici depuis New York pendant que nous étions chez les Wagyu. Mon destin se déciderait donc aujourd'hui. Ainsi que celui de mon enfant. Et de mon taureau.

Mon taureau...

… ça aussi, c'était agréable à entendre.

La petite, qui avait ouvert les yeux avant tout le monde, a voulu aussitôt téter, et le léger bruit de succion a réveillé Champion. Il nous a regardées avec amour et a dit en souriant :

— Maintenant, je vois les pis d'un autre œil !

Malgré ma peur, je n'ai pu m'empêcher de sourire. C'était tellement formidable d'être ici avec ma famille !

Ma famille…

… ce mot-là était le plus merveilleux de tous.

J'avais la famille que je désirais depuis toujours, depuis que j'avais observé les éphémères Zoum et Vroum. Et c'était bien différent de ce que j'avais imaginé. C'était mieux, beaucoup mieux ! Avec un mignon veau blanc. Des sœurs telles que Hilde, P'tit Radis, et, oui, même Susi (il faut bien qu'il y ait des sœurs un peu énervantes), un oncle chat, et un taureau vraiment très tendre. Cela me rendait heureuse, même si cela signifiait qu'Old Dog allait m'apparaître.

À leur tour, les autres se réveillaient peu à peu, mais nous étions si absorbés dans la contemplation de notre enfant que nous ne remarquions rien. Nous n'avons même pas réagi quand Susi a demandé d'une voix désagréablement surprise :

— Euh… quelqu'un a-t-il vu ça ?

— Iiih !!! s'est écriée P'tit Radis avec terreur.

Cette fois, notre attention a été attirée malgré tout.

Éloignant la petite de mon pis – elle avait déjà bu tout son soûl et ne faisait plus que suçoter –, j'ai vu que les autres fixaient un tas d'ossements amassés dans un coin que, trop épuisés, nous n'avions pas examiné la veille au soir.

— Quelqu'un a mangé oune pétite cassé-croûte ici, a dit Giacomo d'une voix étranglée.

— Plutôt oune très grosse cassé-croûte, a commenté Hilde, intimidée. Ces os appartiennent à un énorme animal.

— Apparténaient, a corrigé Giacomo.

— Il a dû être mangé par un plus gros encore, a conclu Susi en tremblant.

— Ou par un plus méchant, ai-je dit doucement.

Car j'imaginais déjà qui avait pu faire des siennes ici.

— En tout cas, ce n'est pas beau à voir, a déclaré Hilde.

— Lolle n'est pas belle à voir, avec tout ce qu'elle a qui ballotte depuis l'accouchement, a rectifié Susi. Mais ça, c'est absolument terrifiant.

Je n'ai pas eu le temps de m'insurger contre son insolence, car, à cet instant, un hurlement épouvantable nous a glacé le sang.

— Et ça, ce n'est pas beau à entendre, a dit P'tit Radis, la gorge nouée.

De terreur, mon petit veau blanc voulait retourner dans mon ventre. Mais, d'abord, ce n'était pas possible (sans quoi beaucoup de veaux le feraient une fois qu'ils connaîtraient un peu mieux le monde), ensuite, même mon corps n'aurait pas été un refuge suffisant contre les mâchoires sanguinaires du chien de l'enfer.

— Tout ira bien, ai-je menti à ma petite.

Elle m'a crue, puisque j'étais sa maman, et elle s'est pressée contre ma patte.

— Ça se rapproche, a constaté Hilde.

Devais-je avertir les autres que ce hurlement était celui d'Old Dog ? Cela allait-il servir à quelque chose, ou au contraire déclencher une réaction de panique qui trahirait notre présence dans la grotte ? Si nous ne faisions aucun bruit, peut-être Old Dog repartirait-il sans nous avoir découverts ? C'est alors que mon regard est tombé sur le tas d'os, et je me suis rendu compte que c'était à peu près aussi vraisemblable que l'hypothèse où il nous pousserait des ailes et où nous nous envolerions tous comme de jolis papillons.

Le hurlement était très proche à présent.

— Non, ce n'est vraiment pas beau à entendre, a murmuré Hilde.

L'instant d'après apparaissait à l'entrée de la grotte… non pas Old Dog, mais une créature immense, au pelage hirsute, qui tenait à la fois du géant humain, de l'ours et de la bête qu'on ne voudrait surtout pas rencontrer au coin d'un bois. Sauf pour manger de la vache avec elle.

— Et ce n'est pas beau à voir non plus, a ajouté Hilde d'une voix étranglée.

— Surtout, ça ne sent pas bon, a fait Susi avec dégoût.

— C'est oune yéti !

Affolé, Giacomo a sauté sur l'encolure de Hilde.

— Qu'est-ce que c'est qu'un yéti ? a-t-elle demandé à très juste titre.

— Ouné créatoure qu'elle n'esiste pas dans la réalité, a répondu Giacomo.

— On aurait peut-être dû le lui signaler, a observé Hilde.

Le yéti est entré dans la grotte en poussant un grognement furieux.

— Je crois qu'il habite ici, a dit Susi, tremblante de peur.

— Et il n'aimé pas les squatteures, a marmonné le chat.

Le yéti a grondé de nouveau, cette fois un peu plus fort.

— S'il ne nous tue pas avec ses canines, ce sera avec son haleine, a commenté Hilde, qui se sentait toute drôle.

Nous étions tous terrorisés, y compris Champion, même s'il s'efforçait de ne pas le laisser voir, pointant ses cornes en position d'attaque, tête baissée. Seule ma petite n'avait pas peur, parce que j'étais très calme à présent et qu'elle se sentait en sécurité auprès de moi. J'étais presque soulagée de voir ce yéti, du moment que ce n'était pas Old Dog. Notre sort ne se déciderait que lorsque nous rencontrerions le chien de l'enfer. Ce qui signifiait donc, à l'inverse, que nous allions survivre à la rencontre avec le yéti.

Sauf, bien entendu, si mes rêves disaient n'importe quoi.

Comme le yéti s'avançait vers nous d'un pas pesant, Champion m'a murmuré :

— Je ne le laisserai pas faire du mal à ma famille.

Puis il s'est élancé, les cornes en avant, vers le monstre hirsute. Avec courage et résolution. Puissamment...

D'un seul coup de patte, le yéti l'a envoyé voler à travers la grotte.

Champion s'est écrasé contre la paroi et a glissé au sol, assommé. Ma petite s'est mise à pleurer, parce que je commençais quand même à avoir peur. Malgré cela, je lui ai murmuré :

— Tout ira bien.

— Oui, je vais me relever, a marmonné Champion avant de tomber définitivement dans les pommes.

Le yéti se rapprochait toujours. Le souffle fétide que dégageaient ses grondements nous faisait presque tourner de l'œil.

350

— Savez-vous ce qui ne serait pas mal à présent ?
a déclaré Hilde.

P'tit Radis connaissait la réponse :

— Un miracle ?

C'est alors que nous avons réellement assisté à un
miracle. À commencer par le yéti. Mais ce n'était pas
un beau miracle doré sur fond bleu, non. Plutôt un
miracle noir comme un corbeau. Une chose venue de
nulle part a sauté à la gorge du yéti. Son sang s'est mis
à couler comme une fontaine, et la créature hirsute
s'est écroulée sur le sol de la grotte. Où Old Dog l'a
achevée d'un coup de dents.

60

— Je crois que je vais m'évanouir, a bafouillé P'tit Radis d'une voix blanche.

— Moi aussi, a répondu Susi.

— Yé veux bien m'écrouler avec vous, a déclaré le matou en frissonnant.

Seule Hilde a osé adresser la parole à Old Dog.

— Pourquoi nous as-tu sauvés ? a-t-elle demandé, visiblement choquée elle aussi par le procédé brutal du chien de l'enfer.

— Moi seul ai le droit de vous tuer, a-t-il répondu en souriant.

— Autrement dit, nous allons de mal en pis, a conclu Hilde.

— Pourquoi « en pis » ? a demandé P'tit Radis.

— Pardon ? ont répondu en chœur Hilde et Old Dog.

— Pourquoi « en pis » ? a répété P'tit Radis, dont le cerveau semblait vouloir ainsi se détourner de l'horrible spectacle du yéti mort et du chien menaçant. Qu'y a-t-il de mal au pis d'une vache ? a-t-elle poursuivi à toute vitesse. Je me suis toujours posé cette question. Et quand une question me tracasse, ça se met à tourner, tourner, tourner dans ma tête, et pas qu'avec cette histoire de pis, ça me le fait aussi avec « contrefous », et aussi avec le « veau vert ».

— Le veau vert ? a demandé Old Dog, de plus en plus étonné.

— Oui, à cause du diable veau vert. Comment un veau peut-il être un diable ? Et pourquoi vert ?

— Ça suffit ! a grondé Old Dog.

— Aussi, j'aimerais bien savoir ce qu'est une gidouille !

Old Dog ne contrôlait plus la situation, chose dont il n'avait absolument pas l'habitude. P'tit Radis était probablement le seul être au monde capable de lui faire perdre contenance.

— Et qu'est-ce que c'est qu'une capote anglaise ?

— Ça, yé peux té l'espliquer, a proposé le chat.

— TAISEZ-VOUS TOUS !!!!!!!!!!!! a hurlé Old Dog.

Sur quoi P'tit Radis, complètement affolée, s'est mise à délirer de plus belle :

— Mais je me tais, je la boucle, je tiens ma langue, je ne pipe pas, ce qui serait d'ailleurs idiot, car je ne fume pas la pipe puisque je suis une vache, et je ne fais pas pipi, ne piaule pas, ne pépie pas, ne gazouille pas non plus, d'ailleurs je ne sais jamais où s'arrête le pépiement et où commence le gazouillis, mais bon, peu importe, et je ne vais pas meugler non plus, en fait je n'émets plus aucun son, je ne moufte pas, ne fais pas plus de bruit qu'une petite souris…

Old Dog était fou de rage. Dans quelques secondes, il allait la tuer, juste pour la faire taire.

— Mais pourquoi dit-on « je ne moufte pas » ? continuait-elle à jacasser. Est-ce parce que les mouffettes ne font pas de bruit ? Une mouffette, est-ce une sorte de petite souris ? Pourtant, je connais des souris qui font beaucoup de bruit…

C'était le moment.

Old Dog a bandé les muscles de ses pattes, et...

... j'ai bondi entre eux deux en criant :

— Non !

Le chien m'a fixée de son œil rouge sang, et je me suis expliquée en hâte :

— C'est moi que tu veux, pas les autres ! Laisse-les tranquilles. Épargne-les, et je ne me défendrai pas.

— D'accord, a acquiescé Old Dog en toute simplicité.

Il n'y voyait aucune objection. Il ne voulait réellement que moi seule.

— Pas question ! s'est écriée Hilde en interpellant les autres. Vous vous souvenez de ce que nous avons dit hier ?

— Que l'accouchement était une chose vraiment dégoûtante ? a suggéré Susi avec hésitation.

— Non, tête de linotte ! Nous avons proclamé : Une pour toutes...

Notre serment de la veille leur est subitement revenu. P'tit Radis, Giacomo et même Susi ont alors crié d'une seule voix :

— TOUTES POUR UNE !

Ils ne voulaient pas me laisser entrer seule dans la mort. C'était vraiment sympa de leur part. Malheureusement, c'était idiot. Parce que cela signifiait qu'ils mourraient aussi. Personne n'avait la moindre chance contre le chien de l'enfer.

— Vous, vous restez ici ! leur ai-je ordonné d'un ton décidé.

C'était la première fois, et la seule, que je donnais un ordre à mon troupeau. Pour le protéger.

— Mais... a protesté Hilde.

— Vous vous occuperez de la petite !

Quand j'ai prononcé ces mots, les larmes ont jailli de mes yeux et ma lèvre inférieure s'est mise à trembler. Tous les regards se sont tournés vers ma fille, qui se pressait avec angoisse contre ma patte, et mes amies ont compris. Sans elles, elle périrait dans ces montagnes, seule leur aide lui permettrait de survivre.

— Euh... a demandé Susi avec embarras. Cela signifie-t-il que nous devrons l'allaiter ?

Hilde l'a foudroyée du regard, et elle a repris en hâte :

— C'était juste une question ! S'il faut le faire, je le ferai aussi, pas de problème.

J'ai câliné ma petite du museau. Sentait-elle que c'était la dernière fois ? En tout cas, elle tremblait de tout son corps. Comme elle ne voulait pas s'écarter de mes pattes, je l'ai poussée vers sa tante P'tit Radis, d'abord doucement, puis un peu plus brusquement. J'avais de plus en plus de mal à lutter contre les larmes. Je n'avais pas peur de la mort, mais l'idée de ne pas voir grandir ma fille me brisait le cœur.

— Dites à Champion que je l'aime, ai-je demandé à mes amies.

Cette fois, ma lèvre supérieure aussi tremblait. Je n'allais pas tarder à sangloter tout haut.

— Je t'aime aussi, a bredouillé Champion.

Mes paroles semblaient l'avoir réveillé. Il s'est relevé péniblement, trop faible pour tenir sur ses pattes sans difficulté – quant à se battre contre le chien, cela paraissait hors de question. Pourtant, il voulait me défendre. Mon héros !

— Je vais en finir avec toi... a-t-il menacé.

Il a fait quelques pas... et s'est écroulé de nouveau. Old Dog a grimacé un sourire. Mon héros ne pouvait pas me sauver. Personne ne le pouvait.

P'tit Radis pleurait maintenant à chaudes larmes. Ne voulant pas l'imiter, j'ai détourné les yeux de mes amis pour demander à Old Dog à voix basse :

— S'il te plaît, pouvons-nous sortir ?

La petite ne devait pas voir sa mère se faire tuer.

Old Dog a acquiescé d'un bref hochement de tête, et je l'ai suivi à l'extérieur de la grotte. Sans me retourner une seule fois, parce que mon veau ne devait pas me voir pleurer. J'entendais derrière moi ses meuglements plaintifs et désespérés. Par Naïa, je n'avais même pas eu le temps de lui donner un nom ! Dehors, sous les tourbillons de neige, je me suis enfin laissée aller à sangloter. Pour la dernière fois de ma vie.

61

Des rafales de neige me fouettaient le visage, comme dans mes rêves. Le sang du yéti maculait le museau d'Old Dog. Exactement comme dans mes rêves. Seul le sentier sur lequel nous marchions n'était pas tout à fait pareil. J'entendais encore ma petite meugler plaintivement dans la grotte, et, le mufle ruisselant de larmes, j'ai demandé à Old Dog si nous pouvions nous éloigner un peu. Il fallait non seulement que la petite ne me voie pas mettre en pièces, mais qu'elle n'entende rien. Sans me répondre directement, Old Dog a continué à avancer, et je l'ai suivi dans la neige profonde sur environ deux cents longueurs de vache, gravissant le sentier qui se resserrait toujours plus. Je me sentais à chaque pas un peu plus calme et résignée. J'ai cessé de pleurer et j'ai séché mes larmes en me léchant le museau, goûtant au passage la neige fraîche qui se déposait dessus. Après un tournant du chemin, nous avons parcouru peut-être encore une vingtaine de longueurs de vache, puis nous nous sommes arrêtés. C'était exactement le lieu de mon rêve. À droite, le rocher s'élevait vers les nuages noirs, à gauche s'ouvrait un immense précipice. Comme dans mon rêve, aveuglée par la tempête, je n'en voyais pas le fond. Seule la fleur gelée au bord du sentier était différente de celle de mon rêve – dans la réalité, elle paraissait plus triste encore.

— Pourquoi veux-tu me tuer ? ai-je demandé à Old Dog.

Il me semblait que j'avais enfin le droit de savoir.

Old Dog hésitait, comme en proie à un combat intérieur. Mais quelque chose en lui avait besoin de laisser parler son cœur, ou plutôt le peu de cœur qui lui restait, et il a fini par me répondre :

— À cause de Tinka…

— Ta dame caniche, ai-je dit, me souvenant du nom de sa bien-aimée empoisonnée par la mort-aux-rats du fermier.

— Quand elle est morte, elle attendait un petit.

Ça, je ne le savais pas !

— Ce jour-là, ce n'est pas seulement elle qui est morte, mais mon enfant… a poursuivi Old Dog d'une voix qui commençait à se briser.

On aurait dit qu'il se parlait maintenant à lui-même, qu'il revivait une fois de plus ces terribles instants, comme il le faisait sans doute à chaque heure de chaque jour et même la nuit, dans ses cauchemars.

— … et mon rêve de bonheur est mort avec eux.

— Voilà pourquoi tu as voulu mourir toi aussi.

Je comprenais tout à présent. Old Dog n'avait-il pas mangé de cette viande empoisonnée qui avait tué sa Tinka et leur petit à naître ?

— Je voulais les rejoindre.

Sa voix était presque étouffée par la douleur si longtemps contenue. Je n'aurais jamais cru pouvoir éprouver de la pitié pour lui. Bien sûr, Old Dog allait me tuer, mais je savais que Champion et mon veau survivraient. Rester en vie après avoir perdu sa famille est un sort plus terrible que la mort.

— Les dieux chiens noirs me sont apparus, a raconté Old Dog. Ils ne m'ont pas laissé mourir, parce qu'ils prenaient trop de plaisir à mes souffrances sans fin.

Si ces dieux chiens existaient vraiment et si Old Dog ne les avait pas imaginés dans sa folie, nous pouvions nous estimer heureuses, nous les vaches, d'avoir Naïa et Hurlo. Ils n'étaient peut-être pas les plus doués des dieux, mais au moins, ils ne se réjouissaient pas de voir souffrir leurs créatures.

— Tinka avait toujours rêvé d'une petite famille, poursuivait Old Dog sans même me regarder. Depuis le jour où elle avait vu ces deux éphémères…

— Zoum et Vroum…

— Quelle idée de leur donner des noms aussi idiots ! a grondé le chien. Tinka les appelait Mouchette et Éphème !

Et tu trouves ça mieux ? ai-je eu envie de répliquer, mais il m'a semblé peu opportun de l'exciter davantage contre moi. D'un autre côté, qu'avais-je encore à perdre, puisqu'il voulait ma mort de toute façon ?

— Tu comprends donc pourquoi je dois te tuer ? m'a demandé le chien.

Renonçant à la prudence, j'ai répondu avec effronterie :

— Parce que je manque de goût pour donner des noms aux mouches ?

— Ne sois pas impertinente !

— Tu veux déjà me tuer. Que peut-il m'arriver de pire ?

— Je peux le faire d'une manière particulièrement cruelle, a-t-il rétorqué avec un méchant sourire.

Ma gorge s'est tout de même serrée.

— Effectivement, c'est un assez bon argument contre l'insolence.

— Tu dois mourir, parce qu'une idiote de vache comme toi ne doit pas connaître le bonheur qui nous a été refusé, à Tinka et à moi.

— Tu n'accordes pas aux autres le droit au bonheur ?

Cela me paraissait si inconcevable que, de surprise, j'en suis restée bouche bée et que la neige s'est engouffrée dedans.

— Non, a répondu sobrement le chien.

— C'est aussi simple que ça ?

— Aussi simple que ça, a-t-il confirmé.

Le bonheur avait donc des ennemis, je le réalisais maintenant. La plus grande menace ne venait pas de nos propres insuffisances, mais bien de l'extérieur. On l'oubliait facilement quand on était trop préoccupé de soi-même. Bouleversée, j'ai demandé :

— Tinka aurait-elle voulu cela ?

Old Dog a marqué une pause. Jusqu'ici, P'tit Radis avait été la seule à réussir à le déconcerter.

— Non, a-t-il finalement répondu d'une voix hésitante. Non, sans doute pas.

L'espoir renaissait en moi. Old Dog aimait tant sa Tinka qu'il voudrait peut-être m'épargner, en souvenir d'elle.

— On peut même supposer qu'elle aurait trouvé cela horrible, ai-je poursuivi d'une voix douce.

— On peut le supposer, a-t-il concédé.

Mon espoir s'est tout à coup envolé vers l'infini. Seuls les condamnés connaissent une telle émotion, lorsqu'ils croient qu'ils vont réussir à faire la nique à la mort.

J'ai repris d'une voix encore plus douce :

— Si Tinka vivait toujours et si elle me ressemblait tant soit peu, elle trouverait même cela épouvantable.

— Mais elle ne te ressemblait absolument pas ! s'est-il brusquement insurgé.

À cet instant, j'ai senti que j'avais probablement perdu la partie.

— Et elle n'est plus en vie ! a-t-il hurlé avec toute la rage et la douleur que le mauvais tour du destin avait mises en lui.

Il a hurlé, hurlé, hurlé, toujours plus haut, plus follement, et les immenses parois rocheuses renvoyaient son cri en multiples échos, faisant se détacher ici et là des plaques de neige qui tombaient dans l'abîme. Ma dernière petite lueur d'espoir s'éteignait, il ne m'épargnerait pas.

Longtemps après, Old Dog a fini par se calmer. Nous sommes restés face à face en silence sous la tempête de neige. Et, tandis que nous étions là, lui fou de douleur, moi attendant sa morsure, j'ai compris quelque chose.

— Tu as perdu.

— Comment ça ? a demandé Old Dog, fort surpris.

J'étais très calme tout à coup.

— Parce que j'ai connu le bonheur. Cela, tu ne pourras pas me l'enlever.

J'avais touché juste. Il ne savait plus que répondre.

J'avais donc réellement gagné.

À ma manière.

Pensais-je.

Jusqu'à ce que le chien tende la patte dans ma direction et éclate de rire.

— Oh, mais qui vient donc là ?

Je me suis retournée, prenant garde à ne pas déraper sur les pierres afin de ne pas tomber dans l'abîme. De nouveau, c'était exactement comme dans mes rêves. Un peu plus bas sur le sentier sinueux, marchant vers moi, s'avançait mon tendre petit veau.

62

— Je vais t'épargner, a ricané Old Dog.

Je n'en croyais pas mes oreilles. La vue de mon enfant l'avait-elle ramené à des sentiments plus doux en lui rappelant son propre petit jamais né ?

— Je tuerai ton veau et ton mari, mais toi… je t'épargnerai.

Il a souri, et une lueur encore plus inquiétante s'est allumée dans son œil rouge.

— Ainsi, tu connaîtras la même vie que moi, et nous aurons tous deux perdu à égalité !

Si seulement j'avais fermé ma grande gueule !

J'étais encore placée entre le chien et mon enfant sur l'étroit sentier. Pour l'atteindre, Old Dog devait passer devant moi. Et il s'apprêtait déjà à bondir.

— Sauve-toi ! ai-je crié à la petite dans mon désespoir.

Elle s'est arrêtée, troublée, frissonnante sous la neige.

— COURS !!! ai-je crié à pleins poumons, si fort qu'un peu de neige fraîche s'est détachée du rocher au-dessus de moi et est tombée sur le chemin.

Heureusement, l'instinct de conservation s'est déclenché chez la petite et, au lieu de courir vers moi pour chercher protection, elle est redescendue et a disparu derrière le virage. Cela ne la sauverait pourtant pas, car comment une aussi petite créature échapperait-elle à un chien de l'enfer ? Il l'aurait rattrapée en quelques instants.

Bondissant au-dessus de moi, Old Dog s'apprêtait à la prendre en chasse, quand P'tit Radis est apparue au détour du chemin et m'a lancé, haletante :

— Désolée, Lolle, je n'ai pas pu retenir la petite...

C'est alors qu'elle a aperçu le chien, qui avait ralenti en la voyant. Elle est devenue tout à coup aussi silencieuse qu'une petite souris, et même davantage, puisqu'elle connaissait des souris beaucoup plus bruyantes.

Derrière elle sont apparues les têtes de Hilde et de Susi, avec Giacomo assis entre les cornes de la première. Eux non plus n'ont pas osé prononcer une parole. Champion n'était pas avec eux, probablement était-il toujours dans la grotte, assommé par le coup de patte du yéti.

À la vue de mon petit troupeau, Old Dog a éclaté de rire.

— Eh bien, je vais aussi envoyer tes amis au diable une bonne fois pour toutes. Ainsi, tu auras même perdu beaucoup plus que moi !

Son rire sonore a de nouveau détaché un peu de neige des rochers au-dessus du chemin.

Le chien s'est avancé lentement vers la vache la plus proche. P'tit Radis. Dans sa terreur, elle s'est remise à jacasser à tort et à travers :

— J'ai une question à te poser...

— Quoi ? a fait Old Dog, très énervé.

— Où est le diable à qui tu veux nous envoyer ?

Old Dog est resté muet de stupeur.

— Est-ce celui du veau vert ?

Le chien commençait à écumer.

— Et est-ce aussi un beau diable ?

Il avait maintenant une lueur de folie dans l'œil.

— Et dans ce cas, est-ce qu'on l'appelle un beau diable de veau vert ? Ou un beau veau de diable vert ?

Fou de rage, Old Dog a bondi vers P'tit Radis en hurlant :

— TU VAS MOURIR LA PREMIÈRE !

Il n'avait pas crié tout à fait aussi fort que moi lorsque j'avais lancé mon avertissement désespéré à mon veau, mais cela a suffi pour achever de détacher la neige au-dessus du sentier.

— Attenzione, l'avalanche ! a crié le chat avec épouvante.

Une masse de neige monstrueuse s'est abattue avec un bruit énorme sur Old Dog.

Et sur P'tit Radis.

Les entraînant tous deux dans l'abîme.

63

— P'TIT RADIS ! ai-je crié.

L'avalanche avait cessé, mais le chemin était obstrué sur une hauteur de plusieurs mètres, et je ne voyais plus mes amis de l'autre côté.

— Yé crois qué cé n'est pas oune très bonne idée dé continouer à crier, m'a lancé Giacomo. Ça risque dé récommencer.

— Mais... P'tit Radis... me suis-je lamentée plus doucement.

J'ai essayé de jeter un coup d'œil au fond du précipice. Impossible de distinguer quoi que ce soit, avec la neige qui tombait toujours en tourbillonnant. Cela valait peut-être mieux ainsi. Je n'aurais peut-être pas supporté la vue de son cadavre.

— Je suis encore vivante ! avons-nous soudain entendu.

Mon cœur s'est mis à battre très vite.

Elle s'en était sortie ! Ma P'tit Radis était sauvée !

Naïa soit louée !

Dans ma gratitude, je voulais déjà donner à mon veau le nom de notre divinité, quand P'tit Radis a gémi :

— J'ai bien dit : « Encore. »

Je me suis avancée jusqu'au bord de l'amas de neige, et là, je l'ai vue, accrochée à un surplomb, à peut-être quatre longueurs de vache de moi. Ses pattes de devant, sa tête et son encolure reposaient plus ou moins sur le rocher, tandis que le reste de son corps pendait au-dessus du précipice. Et, de toute évidence, elle n'avait pas la force de se hisser.

Mon cœur s'est serré. Une chose était sûre, elle ne tiendrait pas longtemps comme ça.

— Old Dog est tombé en bas, m'a-t-elle dit en souriant. Il ne te fera plus jamais de mal.

Quelques instants auparavant, je n'avais pas de plus cher désir, mais à présent, la mort du chien me laissait totalement indifférente. Ma P'tit Radis était en danger, je devais la sauver. Que faire ? Même si je parvenais à la rejoindre sans glisser dans l'abîme, comment la soulever ? C'est bête, les vaches n'ont que des sabots, et pas de mains pour retenir quelqu'un. Même avec des mains, d'ailleurs, je n'aurais probablement pas pu remonter son poids jusqu'au chemin, je n'étais pas assez forte pour cela, aucune vache au monde ne l'était. Pourtant, il fallait essayer. Alors, j'ai posé mes sabots de devant sur le tas de neige et j'ai crié à P'tit Radis :

— J'arrive !

— Non, Lolle, a-t-elle protesté. C'est trop dangereux.

— Je vais te sauver, ai-je persisté.

J'ai posé mes sabots de derrière dans la neige pour tenter de grimper, mais déjà, je commençais à glisser, et je n'ai réussi qu'à grand-peine à reprendre appui. Je ne pouvais pas avancer d'un seul pas sans risquer de tomber moi-même dans l'abîme.

— Ne sois pas naïve, Lolle, m'a dit P'tit Radis.

Pour une fois, c'était elle qui disait cela.

— Ne meurs pas en vain. Tu dois rester en vie pour ta famille.

Bouleversée, je suis restée muette. Je savais qu'elle avait raison, et pourtant, je ne voulais pas la laisser mourir ainsi !

Le temps filait, et P'tit Radis, les muscles en feu, gémissait toujours davantage. Elle devait fournir un effort extraordinaire pour ne pas tomber.

De l'autre côté de l'amas de neige, j'ai entendu Hilde crier :

— P'tit Radis, je t'aime !

Ainsi, même si elle n'en avait rien laissé paraître, Hilde avait bien compris ce que P'tit Radis avait voulu lui dire chez les Wagyu. Maintenant que son amie était face à la mort, elle voulait prononcer les mots que P'tit Radis avait tant désiré entendre, lui offrir un dernier moment de bonheur sur cette terre, même si ce n'était pas la vérité.

— Tu mens mal, Hilde, a répondu P'tit Radis avec un gentil rire.

Elle allait glisser d'un instant à l'autre.

— … mais tu n'as pas besoin de tricher pour moi, a-t-elle poursuivi.

Ses forces s'amenuisaient.

— … j'ai eu une vie heureuse. Une vie parfaite, même si tout n'y a pas toujours été parfait…

Elle ne parvenait plus à s'accrocher.

— … parce que j'en ai vécu chaque instant…

Elle renonçait à se battre.

— … faites-le vous aussi.

Alors, cessant de lutter contre l'inévitable, ma P'tit Radis m'a souri une dernière fois.

Avant d'être précipitée dans la mort.

64

Ce fut comme si le temps s'était figé.
Jamais je n'avais éprouvé une telle douleur.
J'avais si mal que je ne pouvais même pas pleurer.
Ma P'tit Radis était morte.
Elle ne chanterait plus.
Ne dirait plus jamais de sottises.
Ne frotterait plus jamais son museau contre le mien.
C'était fini.
Pour toujours.

Dans cet instant où le temps était resté figé, j'ai décidé d'appeler ma fille P'tit Radis.

Puis l'instant a passé.
Et j'ai entendu la voix d'Old Dog.

Le temps a repris son tempo normal. Quelque part au loin, Old Dog criait d'une voix remplie de haine :
— Je vous tuerai tous !

J'ai regardé dans l'abîme. La tempête de neige avait un peu faibli, et on y voyait plus clair. Le chien était étendu sur un surplomb rocheux – peut-être à dix longueurs de vache au-dessous de nous. Il saignait par de multiples blessures, mais il était vivant.

Oh, non !

Il était encore vivant !

Jusqu'à ce que P'tit Radis atterrisse sur lui.

Rompant définitivement le cou du chien de l'enfer.

Ce qui lui a sauvé la vie, à elle.

Le monstre qui voulait détruire le bonheur était enfin vaincu.

Par une vache heureuse.

Qui nous a crié joyeusement :

— Une chance que je sois bien rembourrée !

65

Les jours suivants ont été difficiles. Nous avons eu fort à faire pour atteindre le sommet, à cause non seulement du froid, de la neige et de la faim, mais aussi de l'air raréfié. Nous mangions les quelques fleurs gelées que nous trouvions au bord du chemin. Par chance, nous avions tellement grossi chez les Wagyu que nous pouvions vivre sur notre réserve de graisse, et j'avais assez de lait pour continuer à nourrir ma petite. Chaque fois que l'un d'entre nous, épuisé, était tenté de renoncer, les autres étaient là pour l'encourager. Car nous étions un vrai troupeau à présent – non, que dis-je, nous nous sentions tous comme une grande famille. Toutes pour une, une pour toutes !

La nuit, après nous être mis à l'abri du vent et de la neige dans une grotte ou sous une avancée de rocher, nous nous racontions des histoires pour ne plus penser au froid ni à notre peur de mourir. Mais nos histoires ne tournaient plus autour de la légende de Naïa et de Hurlo, nous avions désormais d'autres héros. Par exemple, l'un de nos contes s'appelait :

Le veau blanc

Le merveilleux veau blanc escaladait l'Himalaya. Mètre après mètre, le vent devenait plus cinglant, le sentier plus glissant, l'air plus rare. N'importe quel autre veau aurait pleuré pitoyablement de terreur, mais pas le veau blanc, car il avait avec lui de vaillants compagnons qui lui donnaient du courage. Il y avait la vache à taches brunes, qui ne se souciait plus désormais d'aucune couleur et qui avait été capable de réduire en compote les noisettes d'un farouche taureau. Il y avait l'ancienne coquette, qui, avec un courage extraordinaire, avait sauvé le troupeau de l'oiseau en feu et était maintenant si désintéressée qu'elle donnait même son lait au veau de son ancienne pire ennemie. Et il y avait celle qui avait toujours été bonne. Celle-là avait aplati le chien de l'enfer et trouvé le courage d'avouer qu'elle était paah-didel-dideli-dideli-dam.

Bien sûr, le veau blanc avait aussi près de lui ses parents aimants. Le taureau qui avait perdu la mémoire, mais découvert sa personnalité. Et la vache qui avait cherché le bonheur et l'avait déjà pratiquement trouvé, même s'il lui manquait encore quelque chose : un nouveau refuge. Mais elle avait quelqu'un pour l'y conduire : le chat étranger, celui qui, autrefois, fuyait toujours le danger, et qui s'était ensuite résolu à l'affronter pour sauver le troupeau des terribles créatures appelées « gastronomes ».

Ces compagnons du veau blanc étaient capables de tout faire : naviguer sur la grande mer, voler très haut dans les nuages, et aussi, s'il le fallait absolument, pisser sur des grenouilles. Ils étaient imbattables, et ils conduiraient le veau blanc au-delà des montagnes, cela, ils en étaient sûrs !

Un jour, le ver de terre rencontra ce troupeau courageux.

« Et que devient Naïa, la déesse vache, dans cette histoire ? leur demanda-t-il.

— Dans cette histoire, on n'a plus besoin d'elle, répondit la mère du veau blanc.

— Mais je voulais me plaindre à elle ! se mit à rouspéter le ver de terre. Le temps n'arrête pas de changer. Tantôt il fait trop chaud, tantôt il fait froid, tantôt il pleut, tantôt le soleil brille trop fort... enfin, qu'est-ce que ça veut dire ?

— Quelqu'un d'autre en a marre des jérémiades de ce ver ? demanda la vache à taches brunes.

— Ce n'est pas sa faute, dit la gentille. Il ne sait profiter de rien.

— Il sait seulement râler, confirma l'ancienne coquette.

— Cela tient sans doute à l'étrangeté de sa vie amoureuse », déclara le taureau.

La mère du veau se pencha pour dire au ver de terre :

« Il ne faut pas t'adresser à Naïa à tout bout de champ.

— Pourquoi donc ?

— Parce que chacun est responsable de son propre bonheur.

— Naïa aurait quand même pu me le dire ! » fit le ver de terre, fort surpris.

Puis, sans cesser de rouspéter, il s'éloigna en ondulant. Mais le veau blanc avait bien écouté sa mère. C'est ainsi que, dès son enfance, il apprit une chose que ses vaillants protecteurs avaient mis la moitié de leur vie à comprendre : que le bonheur vient à ceux qui prennent eux-mêmes leur vie entre leurs sabots.

Ces nouvelles légendes étaient importantes pour nous, parce qu'elles ne traitaient pas d'êtres surnaturels, mais de ce dont nous étions capables, nous, vaches de chair et de sang. Elles nous donnaient donc le courage de résister à ces sombres nuits.

Grâce à elles, nous avons même trouvé la force de grimper tout en haut de l'Himalaya. Oui, nous, des vaches, nous sommes montées sur le toit du monde !

Bien sûr en tremblant dans le froid glacial et l'air raréfié qui nous faisaient frôler la mort, mais remplies de fierté, car aucun troupeau avant nous n'avait accompli un tel exploit. Et, sans poils, les humains auraient certainement péri sur ces sommets.

— Qu'est-ce que nous sommes bons ! s'est exclamée P'tit Radis, son souffle ténu se cristallisant aussitôt en paillettes de glace qui tombaient lentement vers le sol.

— Tellement bons que ça fait mal ! a confirmé Hilde.

— Ouille ouille ouille ! a renchéri Champion.

— Miaouille ! a ajouté le chat.

— Et moi, je me gèle le cul, est intervenue Susi.

Elle n'avait pas pu renoncer tout à fait à râler, parce que personne ne change jamais complètement.

Du sommet, nous sommes redescendus dans la vallée. Il faisait un peu moins froid à chaque pas, puis il a commencé à faire plus chaud... toujours plus chaud.

Et enfin, un jour... l'Inde !

Nous étions arrivés.

Nous avions laissé derrière nous les anciennes divinités.

Les montagnes, la neige, le froid.

La souffrance, le chagrin, le danger.

Et nous avions retrouvé notre poids normal !

66

À ce moment-là seulement, je me suis rendu compte que je n'avais jamais vraiment essayé de me représenter l'Inde. Aucun d'entre nous n'avait la moindre idée de ce qu'était réellement notre paradis, à l'exception notable du fait que personne ici n'allait vouloir nous mettre sur le gril, puis entre deux moitiés de petit pain en compagnie d'un malheureux cornichon.

Et c'est justement parce que nous ne l'avions pas imaginée que l'Inde nous est apparue si extraordinaire. Il y faisait merveilleusement chaud, et nous savions d'instinct que nous n'aurions plus jamais froid ici. Partout poussaient des fleurs étranges et fascinantes. À la place des mouches volaient des quantités de papillons aux couleurs éclatantes, si beaux et si caressants que nous n'aurions pour rien au monde agité nos queues pour les chasser.

Dans un petit village, nous avons rencontré des humains charmants. Ils nous ont donné de l'eau et se sont occupés de nous sans l'arrière-pensée de nous enfermer dans un train ou à nous manger. Ils n'ont même pas pris notre lait, nous laissant l'utiliser dans le but auquel la nature le destinait : nourrir nos petits.

Dans ce village, qui s'appelait Amoda, nous avons rencontré des vaches indiennes, paisibles et équilibrées comme peuvent l'être les créatures qui n'ont à subir ni la faim, ni la douleur, ni la peur de mourir. Elles et leurs taureaux portaient des noms tels que Vishniruth, Vishniveg ou Vishnipopoab, et elles nous ont accueillis très amicalement. Dès le premier instant, ce village nous est apparu comme un monde merveilleux. Nous pouvions nous y installer. Mon veau pouvait grandir ici. Et aucun d'entre nous n'aurait plus jamais besoin de pleurer.

Au début, l'Inde nous a tellement impressionnés et étonnés que nous sommes tous restés sans voix. Cependant, quand nous ne trouvons pas de mots, nous, les vaches, nous pouvons toujours chanter.

Le premier soir, avec nos nouvelles amies les vaches indiennes, nous nous sommes tous allongés sur le sable chaud de la place du village – oui, les humains nous laissaient réellement aller partout où nous voulions. Nous avons regardé le soleil descendre derrière les monts de l'Himalaya. Alors, P'tit Radis a commencé à chanter tout doucement :

Oh happy cow

Hilde et Susi ont repris en chœur :

Oh happy cow

Toutes les trois, elles ont balancé la tête de droite à gauche en poursuivant de plus en plus fort :

Oh happy cow, oh happy cow.
Car Lolle nous a menés,
en Inde elle nous a menés,
de joie nous chantons : Meuh !
Oh happy cow, oh happy cow.

À son tour, ma petite s'est mise à fredonner :

La, la, la, la, la, la, la, la, la.

— Lé texte il est vachément varié, s'est esclaffé le chat.

Sur quoi elles ont aussitôt changé les paroles, et Champion s'est joint à elles avec sa grosse voix :

Meuh, meuh, meuh, meuh, meuh, meuh

— C'est vrai qué mainténant il est beaucoup plous varié, a déclaré Giacomo en riant.

Puis il a entonné avec les autres :

Meuh, meuh, meuh, meuh, meuh, meuh

Ils chantaient tous ensemble de plus en plus fort. J'étais si émue de leur gratitude qu'une grosse boule me serrait la gorge.

Alors, ma grande famille s'est levée et s'est mise à danser avec entrain. Emportées par notre enthousiasme, les vaches indiennes n'ont pas tardé à nous imiter. Tout le monde sautillait et dansait en rond, et, autour de nous, les gentils humains ont tapé joyeusement dans leurs mains.

Oh happy cow, oh happy cow

À cet instant, j'ai enfin compris que le bonheur avait un sens différent pour chacun de nous.

Pour Hilde, c'était le bonheur de ne plus s'accrocher à des rêves sans importance.

Pour Susi, c'était celui de croire en elle-même.

Pour Giacomo, c'était d'être libéré du poids d'une faute.

Pour P'tit Radis, c'était de jouir de chaque instant.

Oh happy cow, oh happy cow

Pour Champion, c'était le bonheur d'être enfin devenu adulte et d'avoir sa petite famille à lui.

Pour les vaches indiennes, c'était la vie paisible dans laquelle elles étaient nées.

Et pour moi...

... pour moi, c'était mon taureau et mon veau.

Oh happy cow, oh happy cow

Oui, grâce à ma décision de quitter la ferme, tout mon troupeau avait trouvé son bonheur. C'était merveilleux de les voir ainsi. P'tit Radis flirtait avec une charmante vache indienne nommée Tim-Tim, qui battait des cils de façon ravissante. Hilde dansait avec Vishniveg, qui avait le pelage clair et sans la moindre tache. Susi, débordante d'assurance, flirtait avec Vishnipopoab, le taureau le plus élégant de toute la région. Et le matou tournait autour de plusieurs jolies chattes indiennes en dansant ce qu'il appelait « le boogie-woogie ».

Pas de doute, dans ce paradis, ils trouveraient tous non seulement le bonheur, mais l'amour.

Champion est venu vers moi et m'a invitée à me joindre à eux en beuglant avec enthousiasme :

Oh oui, chante chante chante, yeah, yeah, yeah...

Alors, je me suis levée et me suis mise à chanter avec mes amis, mon veau, mon taureau, les vaches indiennes et les humains qui se réjouissaient avec nous, et j'ai meuglé à pleine voix :

Oh, oh, oh

OH HAPPY COW !

En chantant, j'éprouvais le plus grand bonheur possible sur cette terre...

... celui d'avoir rendu heureux ceux qu'on aime.

Et c'est exactement ce que signifie : « Meuh ! »

Je remercie ma relectrice Ulrike Beck, qui a cru à mes vaches, ma femme Marion, qui croit toujours en moi, mon agent Michael Töteberg, qui souvent ne fait pas que croire mais sait, Marcus Gärtner et Christian Zeyfang pour leur assistance musicale.

Cher lecteur,

Dans mon premier roman, *Maudit Karma,* l'héroïne se réincarnait en fourmi pour avoir accumulé trop de mauvais karma. C'est afin que ce sort nous soit épargné, à vous et à moi, que j'ai créé la fondation *Gutes Karma* (« Bon Karma »).

Plaisanterie mise à part, que l'on croie ou non à la réincarnation ou au paradis, il est possible de changer des choses dans cette vie. La question n'est pas d'être récompensé ou puni après la mort pour ses actions, mais qu'il soit juste, dans le moment présent, d'aider d'autres humains dont la vie est plus difficile que la nôtre. Cela leur fait du bien à eux, mais – on peut le reconnaître, quitte à paraître un peu moins altruiste – cela nous fait aussi plaisir à nous.

La fondation *Gutes Karma*, dont la création a été permise en grande partie grâce au succès de mes romans, a pour but d'aider des enfants dans le monde entier. Elle a déjà financé la construction au Népal de l'école Sundaridevi, qui instruit 720 enfants du primaire jusqu'à la classe de seconde. Actuellement, nous soutenons plusieurs projets qui luttent contre l'esclavage des enfants.

Ces projets sont mis en œuvre avec des partenaires sérieux et variés, qui offrent la garantie que l'argent sera dépensé efficacement sur place. Alors, que vous souhaitiez éviter d'être réincarné en fourmi ou simplement faire une bonne action, vous avez là un moyen d'aider concrètement.

Plus d'informations sur le site www.gutes-karma-stiftung.de

Avec les amitiés de votre
David Safier

Composé par Nord Compo

Imprimé en France par CPI
en mars 2016

POCKET - 12, avenue d'Italie - 75627 Paris Cedex 13

N° d'impression : 3016464
Dépôt légal : septembre 2015
Suite du premier tirage : mars 2016
S25521/05